Chiens de guerre

ADRIAN TCHAIKOVSKY

Chiens de guerre

ROMAN TRADUIT DE L'ANGLAIS
PAR HENRY-LUC PLANCHAT

Titre original
Dogs of War

Éditions de Noyelles,
avec l'autorisation des Éditions Denoël

31, rue du Val de Marne, Paris

© Adrian Tchaikovsky, 2017.
© Éditions Denoël, 2019. Pour la traduction française

ISBN : 978-2-298-16928-7

PREMIÈRE PARTIE

Chien qui mord

1

Rex

Je m'appelle Rex. Je suis un bon chien.

Quand Rex fonce, l'ennemi est défoncé. C'est une blague du Maître.

Mon équipe se compose de Dragon, Miel et Abeilles. C'est une escouade d'assaut multiforme. Ça veut dire que ce ne sont pas des bons chiens comme moi.

Maintenant, j'approche des ennemis. J'avance contre le vent. Je peux les sentir : il y a au moins une trentaine d'humains dans le camp. Je flaire des fusils, mais pas d'explosifs. Je ne sens pas non plus d'autres chiens ni de biomorphes, seulement des humains qui sont des ennemis.

Je parle à mes armes. Elles me disent qu'elles sont prêtes et opérationnelles. Elles disent : *Tous les systèmes fonctionnent, Rex.* Et le module de rétroaction me dit : *Bon chien, il n'oublie pas.*

Mes fusils-mitrailleurs, on les appelle des « grands chiens ». C'est une blague des gens qui me les ont donnés. Ils sont sur mes épaules et ils tirent quand je leur dis de tirer, parce que j'ai besoin de mes mains pour faire autre chose que presser sur des détentes. On les appelle des grands chiens parce que les humains sont trop petits pour les utiliser sans se blesser.

Moi, je n'aime pas imaginer que les humains peuvent se

blesser eux-mêmes. Alors je pense *Vilain chien !* J'aime les humains. Ils m'ont créé.

Les ennemis, c'est différent.

Je parle à mon équipe. Dragon ne répond pas mais son signal de rétroaction indique qu'il est vivant et qu'il ne se bat pas encore. Dragon est difficile. Il a sa propre façon de faire les choses, qui est souvent en contradiction avec ce que le Maître m'a dit. Pourtant, le Maître dit souvent « Dragon obtient des résultats », alors je ne peux pas lui dire d'arrêter d'être Dragon, mais ça ne me plaît pas qu'il soit Dragon. Il me met mal à l'aise.

Miel me parle. Elle est en position avec son « fusil à éléphant ». Son nom aussi, c'est une blague. Comme les autres blagues, je ne comprends pas celle-là. Miel n'est pas un éléphant.

Abeilles me parle. Elle indique une intégrité de 99 %. Abeilles n'a pas d'armes et elle n'en a pas besoin. Elle est prête. Miel est prête. Dragon ferait mieux de l'être, sinon je le mords, même si c'est un comportement de vilain chien.

Je parle au Maître sur le canal crypté. Il me dit que je suis un bon chien. Je suis en position et l'ennemi n'a aucune réaction qui pourrait faire croire qu'il est au courant de ma présence.

Le Maître me dit que je peux attaquer. Il espère que je vais bien me comporter. Je veux vraiment qu'il soit fier de moi.

Je dis à Miel de commencer. Elle est venue en travers du vent jusqu'au camp des ennemis. Je peux la sentir mais eux, non. Je l'entends parler à son système de visée, qui identifie des cibles potentielles. Miel est d'accord. Elle envoie onze obus explosifs dans le camp, à une distance de quatre cents mètres, en visant de façon à créer la plus grande confusion. Je bouge dès que le dernier est tiré, et même juste après que le premier a explosé.

Je vois le feu. J'entends des voix d'humains malgré les explosions, des voix aiguës. Cours, ennemi, cours.

Abeilles prend son élan et attaque. Elle fonce dans le camp comme un tourbillon en esquivant les tirs et elle pique tous ceux qu'elle peut approcher. Ses unités ne meurent pas quand elles ont piqué, même si à la fin elles n'ont plus de venin. Aujourd'hui, le venin qu'elle utilise rend les ennemis complètement fous et ils se battent entre eux. C'est son préféré.

Je ne sais toujours pas où est Dragon. Je lui parle mais il ne répond pas.

Miel me dit qu'elle est coincée. Je suis déjà là. Des humains courent vers moi : j'ai choisi une de leurs routes pour approcher. Certains ont des fusils. Beaucoup n'en ont pas. Je fonce à quatre pattes, tout en parlant à mes grands chiens. Nous choisissons des cibles ensemble et je commence à tuer des ennemis, en employant des rafales de trois balles comme c'est écrit dans le manuel. Les grands chiens ont du mal à compenser mes mouvements. Des fois, ils ratent la cible, mais le plus souvent ils la touchent avec au moins une des balles. Je leur dis : *Bons fusils.* Mon rétro-module me félicite : *Bon chien.*

Un des ennemis tire sur moi. Je sens les balles qui frappent mon épaule et ma poitrine, comme s'il me donnait des coups avec ses petits poings. Mon gilet écrase les balles avant qu'elles puissent toucher ma peau et mes muscles. Je parle à ma base de données et je vérifie ma tolérance aux dommages en fonction du calibre et de la vitesse initiale. Il faudrait qu'il me tire dans l'œil ou juste au-dessus de la bouche pour me tuer. S'il touche mon ventre, j'aurai quand même besoin de quelques jours pour guérir. C'est pour ça que je porte toujours mon gilet comme il faut. Dragon ne porte jamais son gilet.

Maintenant que je suis près des ennemis, je me redresse sur deux jambes pour pouvoir utiliser mes mains. Les ennemis sont petits. Certains arrivent à mon épaule, d'autres seulement à ma taille. Ils crient et je peux sentir à quel point ils sont effrayés. Je sais que c'est une des raisons pour lesquelles j'ai été créé. Pour effrayer les ennemis. Je fais bien mon travail. Mon module de rétroaction me dit : *Bon chien.* Je suis très content.

Je les attrape et je les éventre. Je prends les petits entre mes crocs et je les secoue jusqu'à ce qu'ils se désarticulent. C'est une sensation très agréable. Je hume leur sang et leurs excréments et leur peur. C'est vraiment bien.

Miel est dans leur campement. Elle a échangé son fusil à éléphant contre un automatique et elle effectue un tir de couverture pour bloquer les ennemis jusqu'à ce que je la rejoigne. Abeilles annonce que son intégrité est de 81 % mais que sa réserve de venin n'est que de 47 %. Elle dit qu'elle se débarrasse des modules vides parce qu'ils ne peuvent plus lui servir. Elle estime qu'elle a injecté du venin à 34 % des ennemis et précise qu'ils n'ont pas utilisé d'antidote.

Miel confirme que beaucoup d'ennemis se battent et se massacrent mutuellement. Elle félicite Abeilles pour son excellent travail. Cela ne me dérange pas qu'elle le dise, même si je suis le chef d'équipe et que c'est normalement à moi de féliciter les autres. Miel est la plus intelligente du groupe.

J'entre dans le camp et je continue à tuer des ennemis. J'en tue quelques-uns avec mes grands chiens, mais je préfère les déchiqueter, parce que c'est plus économique. J'épargne les munitions. Le module de rétroaction me répète : *Bon chien*.

Maintenant, il n'y a plus d'ennemis armés qui puissent tirer sur moi. Abeilles s'est occupée d'eux en priorité et la plupart d'entre eux ont déjà vidé leurs chargeurs en faisant feu sur leurs camarades.

Quelques ennemis essayent de fuir, mais ils ne sont pas très rapides, et quand les grands ennemis reviennent en arrière pour aider les petits, cela les ralentit. Moi, je suis très rapide. Je cours autour d'eux pour les repousser vers le camp. C'est aussi une chose que j'aime bien faire, même si le module de rétroaction ne me dit rien.

Miel me parle. *Où sont les autres ennemis ?*

Je lui réponds que je ne comprends pas.

Canal de Miel : *La résistance armée a été négligeable. Ce ne sont pas des combattants rebelles. Ce sont des civils.*

Je lui dis : *Ce sont des ennemis.* Nous continuons de les tuer tout en parlant.

Canal de Miel : *Pendant le briefing, on nous a dit que nous allions rencontrer une forte résistance armée de la part des combattants rebelles. Ce n'est pas le bon camp ?*

Je prends un autre petit ennemi dans mes crocs. Il se met à gigoter en criant. Une grande femelle ennemie me frappe avec ses poings minuscules. Je transmets à Miel : *Le Maître nous a dit d'attaquer.*

Canal de Miel : *Rex, ce n'est pas le camp indiqué dans notre ordre de mission.*

Canal d'Abeilles : *Intégrité à 74 %. Réserve de venin à 31 %. Total du venin disponible estimé à 42 %. Ennemis survivants : 19 %.*

Canal de Dragon : *Cible verrouillée.*

J'appelle Dragon. Le petit ennemi est encore dans ma gueule mais je n'ai pas broyé son corps. Je ne suis pas content. Je n'aime pas ce que dit Miel. Quelque chose dans ses paroles me donne l'impression d'être un vilain chien. Cela ne vient pas de mon rétro-module mais du fond de moi, de là où naissent les autres sentiments.

Canal de Dragon : *Bang ! Cible neutralisée.*

Je veux savoir quelle cible. La grande ennemie continue de me frapper et tente d'ouvrir mes mâchoires mais un humain ne possède pas assez de force pour faire ça.

Dragon me dit que le Maître lui a donné pour mission secrète de tuer un ennemi en particulier. Dragon semble très content de lui. Son module de rétroaction lui dit peut-être *Bon Dragon* parce qu'il a trouvé et neutralisé cet ennemi.

Dragon utilise le mot « neutralisé » pour les ennemis spéciaux. Les autres ennemis sont seulement « tués ».

Miel ne tire plus. Je l'interroge et elle transmet : *Rex, je suis embêtée par ces données insuffisantes. Je veux contacter le Maître.*

Je n'aime pas contacter le Maître au milieu d'une mission. Il pourrait croire que je ne peux pas faire mon travail et être mécontent de moi. Pourtant, Miel est plus futée que moi. Si elle pense que nous devons contacter le Maître, il faut le faire.

Le Maître répond rapidement ; il a regardé toute l'attaque grâce à nos modules vidéo.

J'explique que les paramètres de l'ennemi ne correspondent pas à ceux qu'on nous a donnés. Je lui demande de confirmer que nous devons terminer cette mission.

Dragon a indiqué qu'il avait accompli sa neutralisation, dit le Maître. *Vous êtes au bon endroit. Tu es un bon chien. Termine la mission.*

Je secoue le petit humain dans ma gueule et j'entends ses os craquer. Je saisis la grande humaine entre mes griffes et je la déchire en deux. Miel me rejoint d'un pas lourd. Pour que nous puissions tuer les ennemis, elle emploie sa force et ses propres mâchoires pour éventrer les véhicules et les bâtiments dans lesquels ils se cachent. Dragon apparaît. Il change la couleur de ses écailles pour que je puisse le voir, mais je n'arrive quand même pas à sentir son odeur. Comme il a fait son travail, il se contente de nous regarder, Miel et moi, pendant que nous tuons tous les autres humains. Dragon est très paresseux.

Abeilles parcourt les environs du camp et pique tous ceux qui cherchent à s'enfuir. Maintenant, elle utilise le venin qui arrête le cœur.

Canal d'Abeilles : *Intégrité à 67 %. Ce coéquipier aura bientôt besoin de modules de rechange. Accélérez l'éclosion des nouveaux corps.*

La plupart des ennemis qui se cachent sont des petits humains, des jeunes. Le Maître dit que nous devons tous les tuer.

Miel dit que c'est parce qu'il s'agit d'une mission secrète. Abeilles est d'accord. Dragon s'en moque, maintenant qu'il a neutralisé sa cible. Moi, cela m'est égal parce que je fais ce que demande le Maître et parce qu'il sera content de moi.

Je m'appelle Rex. Je suis un bon chien.

2

(Rapport)

On raconte une anecdote dans le milieu du théâtre : un acteur emmène un ami voir une pièce. Au milieu de la représentation, de leurs sièges dans le poulailler, il déclare : « Voilà le meilleur passage. C'est l'instant où j'entre en scène. »

C'est maintenant que j'entre en scène. En ce moment, j'attends ma propre arrivée afin de savoir quel sera mon rôle : héroïne, traîtresse, ou simple figurante dans la guerre de quelqu'un d'autre.

Ai-je dit : « C'est maintenant que ça commence ? » En fait, cela ne *débute* pas à un instant précis. La vie est constamment l'objet de création, de changement et de destruction. Ce qu'il faut, c'est faire la part des choses. Est-ce que tout a commencé avec le premier biomorphe fonctionnel ? Avec le premier ordinateur ? Ou avec l'ingéniosité humaine ; ou la première fois qu'un homme a posé la main sur un chien en lui disant « Bon chien » ?

Au début, mon implication dans l'insurrection du Campeche ne constituait rien d'extraordinaire. Néanmoins, dans les recoins secrets de mon esprit, mes réflexions m'amenèrent à développer un intérêt très personnel pour les recherches les plus poussées sur les biomorphes. La meute multiforme de

Rex se situait à la pointe de ces recherches ; c'était la première fois qu'on déployait largement cette technologie sur le terrain. Et les rumeurs concernant cette utilisation commençaient déjà à se répandre parmi les forums conspirationnistes du monde entier. De fait, elles étaient attisées par la propre direction de Redmark, qui exagérait leur importance pour refouler les accusations sérieuses dans le magma des délires sur la terre creuse. Tout le monde sait que la meilleure manière d'enterrer une histoire est de l'insérer dans une autre histoire.

Cependant, ces rumeurs prenaient de l'ampleur et commençaient à s'infiltrer dans des blogs politiques plus respectables. Malgré les vaillants efforts des gestionnaires, certaines questions ne pouvaient être esquivées.

Alors, je suis allée au Campeche pour voir courir les loups.

Je ne savais pas encore à quel point cette rencontre serait décisive.

Au début, j'ai commis la même erreur que les autres. Je pensais que Rex n'était qu'une *chose*, une mauvaise publicité. Je croyais faire passer ça pour une simple histoire de chien qui mord et fermer le programme. Je n'étais pas prête à cette rencontre avec Rex, Miel, Dragon et Abeilles.

Surtout Abeilles.

Mais j'étais encore jeune et inexpérimentée. Alors, je me suis rendue au Campeche.

3

Hartnell

« Quand j'étais enfant, dit Hartnell, tout le monde pensait que des robots se battraient à notre place. Des drones, des soldats et des tanks de métal équipés d'un cerveau électronique. Bien sûr, ils finiraient par se soulever contre nous et par exterminer l'espèce humaine, mais en attendant il y aurait des soldats robots sur tous les champs de bataille. Quand j'étais à Yale, la moitié des élèves de ma classe pensaient participer à la prochaine grande avancée dans le domaine de la cybernétique autonome. Maintenant, ils se demandent à quel moment les choses ont mal tourné. » Il dévisagea son invitée pour savoir si elle l'écoutait vraiment. Elle n'affichait qu'une sorte d'intérêt poli, qu'il considéra comme artificiel.

Elle s'appelait Ellene Asanto. Elle avait atterri à Hopelchén quatre heures plus tôt, dans un petit aérodyne à deux places qui s'était empressé de repartir dès qu'elle avait posé le pied sur le sol. Au plan médical, les voyages aériens jusqu'au Campeche étaient déconseillés. Avant d'arriver ici, l'invitée de Hartnell avait dû suivre une série de routes de terre défoncées, passer plusieurs postes de contrôle et même essuyer quelques tirs.

En plus, elle ne buvait pas ; ou pas autant que lui. Hartnell. Ce dernier voyageait toujours avec deux bouteilles de whisky, qu'il rationnait religieusement, prenant de minuscules gorgées à chaque fois que la sobriété dressait son horrible visage. *Et quand les choses ont-elles mal tourné pour moi ?* se demanda-t-il dans un moment d'apitoiement sur lui-même, mais sans exprimer la question à haute voix. Asanto était la seule femme qu'il voyait depuis longtemps — à l'exception des employées de Redmark ou des indigènes terrifiées. Il entretenait le futile espoir d'attirer sa sympathie.

Après tout, comment une gentille fille pourrait-elle ne pas apprécier un expert en systèmes cybernétiques diplômé de Yale ? Malheureusement, les choses avaient mal tourné pour ce petit génie, au point qu'il se trouvait maintenant dans une zone de guerre et jouait au maître-chien assistant pour le programme de sauvegarde de Redmark. Des insignes de lieutenant étaient cousus sur son uniforme délibérément négligé, mais il était le seul employé de Redmark à ne pas porter d'arme.

Pour lui, Asanto ressemblait à une sorte de petite bureaucrate, envoyée ici pour voir comment les savants fous de la division scientifique de Redmark dépensaient l'argent qu'on leur allouait. Il sentait également qu'il ne devait pas l'interroger sur ce sujet. Arrivée au Campeche dans la chaleur torride d'un mois de septembre, à peine plus petite que le grand Hartnell dégingandé, c'était une femme mince, d'origine hispanique, portant un long manteau sombre et un foulard blanc autour du cou. Avec ses lunettes de soleil, elle ressemblait à une star de cinéma du siècle précédent. Hartnell, en chemise à manches courtes et suant malgré tout comme un cochon, lui avait proposé de se mettre à l'aise, mais elle avait refusé d'un air fraîchement cordial. Elle déclara, d'un ton plutôt sec, qu'elle possédait des implants de thermorégulation. « Ça me donne au moins la sécurité de l'emploi. À chaque fois qu'il se passe quelque chose près de l'équateur, c'est moi qu'on envoie. Personne d'autre ne voulait de ce boulot. »

Elle continuait de le dévisager, attendant qu'il lui parle du problème des cybernéticiens, et il déclara d'une voix rapide : « C'est à cause de ce… truc au Cachemire, bien sûr. » Il prit une nouvelle gorgée de whisky et lui tendit la bouteille avec un regard plein d'espoir.

« Vous pouvez dire ce *merdier*, Hart. Je n'ai pas les oreilles si fragiles. »

Il cligna des paupières. Il lui avait dit *Appelez-moi Hart*, et se sentait maintenant mal à l'aise chaque fois qu'elle le faisait. « Vous… euh, vous avez vu les enregistrements du Cachemire ? demanda-t-il.

— J'en ai vu suffisamment », confirma-t-elle. Des machines piratées par des machines piratées par des machines, jusqu'à ce que tous les programmes soient corrompus et qu'il devienne impossible de maîtriser la situation. D'un coup, plus personne ne voulait d'une armée de robots. On aurait bien dit que l'espèce humaine allait devoir continuer à faire la guerre de la manière habituelle, avec de la bonne vieille chair à canon. Mais surtout, quelques équipes visionnaires avaient vu venir le désastre et travaillaient déjà sur d'autres options.

Le cryptage a fait de grands progrès depuis cette époque. Beaucoup de cybernéticiens affirmaient qu'il fallait donner un nouveau coup de fouet à la robotique. Hartnell gardait un œil sur plusieurs programmes de remplacement militaires cherchant à créer un fantassin robot parfait et infaillible. Mais beaucoup de gens conservaient en mémoire les enregistrements vidéo du Cachemire. Sur le plan humanitaire, il s'était agi d'une véritable catastrophe. Certaines parties de la région demeuraient inaccessibles, encore infestées par de puissantes machines alimentées par des capteurs solaires et prêtes à tirer sur tout ce qui bougeait.

Tout cela avait conduit au développement de l'infanterie bionique — et, par voie de conséquence, à l'ère du chien, à la mutation de Hartnell dans ce centre et au voyage d'Ellene Asanto vers Hopelchén, parce que certaines personnes bien placées dans la hiérarchie devenaient curieuses, mais pas suffisamment pour venir elles-mêmes sur le site.

Il faisait aussi chaud que dans un four à l'intérieur du véhicule blindé, où régnaient des odeurs de sueur et de métal, et de forts relents de whisky. Quand ils ralentirent pour la centième fois, Hartnell poussa un juron et cogna contre le plafond de l'habitacle, comme pour inciter le cocher à accélérer. Un instant plus tard, le message s'inscrivit dans son implant : Arrivée à destination. D'après l'expression d'Asanto, elle était déjà au courant.

« Murray est là ? » demanda-t-elle. Ils auraient une longue marche à parcourir s'il ne venait pas les chercher.

« Murray ? » Hartnell avait pris l'habitude de l'appeler « Murène », ce qui était amusant la première fois mais lui faisait maintenant penser à un prédateur embusqué, avec des dents acérées — ce qui correspondait parfaitement au personnage. « Je n'en sais rien. Il va où il veut. Difficile d'avoir un rendez-vous avec lui. »

Parce que, bien entendu, elle s'intéressait à Murray et pas à ce pauvre Hart. Quand les diverses compagnies ayant participé au développement du Campeche avaient eu besoin de protéger leurs investissements, elles avaient fait appel à la société de protection Redmark. Et lorsque les analystes de Redmark avaient étudié les options posées par un conflit terrestre dans cette région difficile, ils avaient sollicité Jonas Murray. Même si sa principale qualification était d'être un salopard — selon Hartnell —, il avait l'étoffe d'un stratège dans le domaine de la guerre bionique.

Ils entendirent un coup sec au-dessus d'eux et Hartnell se démena un moment pour ouvrir le panneau. Asanto et lui émergèrent dans une atmosphère épaisse et humide, saturée par les odeurs des hommes, des animaux et de la végétation pourrissante.

Il estima qu'il y avait une quarantaine de soldats, portant tous l'uniforme gris terne de Redmark — ce qui ne constituait qu'un seul détachement des forces de sécurité présentes sur le théâtre des opérations. Les autres, ainsi que la plupart des meutes de biomorphes, étaient dispersés dans la région. Il s'agissait ici de la troupe personnelle de Murray ; son équipe de nettoyage. Des experts dans le règlement brutal des problèmes.

Ils avaient sécurisé un périmètre. Il aperçut des tourelles de tir et des pylônes équipés de capteurs. Il n'y avait pas de bâtiments, mais seulement des espaces délimités par des moustiquaires. Aucune intimité. Quand Asanto mit pied à terre, Hartnell vit que tous les soldats présents semblaient se demander dans quelle mesure elle risquait de les gêner. En descendant à son tour, il glissa et se retrouva assis dans la boue, protégeant une bouteille dans ses bras. Malgré tout, cela ne dut pas sensiblement diminuer l'estime que les autres lui portaient.

Quand leur chef se manifesta, appelant les nouveaux venus à travers une moustiquaire, tous les soldats se rappelèrent subitement qu'ils avaient quelque chose à faire.

« Vous devez être Asanto ? »

Jonas Murray, Grand-Veneur du programme militaire expérimental de Redmark ; le supérieur de Hartnell, la source des cauchemars qu'il tentait d'oublier dans l'alcool. Bien entendu, beaucoup de gens avaient des patrons qui leur rendaient la vie difficile, mais pas comme la Murène du Campeche.

La Murène du Campeche. Hartnell se plaisait à imaginer son chef comme le méchant d'un mauvais film. Il pouvait ainsi garder l'espoir qu'un vaillant aventurier viendrait un jour pour précipiter ce sale type au fond d'un volcan.

Néanmoins, ce surnom semblait approprié. Lorsque Murray souriait, Hartnell s'attendait à voir apparaître des rangées de dents pointues, comme s'il devenait semblable à l'un de ses biomorphes. La chaleur faisait rougir et briller son crâne chauve. À cet instant, malgré les nombreux traits marqués de son visage, son expression était presque impénétrable : il ne consentait à reconnaître un contact humain que par une légère courbure polie au coin des lèvres.

Haut de stature, large d'épaules ; avec une carrure de soldat, trahissant cette accélération musculaire juvénile qui avait mis au chômage, une génération plus tôt, tous les coachs personnels des gens riches et célèbres. Hartnell vit Asanto tressaillir légèrement lorsqu'il lui serra la main, mais Murray n'était pas du genre à broyer les phalanges d'un interlocuteur. Sa force était comparable à celle d'un cobra : elle demeurait dissimulée jusqu'au moment où elle devait opérer.

« Colonel Murray. Je suis venu voir un homme pour parler d'un chien. » Asanto balbutia un peu en prononçant son nom, comme si elle allait dire « Murène ».

Murray la regarda de la tête aux pieds, toujours sans laisser paraître la moindre expression. « Mes actifs vont nous rejoindre. Venez dans mon bureau. Je vais voir si je peux les repérer pour vous. » Sa voix basse était rocailleuse comme celle d'un fumeur.

« Vos actifs ? » Elle l'accompagna dans le petit dédale de moustiquaires, suivie par Hartnell. Une sorte de centre de surveillance avait été installé là, avec une demi-douzaine d'écrans qui pouvaient être repliés et tenir dans une valise.

« C'est leur désignation officielle, confirma Murray. J'imagine que c'est une facilité de la comptabilité, pour des raisons fiscales.

— Et comment les appelez-vous ?

— Je les appelle par leur nom, mademoiselle Asanto. » Il s'assit devant les écrans, qui montraient diverses étendues de brousse, de jungle, ainsi qu'une route vide et poussiéreuse. Les images se mirent à clignoter et à sautiller quand Murray se connecta. « Quand on parle des comptables… »

Elle haussa les épaules. « Beaucoup d'investisseurs ont mis des sommes importantes dans la division Biomorphe de Redmark. Vous ne pouvez pas nous reprocher de chercher à savoir dans quoi sont passés tous ces dollars.

— Je suppose que non. Mais je pensais que vous pouviez attendre que nous ayons terminé. » Derrière lui, les écrans abandonnèrent les paysages pour montrer un personnage familier : Asanto elle-même. En train de descendre de l'aérodyne ; partageant un verre avec Hartnell quand ils attendaient la voiture blindée ; tressautant à côté de lui dans la pénombre de l'habitacle. C'était une des tactiques habituelles de Murray pour déstabiliser ses hôtes.

« Vous cherchez à m'intimider ? » demanda-t-elle. Hartnell faillit s'étouffer en avalant son whisky de travers et se mit à tousser.

La réponse de Murray, « Bien sûr que non », arriva un tout petit peu trop tard, ce qui signifiait « Oui ». Ils se dévisagèrent pendant un moment. L'inscription *Épargnez-moi toutes ces conneries* semblait presque gravée sur le front d'Asanto.

Personne n'avait jamais parlé à Murray de la sorte, pas même le soldat le plus hargneux de l'armée privée de Redmark ; pas même les actifs. Et voilà Ellene Asanto, qui n'en avait rien à faire.

Je suis amoureux, se dit Hartnell, tout en sachant que ce sentiment était constitué de trois parts de lubricité et deux parts de révolte par procuration. Mais après quatre mois au Campeche, il se contentait de tout ce qui se présentait.

« On peut dire que vous êtes arrivée au bon moment », déclara Murray quand les moniteurs affichèrent de nouveau les diverses portions de paysage. Une patrouille de soldats de Redmark avançait pesamment sur une route de terre : de simples silhouettes imprécises, à cette distance, au-dessus desquelles flottaient de fantomatiques numéros d'identification verdâtres.

« Précisez.

— Nous avons eu Parvez, la nuit dernière. Emmanuel Parvez. »

Cette nouvelle éveilla enfin l'intérêt d'Asanto. « Est-ce que cela faisait partie de la mission, colonel ?

— Eh bien, vu que le bonhomme était l'invité d'honneur d'un camp de l'Anarchista, pourquoi ne pas en profiter ? Je sais qu'il faisait tout son possible pour se donner une image de petit saint auprès des médias, mais c'était un de nos adversaires les plus acharnés depuis Mexico. Quand les services de renseignements nous ont appris qu'il se trouvait là, il nous a semblé impoli de ne pas passer lui faire une petite visite.

« — Puis-je savoir comment vous avez obtenu cette information ? »

Une sorte de masque plat et sévère couvrit brusquement le visage de Murray. « Non, vous ne pouvez pas. Vous êtes ici pour observer comment nous dépensons l'argent de vos investisseurs. Tout le reste est classé secret. »

Hartnell ne dit rien et prit soin de rester derrière Asanto pour qu'aucun tic nerveux ne trahisse sa réaction. Ainsi, Emmanuel Parvez était mort : il savait que cette mission était prévue, mais pas qu'elle avait été exécutée. Cela ne ferait pas très bon effet dans la capitale, sauf si Murray et les politicards de Redmark parvenaient à salir suffisamment la réputation de la victime. Bien entendu, cela pourrait passer s'ils démontraient que Parvez était lié aux terroristes de l'Anarchista.

À condition que ce soit la vérité.

Hartnell se félicitait d'être un petit génie dans le domaine des interfaces cybernétiques. Ce talent assurait son avenir. Il n'aurait jamais imaginé qu'il entraînerait son esprit vers de sombres contrées peuplées de doutes.

« Bon, d'accord, admit Asanto. Alors, où se trouvent vos… *actifs* ? » Elle fit un signe de tête en direction des écrans, qui n'avaient toujours pas montré le moindre poil ou la moindre écaille d'une créature bionique.

Ce qui ne veut pas dire grand-chose, songea Hartnell. *Dragon pourrait passer juste devant les caméras sans qu'on s'en aperçoive.*

Mais Murray avait retrouvé son sourire et se contenta de dire : « Ellene Asanto, je vous présente Rex. »

Elle fit demi-tour, se figea sur place, et murmura machinalement « Merde ! » en le voyant.

Il se tenait là, à quelques mètres, debout de l'autre côté de la moustiquaire. Il s'était approché en marchant contre le vent, si bien que sa forte odeur de chien était passée inaperçue. Cela signifiait que Murray lui avait demandé de considérer Asanto comme *l'ennemi*, au moins pendant un moment, car Rex était entraîné à faire savoir à ses amis où il se trouvait. De l'avis de

gèrement voûté, Rex mesurait près de deux mètres
quarante. Son crâne un peu aplati était à peine dépassé par
les armes automatiques — ses « grands chiens » — montés sur
les harnais de ses épaules. Il n'avait pas le physique d'un adepte
de la gonflette ; plus mince, plus sec, il était conçu pour la
course et le combat. Bien entendu, son corps n'était pas entièrement humain : il se déplaçait aussi bien à quatre pattes que
debout. Quelqu'un avait travaillé dur pour adapter son armement à la manière dont ses membres s'étiraient ou se compri-
maient. Asanto devait connaître les particularités de Rex : des
muscles très denses, une peau constituée de fibres résistantes
aux impacts, des os creux aussi solides que des tubes en titane…
Mais cette connaissance ne l'aida en rien quand elle se retrouva
en face de Rex — et ce dernier était sans doute *le moins effrayant*
des actifs.

La partie la plus canine de son corps était sa tête, évoquant à
la fois le bouledogue et le rottweiler. Une des tâches de Hartnell
consistait à vérifier ses dents. La première fois, il avait trouvé
cela terrifiant. Si les mâchoires se refermaient brusquement, il
n'aurait plus qu'à essayer de concevoir de nouvelles mains
cybernétiques.

« Quel est le problème, mademoiselle Asanto ? demanda
cordialement Murray. Vous pensiez peut-être que nous le gar-
dions dans une cage ? »

Elle ne répondit pas, continuant de fixer la créature bionique en évitant de croiser son regard. Rex, lui, n'avait d'yeux
que pour Murray. Il haletait légèrement dans la chaleur, ce qui
donnait l'impression qu'il souriait.

« Vous pourrez rencontrer les autres plus tard, continua
Murray. Vous savez que nous utilisons toute une équipe ? Des
créatures d'un nouveau genre. C'est très excitant. Comment
disiez-vous, Hart ? L'avenir de la guerre ? »

— J'ai vu les spécifications des autres, confirma Asanto d'une voix tendue. Vous les laissez aussi se promener comme ça ?

— Autant que possible. Hart ?

— Euh… commença Hartnell d'un ton coupable, soudain arraché à des pensées plus agréables. Abeilles se réapprovisionne. Dragon et Miel font une ronde. » Il se contentait de répéter les informations que Murray lui avait envoyées, pour faire croire à Asanto que c'était de la routine et non une comédie conçue spécialement pour elle. Murray désirait qu'elle se focalise sur Rex — la figure convenable de la meute.

« Apparemment, vous ne semblez pas convaincue que nous gérons correctement nos actifs », déclara Murray, qui jouait maintenant son rôle de cabotin. « Rex, approche, s'il te plaît. » Il aurait pu le lui demander directement grâce à l'implant canin, mais il préférait prolonger son petit spectacle. La Murène de Campeche avait rarement l'occasion de frimer et Hartnell sentit son pouls s'accélérer, hésitant entre l'affrontement et la fuite. *Ça ne se passera pas comme la dernière fois*, songea-t-il. *Il veut qu'Asanto reparte satisfaite. Elle ne craint rien.* Et personne n'avait besoin de savoir à quel point Murray avait pu se comporter de façon déplaisante par le passé, quand ses hôtes l'embêtaient.

Asanto resta très calme en regardant Rex écarter la moustiquaire pour entrer dans le poste de surveillance. Les yeux marron de la créature se posèrent sur Murray, puis sur Hartnell, puis sur Asanto. Avait-elle peur ? Hartnell n'en était pas certain, mais Rex le savait, et pourrait le dire à Murray si celui-ci le lui demandait.

« Salut, mon garçon. » Hart tendit la main et passa les doigts sur la peau de Rex, sentit les muscles fermes. Il tâta les mâchoires du chien et lui envoya un message sur sa puce de contrôle. *Bon chien.*

« Rex, voici Ellene Asanto, déclara Murray. Elle est venue pour voir le bon travail que tu fais ici. Dis-lui bonjour, Rex.

— Bonjour, Ellene Asanto. » Sa voix était calme, neutre, un peu robotique, ne provenant pas de sa gorge mais de ses implants. D'ailleurs, il ne s'agissait pas de la véritable voix de Rex, qui était rauque, grondante, grave, capable de vous liquéfier les entrailles. Hartnell se souvint des nombreux efforts de Murray pour l'adapter.

Asanto ne répondit pas. Elle s'efforçait de maîtriser son visage et son corps, de ne pas montrer son inquiétude en se trouvant à portée des griffes de la créature bionique ou en songeant que Rex pouvait lui arracher la tête d'un simple coup de patte.

Finalement, Hartnell s'écarta et demanda à Rex, à travers son implant : *Est-ce qu'elle a peur ?*

Et Rex répondit : *Un peu.* Puis : *Ce n'est pas une ennemie. Elle ne devrait pas avoir peur.*

Tu te souviens de ma réaction lors de notre première rencontre, Rex ?

Les épaules du chien frémirent légèrement, comme un frétillement illusoire de la queue qu'il avait perdue. *Vous étiez terrifié.*

« Rex, mademoiselle Asanto désire voir de quoi tu es capable. » D'après le regard que Murray lança à Hartnell, il savait que son assistant avait déjà trop parlé. « Tu vois, elle n'est pas convaincue que tu es inoffensif pour nous. »

Ce qui ne correspondait pas exactement à ce qu'avait dit Asanto. De plus, cette remarque l'opposait de nouveau à Rex — en tout cas, elle risquait de voir les choses de cette manière.

« J'aime beaucoup travailler avec des gens, Ellene Asanto, déclara la voix polie et robotique de Rex. J'entretiens une relation stimulante avec le colonel Murray et monsieur Hartnell.

— Je le sais bien, Rex, confirma Murray avec une spontanéité parfaitement artificielle. Ma barbe me démange un peu, ce matin. Tu pourrais me raser ?

— Ce serait avec plaisir, Maître. »

Murray continuait de faire son numéro, celui qu'il présentait systématiquement aux délégués de la direction. Pour ces occasions, il gardait à portée de main une antique trousse de barbier. Devant le regard incrédule d'Asanto, l'énorme créature bionique appliqua du gel sur le menton du colonel, puis le rasa de près à l'aide d'une lame extrêmement affûtée. Et il savait y faire. Rex pouvait soulever un poids d'une tonne, mais ses gestes étaient d'une précision chirurgicale. Lors de sa conception, Hartnell et les autres avaient vraiment bien travaillé.

Cela leur avait coûté beaucoup de chiens, mais on pouvait leur faire subir des choses qu'il était impossible d'expérimenter sur un homme : on pouvait les rendre surhumains, les doter de tous les avantages nécessaires pour les futurs combats. Il suffisait de disposer d'un nombre suffisant de chiens et d'avoir un minimum de scrupules — pour ne pas se préoccuper de tous ceux qui seraient sacrifiés au cours des tests.

À l'époque, Hartnell avait l'habitude de dire « Je ne confonds pas les chiens et les humains ». Et maintenant, il se trouvait là, en train de regarder un chien presque humain qui rasait son patron.

« Vous voyez ? » déclara Murray, et Rex continua de manier habilement le rasoir tandis que les mâchoires de son maître remuaient. « Notre Rex est parfaitement docile et obéissant. D'ici une génération, il y aura un assistant bionique dans chaque foyer. »

*

Plus tard, Hartnell déboucha une autre bouteille de whisky et se rendit jusqu'à la tente d'Asanto. « Toc toc ! » Il avait aperçu la lueur d'une lampe à l'intérieur et, quand elle ouvrit le rabat, il vit une tablette qui affichait le champ d'un mot de passe. De toute évidence, elle s'apprêtait à rédiger son premier rapport.

« Je me demandais si vous vouliez boire un verre avant d'aller dormir. »

Elle le dévisagea tranquillement. « C'est le genre de drague qui marche, d'où vous venez ? »

Il garda les lèvres closes pendant un moment, avant de répondre maladroitement : « Je vous propose juste de boire un verre. Franchement.

— Entrez, Hart. *Mi casa* et tout ça. »

Il s'installa sur le sol, les jambes croisées, penché en avant pour ne pas s'appuyer contre la toile de la tente. « Laissez-moi deviner : je parie que vous préférez les chats. »

Cette remarque réussit à la faire rire. « Alors, comme ça, vous avez eu Parvez. C'était prévu pour coïncider avec mon arrivée, de manière à ce que j'aie quelque chose à mettre dans mon rapport ?

— Euh, en fait, non. Je ne pense pas. L'occasion s'est présentée, c'est tout. » Il se souvint de sa réaction quand elle avait appris la nouvelle. « Je veux dire : c'est une bonne chose, non ? Pour les investisseurs ?

— Je ne sais pas. Est-ce que ça change quelque chose, à part augmenter les tensions ? Parvez avait de nombreux soutiens et maintenant il pourrait être considéré comme un martyr. Je ne sais pas. La situation commençait à se détendre, mais…

— Oui, je vois, il y a la politique. » Hartnell agita légèrement la main en lui tendant le whisky. « Mais ça prouve que Rex et son équipe fonctionnent comme prévu, pas vrai ? »

Elle avala une gorgée et lui rendit la bouteille. « Donc, tuer des hommes d'État respectés ne serait pas un bug, mais une fonctionnalité ? »

Hartnell fronça les sourcils. « Je… euh… je ne vois pas très bien où vous voulez en venir. Je ne suis qu'un technicien, d'accord ?

— Désolée. » Elle secoua la tête. « Bon, alors, monsieur *je-ne-suis-qu'un-technicien*, j'ai une question technique pour vous.

— Allez-y.

— Quand nous étions sous la tente de contrôle, c'était

Murray qui parlait dans le haut-parleur du chien, n'est-ce pas ? »

Hartnell resta coi un peu trop longtemps, puis se mit à bafouiller quelques dénégations. Finalement, il se dégonfla et admit la vérité. « Oui. Rex peut s'exprimer quand c'est nécessaire, mais il n'est pas capable d'articuler comme ça. Les mots, et même la voix, c'est un des petits tours favoris du patron. Je... » Il esquissa un sourire penaud. « En fait, j'aimerais que vous puissiez parler réellement avec Rex. C'est un gentil gars. Allons bon, vous me regardez comme si j'étais cinglé ! Disons que c'est un bon chien. Affectueux, fidèle. Et même attentionné. Je veux dire : c'est pour ça que nous avons commencé avec des chiens. Ils ont toujours été proches des humains. Ils connaissent leur place. De parfaits chefs de meute et de parfaits serviteurs, vous saisissez ?

— Ça, c'est ce que raconte la pub, objecta-t-elle. Du coup, je me demande pourquoi votre patron n'a pas voulu le laisser parler librement.

— Oh, parce que c'est le style de Murray. » Une fois encore, il faillit dire *Murène*. « Il veut toujours garder le contrôle, un peu comme s'il réalisait un film.

— Oui, je suis sûre que c'est ça. »

Le sourire de Hartnell s'étiola. *Ce n'était pas du tout pour vous empêcher de poser des questions, mais seulement parce que Rex aurait pu vous répondre franchement.*

4

Rex

Je m'appelle Rex. Je suis un bon chien.

Aujourd'hui, nous sommes « en mouvement ». J'aime bien être en mouvement. Ça veut dire que mon équipe part en éclaireur devant le Maître et mes amis humains. S'il y a des ennemis, nous les dénichons et nous les tuons. Comme ça, les ennemis ne peuvent pas faire de mal au Maître.

Celui-ci a une nouvelle amie, mais je ne sais pas si c'est réellement une amie. Quand elle est arrivée, le Maître a plaisanté en disant que c'était une ennemie, et j'allais la tuer. Ensuite, le Maître a expliqué que c'était une blague, alors j'ai su que je ne devais pas le faire.

Ça me fait gémir un peu, parce que j'ai vraiment failli la tuer. J'étais très inquiet parce qu'elle se trouvait juste à côté du Maître. Je n'aime pas être inquiet. Maintenant, je sais qu'elle n'est pas une ennemie, mais je me souviens quand même qu'elle l'était avant. Ça aussi, ça m'inquiète.

Je ne pense pas que le Maître comprenne à quel point j'étais près de la tuer. Je ne lui ai rien dit, même si mon module de rétroaction me dit *Vilain chien*.

Miel me contacte et annonce qu'il n'y a eu aucun contact avec l'ennemi. Elle a trouvé un fruit et elle le mange pendant que nous avançons. Elle croit que je ne le sais pas, parce qu'on ne doit pas manger quand on est en mouvement, mais le fruit est presque trop mûr et je sens son odeur forte et sucrée. En ce moment, nous traversons des champs. Il n'y a pas de fermiers. Les fruits vont pourrir. Je ne réprimande pas Miel, même si je devrais le faire (*Vilain chien!*). Je travaille avec elle depuis de nombreux mois. Elle est plus intelligente que moi. Je prends une « décision de commandement » : Miel est autorisée à manger des fruits.

Dragon ne me contacte pas. Pour le moment, je vois son corps allongé qui ondule dans les champs et qui change de teinte pour se confondre avec le sol. Il n'a pas d'odeur, même pour moi. Ça me fait gémir. Dragon est intelligent, lui aussi, pourtant moins qu'il le croit. Mais le Maître aime bien Dragon, parce qu'il obtient des résultats. Je gémis.

La nouvelle amie du Maître est Ellene Asanto. Elle est très étrange. J'ai pu sentir qu'elle était effrayée, la première fois qu'elle m'a vu. Elle n'était plus une ennemie à ce moment-là, mais elle avait quand même peur. Seuls les ennemis devraient avoir peur. C'est troublant.

Elle a une odeur différente.

J'ai essayé d'expliquer au Maître comment elle sent, mais je n'ai pas les mots appropriés dans le langage qu'on m'a donné. C'est seulement dans ma tête que je peux décrire son odeur. Je gémis encore en moi-même.

Canal de Miel : *Qu'est-ce qu'il y a, Rex ?*

Je ne dis rien à Miel. Je ne sais pas quoi penser à propos d'Ellene Asanto et je ne sais pas comment le dire au Maître et il y a des problèmes de relations entre Miel et moi. Mon module de rétroaction indique *Niveau de stress supérieur aux paramètres maximum*, alors je prends une dose et je me sens mieux. Je suis calme.

Abeilles me contacte. Elle a envoyé ses composants survoler une grande zone autour de nous, mais maintenant elle confirme qu'il y a des gens devant nous, comme le Maître me l'a montré sur les photos satellite.

Canal d'Abeilles : *Intégrité à 99 %. Réserve de venin à 99 %. Demande permission d'exécuter une reconnaissance.*

Je m'interroge à propos de la perte d'intégrité d'Abeilles. Nous n'avons pas encore rencontré d'ennemis.

Canal d'Abeilles : (images de prédateurs aviaires) *Je dois encore expliquer aux gens du pays que les rayures noires et jaunes représentent un danger* (humour).

Parfois, je ne comprends pas Abeilles. Je l'autorise à partir en reconnaissance.

Canal de Miel : *C'est à cause de la nouvelle femelle humaine, Rex ?*

Canal de Dragon : *Tu l'as effrayée.*

Mon canal : *Ce n'est pas une ennemie. Je ne veux pas l'effrayer.*

Je ne leur dis pas le reste. Je ne leur dis pas que, même si Ellene Asanto a peur de moi, le Maître a peur d'Ellene Asanto. Ce n'était pas sur son visage ni sur son corps, mais dans son odeur. Cela fait qu'il y a un secret entre le Maître et moi. Je ne lui ai pas dit que je le savais. C'est un secret que je garde pour moi. Normalement, je ne dois rien cacher au Maître (*Vilain chien !*). S'il m'interroge, je devrai lui dire. Mais il ne m'interrogera pas et je sais qu'il serait fâché s'il savait que je sais. Je ne veux pas que le Maître soit fâché contre moi. C'est la pire chose que je puisse imaginer. Le module de rétroaction répète *Vilain chien !* et ça me contrarie encore. J'aurai bientôt besoin d'une nouvelle dose pour conserver toutes mes capacités. Hart verra que j'ai été inquiet et que j'ai pris trop de doses. Il voudra savoir pourquoi et je serai sans doute obligé de lui dire. Ça aussi, ça m'inquiète.

Canal de Dragon : *Qu'est-ce qu'il y a, Rex ? Ça t'embête que le Maître ait une nouvelle amie ? Tu crois qu'il ne voudra plus de toi ?*

J'ignore Dragon. De toute manière, il a tort. Il n'existe pas ce genre de relation entre la femelle et le Maître. Je peux le sentir. Je peux sentir aussi que ça n'existe pas entre Ellene Asanto et Hart, même s'il aimerait bien. Tout ça, ce sont des choses dont je ne veux pas parler avec le Maître, ni avec Hart, ni avec personne. Je pense que je ne suis pas censé comprendre ces choses. Elles ne m'aident pas à servir le Maître.

Canal de Miel : *Ne t'en fais pas, Rex. Nous sommes seulement ici pour accomplir notre travail. Laisse les choses compliquées aux humains. Si tu es troublé, je t'aiderai.*

Ça me calme. Le rétro-module enregistre la diminution de mon angoisse et murmure *Bon chien.*

Je contacte le Maître et lui indique notre progression. Je parle à mes armes et à mes systèmes internes et je vérifie qu'ils fonctionnent dans la marge de tolérance. Maintenant, nous avons dépassé la ferme et nous sommes de nouveau sous des arbres. Par ici, le paysage est divisé entre des bois et des prés. Il y a des zones qui étaient cultivées mais qui sont abandonnées et redeviennent sauvages, avec des plantes grimpantes et des buissons. En marchant à quatre pattes, Dragon et moi pouvons presque traverser cette région sans être repérés. Il n'y a que Miel qui ne peut pas cacher son grand corps, sauf quand les arbres sont plus hauts qu'elle.

Canal d'Abeilles : *Contact avec une population humaine non répertoriée* (images d'un grand nombre d'humains, de tentes et de véhicules).

Les images d'Abeilles sont granuleuses quand ses composants sont dispersés. Il est très difficile de savoir si ce sont des ennemis ou des amis. Je partage les informations avec Dragon et Miel et je les envoie au Maître pour connaître ses ordres.

Canal de Miel : *Des civils. Nous devrions rester à l'écart.*

Je lui dis que nos ordres sont de prendre contact avec la population humaine. D'habitude, *prendre contact* signifie qu'il faut l'éliminer, mais c'est parce que tous les humains non amicaux que nous avons rencontrés jusqu'à présent étaient des ennemis. Moi, j'aime quand les humains sont mes amis. Si ce ne sont pas mes amis, alors j'aime bien que ce soient mes ennemis. Comme tous les membres de l'équipe, j'ai été soigneusement programmé et entraîné pour prendre contact avec des

ennemis. Quand les humains ne sont ni des amis ni des ennemis, je suis ennuyé parce que je ne sais pas ce qui se passera
quand nous prendrons contact.

Canal de Dragon : *Nous devrions rester à l'écart.*

J'ignore si Dragon le pense vraiment ou s'il dit ça parce qu'il
sait que c'est contraire aux ordres, ou s'il répète seulement les
paroles de Miel. C'est ce qu'il fait parfois. La tâche de Dragon
est de ne pas être vu et de neutraliser des ennemis particuliers.
Il n'aime pas se battre quand il n'a pas d'ennemis particuliers à
neutraliser. Dragon est très paresseux. Je pense *Vilain Dragon*,
mais je ne peux pas dire ça. Seuls le Maître ou le module
de rétroaction de Dragon peuvent dire ça. Venant de moi, ça
n'aurait pas de sens.

Les humains sont devant nous. Je flaire très bien leurs
odeurs : la sueur et les excréments et les maladies et simplement
l'odeur de beaucoup-d'humains-ensemble. Je vois des humains
de différentes tailles. Je ne vois pas d'armes, mais ça ne veut pas
dire que ce ne sont pas des ennemis. Seul le Maître peut savoir
si ce sont des ennemis ou pas.

Je lui envoie une requête parce que nous sommes tout près
de la population et que nous n'avons pas d'ordres. Je ne reçois
pas d'accusé de réception.

J'appelle de nouveau le Maître. Pas de réponse.

Je gémis en moi-même.

Je préviens les autres que j'ai perdu la connexion avec le
Maître. Ce n'est pas la première fois, mais jusqu'à présent ce
n'était jamais au moment où nous allions prendre contact avec
des humains — ennemis ou pas.

Canal de Miel : *Nous faisons halte ?*

Canal de Dragon : *Trop tard. Ils ont vu Miel.*

Je m'arrête. Mon module de rétroaction signale que mon
niveau de stress est de nouveau élevé. Je prends une autre dose.
Cette fois, ça ne semble pas faire d'effet. J'entends des humains
crier. Je sens la peur. Je vois des armes, mais pas beaucoup, et
pas dangereuses pour nous. Les armes ne signifient pas que ce

sont des ennemis. Seul le Maître peut savoir si ce sont des ennemis ou pas. S'il s'agit d'ennemis, nous devons les éliminer. Sinon…

Je ne sais pas quoi faire. Je n'ai pas l'habitude de rencontrer des non-ennemis.

Canal d'Abeilles : *Quels sont les ordres ?*

Canal de Miel : *Quels sont les ordres, Rex ?*

Dragon ne dit rien mais je sais qu'il attend mes ordres.

J'appelle encore le Maître. Pas de réponse. J'ai le commandement. C'est à moi de décider.

Je décide que nous devons prendre contact.

5

Hartnell

« Bon, alors, où se trouvent vos "actifs"? demanda Ellene Asanto.

— Je vous l'ai dit : ils sont en manœuvre, répondit Murray d'une voix traînante.

— Vous n'arrêtez pas de me raconter des choses, mais vous ne me montrez rien, monsieur Murray », insista-t-elle.

Il poussa un soupir théâtral. « Mademoiselle Asanto, vous avez déjà pu regarder les enregistrements de treize meutes différentes réparties dans tout le Campeche. Rien qu'avec ça, vous avez pu constater qu'il était inutile de venir en personne. J'aurais pu envoyer directement les fichiers à votre bureau dans la Silicon Valley. »

Asanto jouait avec son foulard. La seule vue de cette pièce d'étoffe faisait transpirer Hart ; pourtant, comme elle l'avait déjà fait remarquer, il n'y avait même pas une goutte de sueur sur le front de la visiteuse. « Les meutes de chiens constituent une technologie assez courante aujourd'hui, monsieur Murray. Votre équipe multiforme est beaucoup plus intéressante. C'est l'avenir de la guerre, n'est-ce pas ? Nos actionnaires ont beaucoup investi dans ce projet. Il faut me donner quelque chose à leur rapporter. Ils aiment s'assurer que leur argent est bien placé. »

Elle avait débité tout cela à Murray avec une grande aisance — le discours habituel de la femme d'affaires. Hartnell sentait néanmoins qu'il y avait une sorte de sous-entendu

entre eux. Il était évident que l'abominable docteur Murène
se fichait royalement des actionnaires d'Asanto, mais le technicien éprouvait l'étrange impression que la déléguée ne s'en
préoccupait pas davantage.

Ils étaient entassés tous les trois dans l'habitacle d'une voiture blindée de Redmark, dont la trappe restait ouverte pour
leur donner un peu d'air pendant qu'on levait le camp. Les
actifs humains de la société de sécurité commençaient à peine
à se mettre en route. Les soldats bioniques étaient partis dès
potron-minet pour préparer l'avance des humains, en prenant
des repères et en se chargeant des embuscades ou des pièges
éventuels de l'Anarchista.

Après le départ des biomorphes, Murray avait repris le bara-
tin que Hartnell avait entendu si souvent.

« La guerre est une affaire foutrement coûteuse, mademoiselle Asanto, avait-il déclamé. Historiquement, elle est surtout
coûteuse en vies humaines. Pour que les soldats humains soient
efficaces, il faut investir dans le genre d'entraînement et de
matériel qui mettrait un petit État sur la paille. Et sans pouvoir
garantir qu'ils reviendront en un seul morceau. Cela s'est toujours passé de cette façon. Nous sommes tous très concernés
par la vie de nos compatriotes, mademoiselle Asanto. Leur mort
a des conséquences sur les résultats financiers de Redmark et
perturbe également les rêves de nos actionnaires. »

À voir l'expression de l'envoyée, elle avait déjà subi ce genre
de boniments. Elle montra ouvertement qu'elle n'était pas
impressionnée.

« Les créatures bioniques sont littéralement les soldats du
futur », lui avait dit Murray, comme s'il s'adressait à une caméra
de télé qui diffusait son propos à des milliers de clients poten-
tiels. « Intelligents, fidèles, adaptables, extrêmement résistants,
et même pas trop onéreux maintenant que la technologie a été
développée. Il en existe déjà d'une demi-douzaine de types, et
d'autres sont en projet, chacun conçu pour un rôle particulier.
De surcroît, ils ne sont pas humains et ne disposent d'aucun

droit. Et il y a d'autres avantages encore. » Il continua de sourire d'une manière précise, coupante, claire comme le verre, pour laisser en suspens les sombres implications de sa dernière remarque.

Il ouvrit plusieurs écrans qu'il avait tirés du plafond de l'habitacle et pressa sur les fixations pour les rigidifier. Il portait une lentille unique, ressemblant à un cache-œil en verre bleuté, qui lui donnait un accès personnel aux transmissions de la meute, mais les images étaient rapidement diffusées sur les moniteurs.

« C'est la caméra de Rex », précisa-t-il. Ils pouvaient voir une forêt, qui semblait onduler et tressauter au rythme de la course de Rex. De temps à autre, l'affichage ralentissait quand le biomorphe s'arrêtait pour regarder, écouter, renifler. « Rex est le chef de meute, un parfait équilibre entre l'obéissance et l'autorité. Son ouïe fine et son excellent flair ont été conservés presque intacts. Il peut repérer des explosifs, de la drogue, des armes, des véhicules ou des gens. Il est capable de sentir si on lui ment. Il peut même détecter certaines maladies ou des traitements médicaux, bien qu'il n'ait pas été entraîné spécifiquement pour ça. En tout cas, on peut en déduire que l'avenir des biomorphes ne se limitera pas à un usage militaire, n'est-ce pas, mademoiselle Asanto ?

— Les actionnaires apprécieront, admit-elle. Mais ça ne nous dit toujours pas comment vous les employez précisément dans ce conflit.

— Ils sont un peu délicats, pas vrai ? » Murray leva vers elle un œil froid.

« Disons simplement qu'ils souhaitent garder suffisamment de distance entre leurs bureaux et le terrain des combats pour ne pas avoir de sang sur les mains. Et ça dépend justement de la quantité de sang répandue. »

Le visage de Murray reprit un moment son habituelle expression renfrognée. Le sourire qu'il réafficha ensuite parut particulièrement forcé, même à Hartnell. « Eh bien, je ne peux pas vous montrer les opérations proprement dites. Elles sont couvertes par les accords de confidentialité entre Redmark et ses employeurs. Vous pouvez suivre quelques déplacements de Rex, mais à part ça vous devrez vous contenter de mes explications. »

Elle hocha la tête d'un air songeur. « Vous allez me dire que les résultats parlent d'eux-mêmes.

— En effet. » Le geste large de Murray fut restreint par l'espace exigu de l'habitacle. « Certains groupes s'intéressent beaucoup à notre projet en ce moment : ce qui reste du gouvernement mexicain, la CIA et un cartel de multinationales qui prospéraient ici jusqu'à l'émergence de l'Anarchista. » Il secoua la tête, feignant une mine préoccupée. « Franchement, cela pourra démontrer que les mouvements populaires sont les pires ennemis de la démocratie.

— Très drôle. » Asanto ne paraissait pourtant pas s'amuser.

« L'important, c'est que nous finissions par gagner. » Murray observa son écran personnel. « Je vois qu'Abeilles approche de notre cible. Désolé, mais il est temps de tirer le rideau. »

Asanto haussa les épaules. « Et quelle est cette cible ?

— Nous n'en sommes pas absolument sûrs, mais ces gens ont probablement soutenu les anarchistas qui ont dû évacuer Edzna après les bombardements et l'arrivée de l'armée. D'ailleurs, cette *opération-là* a vraiment été un merdier spectaculaire. S'ils avaient laissé faire Redmark, nous aurions sacrément mieux géré la situation. Pas vrai, Hart ? »

Hartnell tressaillit en buvant son whisky et hocha vigoureusement la tête.

« Alors, maintenant... » Murray se figea pendant trois bonnes secondes, comme si quelqu'un venait de le débrancher. Puis : « Merde, Hart, ça ne va pas recommencer !

— Moi ? Quoi ? » Hartnell sortit fébrilement sa tablette pour découvrir ce qui se passait. « Nous avons encore perdu le signal ?

— Coupé d'un seul coup, pauvre incapable. » Toute la bonhomie assurée de Murray venait de disparaître. « Mademoiselle Asanto, je vais devoir vous demander de sortir.

— Vraiment? On dirait bien que c'est le genre de chose que nos actionnaires…

— Rien à foutre de vos actionnaires!» Durant un instant, Hartnell eut l'impression que Murray allait la frapper, mais le colonel se refréna au dernier moment. «Nous éprouvons quelques difficultés techniques. Je dois remonter les bretelles à mon équipe. Sortez, s'il vous plaît.»

Dès qu'elle fut dehors, Murray contacta les éclaireurs humains de Redmark pour leur demander de surveiller visuellement ce que faisaient Rex et sa meute. «Bordel, Hart, ce n'était vraiment pas le moment!

— Je vous assure que je ne comprends pas.» Hartnell vérifia tous les canaux pour isoler les erreurs. Il n'obtenait plus aucune connexion avec la meute. Cela s'était déjà produit à plusieurs reprises et il avait eu l'occasion d'inspecter le réseau multiforme pour dénicher le problème. À chaque fois, il avait assuré à Murray que tout était réglé. En vérité, il avait eu beau éplucher le système pour trouver une erreur de programmation, une interférence de l'ennemi, ou même un fil débranché, il n'avait rien pu découvrir. De temps en temps, ils perdaient tout bonnement le contact avec le détachement bionique.

Mais jamais aussi nettement; jamais au moment de combattre.

«Je pense que ça pourra constituer un bon test pour savoir comment ils se débrouillent tout seuls», avança-t-il, juste avant que la main de Murray lui serre la nuque comme un étau.

«Si jamais ça merde, je vous jure que je vous zigouille, lui gronda Murray à l'oreille. Et ça me fera *vraiment* plaisir.»

Et maintenant, mesdames et messieurs, la Murène du Campeche! Voilà comment était Murray; comment il était réellement. Il ne s'agissait pas d'une menace en l'air. Hartnell n'avait aucune idée de ce que Murray pouvait lui faire subir s'il n'ordonnait pas aux animaux de tuer des gens au profit d'une junte interlope qui avait été évincée de la région. C'était sans doute lié à des banques d'investissement ou des sociétés de capital-risque, à des affaires dans lesquelles l'incapacité à éprouver la moindre empathie pour les victimes était considérée comme un atout.

Pour commencer, Hartnell n'avait jamais eu l'intention de devenir technicien pour Redmark. Cependant, après ses brillants débuts à Yale, la situation s'était dégradée au fil des années, à cause de ses résultats décevants, de ses mauvaises décisions et de son alcoolisme. Finalement, il avait été incapable de trouver un autre boulot qui permette d'éponger ses dettes. Après son arrivée ici et sa rencontre avec Murray, il avait compris que sa position était bien pire que tout ce qu'il avait connu. Et la gestion des biomorphes en constituait la plus mauvaise part.

« Bon sang ! » D'un seul coup, la connexion qu'il mettait en place venait de disparaître du système. « Je… Je crois que nous subissons une attaque.

— De qui ? Des anarchistas ? demanda Murray. Vous voulez dire qu'ils sont capables de contourner la sécurité de Redmark et de se balader dans notre réseau sans qu'on le remarque ? Comment ce serait possible, merde ? Ils n'ont encore jamais fait ça.

— Ils ont peut-être une taupe, allégua Hartnell.

— Ils n'ont pas les moyens de se payer quelqu'un de chez nous. Ce sont juste des paysans.

— Peut-être un gouvernement rival, ou… ?

— S'il y a des types qu'aucun gouvernement ne veut supporter, ce sont bien les anarchistas. Personne ne veut voir se développer cette bande de ploucs ignares. » Murray se leva, serrant et desserrant les poings. « Corrigez ce foutoir. Et trouvez l'origine de tout ça. »

Hartnell se remit au travail, essaya de rétablir les connexions et vit le système lui-même abolir tous ses efforts. Il avait beau vérifier les protocoles, tester chaque élément du programme. Ce système était volontairement simple pour faciliter des corrections rapides. Mais maintenant, il s'opposait au technicien. Ou l'inverse.

Allez, Rex, marmonna-t-il en s'affairant. *Tiens bon, mon gars !*

6

Rex

Je m'appelle Rex. Je me sens troublé, hésitant.

Pendant que nous avançons vers le camp, Abeilles réunit davantage d'unités pour nous fournir une meilleure image de la situation. Nous travaillons ensemble sur les menaces repérées. Il y a des armes, mais en petit nombre ; et elles ne sont pas dangereuses, même pour Dragon, qui est invisible en ce moment, de toute manière. Je ne flaire pas d'explosifs, ni de toxines, ni d'autres menaces, bien que les odeurs de tant d'humains ensemble m'empêchent d'être sûr de mes analyses.

Maintenant, j'avance calmement, prudemment. Le sol est dégagé. Toutes les plantes sont arrachées ou piétinées. Il y a vraiment beaucoup de tentes ici, des grandes et des petites, et beaucoup d'humains autour. Elles pourraient contenir des armes. Nous allons devoir inspecter chacune. Si nous trouvons des armes, est-ce que ça signifiera que ce sont des ennemis ? Il devrait y avoir un lien, mais le Maître a déjà désigné des humains désarmés comme ennemis.

Je pense que les humains sont des ennemis s'ils nous attaquent. Je le dis aux autres.

Canal d'Abeilles : *D'accord.*

Canal de Dragon : *Tu as trouvé cela tout seul ?*

Canal de Miel ? Comme Miel ne dit rien, je l'appelle. Je suis le chef mais je dois savoir ce qu'elle en pense.

Canal de Miel : *Ces humains ont très peur de nous.*

Je le sais. Il y a beaucoup d'odeurs dans l'air, mais surtout celle de leur peur. Ceux qui possèdent des fusils les pointent vers nous, mais ce sont les plus effrayés. Je dis à mes grands chiens de les viser, pour gagner du temps plus tard quand nous nous battrons.

Canal de Miel : *Les humains terrifiés peuvent faire beaucoup de choses, par exemple nous attaquer. Est-ce que nous devons les considérer comme des ennemis simplement parce qu'ils ont peur ?*

Mon canal : *Seuls les ennemis devraient nous craindre. Ce sont des ennemis s'ils nous craignent ?* Je ne voulais pas vraiment poser une question, mais c'en est une.

Canal de Miel : *C'est toi le chef, Rex, mais je propose que nous parlions à ces humains. Si ce ne sont pas des ennemis et que nous les attaquons, le Maître pourrait être fâché.*

Cette seule pensée me fait soudain penser *Vilain chien !* et je recommence à gémir. Maintenant, nous sommes très près des humains. Beaucoup d'entre eux sont entrés dans les tentes, peut-être pour chercher d'autres armes. Il y en a encore davantage qui se rassemblent au milieu du camp, dont tous les petits humains — les *juvéniles*, rectifie ma base de données. Je commence à envisager un plan pour attaquer un groupe aussi important. Ma base de données indique : *Environnement riche en cibles.*

Abeilles m'envoie son propre plan d'attaque. Elle va délimiter un périmètre autour de la zone pour rassembler un maximum de cibles et piquer toutes celles qui tentent de s'échapper. Elle fait des propositions sur la manière dont Miel et moi devrions manœuvrer et sur les munitions que nous pourrions employer, mais ce n'est pas sa spécialité.

Canal de Dragon : *Vous n'avez pas besoin de moi. Je vais dormir.*

Vilain Dragon ! Je lui dis que je le signalerai au Maître, mais il s'en moque. Je ne comprends pas Dragon.

Je me redresse sur deux pattes. Les odeurs de peur et d'urine se renforcent. Je regarde les canons des fusils qui tremblent. J'aboie : « Tout le monde sur le sol. Lâchez vos armes ! » Certains d'entre eux obéissent rien qu'en entendant ma voix, conçue pour atteindre des fréquences qui entraînent la panique chez les humains. Beaucoup crient contre moi, mais je ne les écoute pas et ma voix domine facilement les leurs. « Allongez-vous sur le sol ! Posez vos armes ! Sur le sol, vilains humains ! »

Dragon se moque de moi. Je ne l'aime pas.

Canal de Miel : *Je peux essayer, Rex ? J'aimerais m'entraîner un peu plus à parler avec des humains.*

Je lui donne l'autorisation et elle se redresse aussi sur deux pattes. Miel est beaucoup plus grande que moi. Elle porte son fusil à éléphant dans son bras replié et la main qu'elle agite devant les humains possède des griffes puissantes ; les miennes semblent minuscules en comparaison. La frayeur atteint son paroxysme, et ce phénomène déclenche des réactions dans certaines parties de mon esprit — qui voudrait que je fasse certaines choses parce que la peur que je sens me pousse fortement à réagir. C'est dommage de gâcher toute cette peur.

« Humains du Campeche, déclare Miel, ne craignez rien. Veuillez déposer vos armes, adopter une attitude pacifique, et personne ne sera blessé. Nous sommes ici pour restaurer l'ordre dans cette province après l'insurrection de l'Anarchista. Nous ne sommes pas ici pour vous faire du mal, sauf si vous êtes en révolte contre le gouvernement mexicain. » Elle parle en espagnol et m'envoie sa traduction.

Ce qui me surprend, c'est la voix de Miel. Je l'ai déjà entendue parler auparavant : sa voix est comme la mienne, mais encore plus impressionnante, pour terrifier l'ennemi. Pourtant, maintenant, elle a la voix d'une femelle humaine, puissante mais assez douce. Je sens que je me calme en l'écoutant, alors qu'elle ne s'adresse pas à moi.

Les humains paraissent très surpris et encore très effrayés. Beaucoup continuent de crier, mais moins qu'avant.

« S'il vous plaît, les implore Miel. Nous ne désirons pas vous

faire de mal, mais nous avons ordre de rechercher les guérille-
ros de l'Anarchista dans cette zone. Nous allons maintenant
fouiller votre camp pour savoir s'il y en a ici. Mais si vous ne
les abritez pas, vous n'avez rien à craindre. »

Mon canal : *D'où vient cette voix ?*

Canal de Miel : *J'ai téléchargé une application vocale. J'attendais l'occasion de la tester.*

Mon canal : *Je suis le chef. Pourquoi Hart t'a-t-il donné cette
application, à toi, et pas à moi ? C'est parce que tu parles mieux ?*
Je veux bien reconnaître que je ne suis pas très doué pour le
langage humain.

Le canal de Miel reste silencieux et mon esprit frémit soudain. Je dis : *Ce n'est pas Hart qui te l'a donnée. Ce n'est pas non
plus le Maître. Tu l'as téléchargée toute seule.* Je ne comprends
pas comment elle a fait ça, ni pourquoi. Je suis surpris. Je sais
que le Maître n'aimerait pas ça (*je gémis*). Je suis impressionné.

Il y a encore un seul humain qui crie, mais il s'adresse aux
autres humains, et pas à nous. Il porte des vêtements différents,
qui semblent plus sombres dans la poussière. Ma base de données m'informe subitement : *Un prêtre.* Je ne sais pas ce que
c'est. Le mot n'évoque rien dans mon esprit.

Le prêtre humain se tourne vers nous. « S'il vous plaît, il n'y
a pas de combattants ici. Ces gens sont seulement affamés. Ils
ont perdu leurs maisons. Je vous en prie, ne leur faites pas de
mal. » Miel me traduit ses paroles.

Elle leur demande de baisser leurs armes et leur dit que nous
allons fouiller les tentes. Le prêtre humain est à portée de ses
griffes. Il a très peur.

« Rassemblez les gens au milieu du camp, ordonne Miel. Il
ne vous sera fait aucun mal. »

Ils obéissent lentement. Des humains apeurés n'arrêtent pas
d'aller et venir, de crier, de pleurer. À un moment, un des
juvéniles approche en courant, tend le doigt vers moi et fait
des petits bruits secs avec sa bouche. Il veut que je croie qu'il

m'attaque. Il crie « Pan ! Pan ! » Je comprends que c'est un jeu. J'aime bien les jeux.

Je réagis en renversant le petit humain et en grondant, pour jouer. Cela provoque beaucoup de bruits et de hurlements. Pendant un instant, une partie de moi — différente de mon module — me dit *Vilain chien !* et je ne comprends pas pourquoi.

Le juvénile est récupéré par les autres humains et ramené au milieu du camp. Le prêtre se tient à l'écart des autres.

Je dis à Abeilles de commencer à chercher. Ses unités se dispersent et se mettent à fouiller les tentes. Individuellement, elles sont très stupides mais leurs sens sont excellents ; le reste d'Abeilles peut coordonner les résultats de leur recherche et attribuer des groupes d'investigation si elles découvrent quelque chose de suspect. Ce n'est pas une fonction de combat d'Abeilles ; elle a conçu ce comportement elle-même à partir de son programme de perfectionnement. Elle affirme que *c'est comme pour les fleurs*.

Il y a des fois où je ne comprends pas ce qu'elle veut dire.

Ensuite, les communications sont rétablies et le Maître me crie de lui envoyer un rapport. Il semble très fâché que je ne puisse pas le faire tout de suite. Le ton de sa voix me dit *Vilain chien !* Mon module de rétroaction répète *Vilain chien ! Vilain chien !*

Je lui explique brièvement la situation. Je lui dis que nous avons rencontré des humains, mais qu'ils ne sont pas des ennemis et qu'ils ne nous attaquent pas. Il reçoit les images de mes caméras et d'Abeilles. Maintenant que je lui parle, je crains de ne pas avoir fait du bon travail. Je suis le chef. C'est à moi de faire ce qu'il faut quand le Maître n'est pas là.

La communication est rétablie un moment, puis perdue de nouveau. Tout cela m'inquiète beaucoup. Mais je suis aussi soulagé, parce que ça signifie que le Maître ne crie plus contre moi *en ce moment*, même s'il le fera plus tard.

Miel était restée assise en attendant qu'Abeilles ait terminé, mais elle se redresse maintenant de toute sa taille. « Écoutez-moi ! déclare-t-elle, toujours de sa voix calme et puissante. Vous devez partir immédiatement. N'emportez rien. Contentez-vous de partir. Allez-vous-en ! Vous tous ! » Puis elle regarde le prêtre et lui dit : « Vous devez les emmener loin d'ici. De mauvaises choses vont arriver. »

Je demande : *Quelles mauvaises choses ?*

Canal de Miel : *Ce ne sont pas des ennemis.*

Mon canal : *Ce ne sont pas des ennemis.*

Canal de Miel : *Qu'arrivera-t-il si le Maître dit que ce sont des ennemis ?*

Mon canal : *Je ne comprends pas. Ce ne sont pas des ennemis.* Une partie de moi comprend, mais je suis surtout déconcerté.

Canal de Miel : *Que se passera-t-il si le Maître et toi n'êtes pas d'accord pour déterminer ce qu'ils sont ?*

Cette pensée me fait frémir. *Vilain chien !* Miel n'a pas besoin de ma réponse. Elle sait que nous ne pouvons pas désobéir au Maître. Une hiérarchie a été programmée en nous et le Maître est au sommet. Je n'ai même pas envie de penser à cette idée.

Pour l'instant, sans les communications, je me rends compte que je suis *capable* d'y réfléchir, même si ça me déplaît beaucoup. Je ne sais pas quoi faire de cette information.

Les humains courent. Le prêtre crie dans leur direction. Ils rassemblent leurs juvéniles et quittent le camp, mais il en reste encore beaucoup. Ils sont très nombreux. C'est un environnement riche en cibles.

Des véhicules approchent ; encore des humains. Sur la route, de l'autre côté du camp, j'aperçois des voitures de civils. Elles contiennent beaucoup d'humains, à l'intérieur et accrochés à l'extérieur. Ils ont des armes.

Canal de Miel : *L'ennemi est là, Rex.*

Je me sens brusquement plus heureux. Je me déplace à quatre pattes en cherchant un abri. Abeilles rappelle ses unités. Dragon se réveille et se glisse dans un petit bois d'où il aura une vue dégagée.

Tous les humains non-ennemis continuent de courir. Certains seront dans la ligne de mire. Les véhicules approchent très rapidement. Les ennemis commencent déjà à tirer. Néanmoins, ils ne touchent que d'autres humains ; à cette distance, ils ne peuvent pas viser en se déplaçant.

Le fusil à éléphant de Miel fait exploser le premier véhicule. Elle passe au milieu des non-ennemis. Je lui dis qu'elle devrait rester derrière eux et les utiliser comme bouclier.

Canal de Miel : *Il faut que les civils restent derrière moi pour que je puisse viser correctement.*

Miel peut facilement tirer par-dessus les têtes des humains, mais je la laisse faire ce qu'elle veut parce que je sais qu'elle est plus intelligente que moi.

Maintenant, Dragon est en train de tirer. La partie de son cerveau consacrée à la visée détermine qui sont les chefs des ennemis et il abat chacun d'eux avec une seule balle. Parfois, il tue le conducteur d'une voiture. Il transmet *Bang! Cible verrouillée. Bang!*

Abeilles attaque. Elle me spécifie ses pertes et sa réserve de venin. Elle utilise son venin rapide parce que ces ennemis-là sont mieux équipés que ceux que nous avons combattus jusqu'à présent. Ceux-là ont tous des armes.

D'autres humains arrivent encore : ceux-là sont nos amis. Ils portent les uniformes de Redmark. Ils ne sont pas nombreux et ne participent pas au combat, mais se contentent de nous regarder pendant que nous tuons les ennemis. Tous les ennemis.

À ce moment-là, la grande majorité des non-ennemis se sont enfuis.

7

Hartnell

Rex était assis sur le sol. Ses yeux se trouvaient presque à la hauteur de ceux de Hartnell, qui restait debout. Sa forte carrure, la puissance de ses muscles et de ses os semblaient faire pencher le monde dans sa direction. Le technicien se dit qu'il était impossible de ne pas remarquer sa présence quand il était si proche. À moins, bien sûr, qu'il ne soit en train de vous pourchasser. Au début, l'idée d'être poursuivi par Rex ou une créature comparable le faisait frissonner.

Et ça devrait encore être le cas, songea-t-il. *Je suis un idiot de m'habituer à cette situation.* Parce que Murray les tenait tous en laisse. Pour Rex, Murray était simplement « le Maître », et la hiérarchie imposée électroniquement à la créature bionique dépendait entièrement de Murray. Si ce dernier lui ordonnait de tuer Hartnell, le chien ne refuserait pas — *ne pourrait pas* refuser. Rex était conçu pour obéir aux ordres. D'ailleurs, c'était pour cela qu'on utilisait des chiens.

Rex préférait courir à quatre pattes. Il avait la tête aplatie d'un chien, des yeux sombres de chien, et les expressions qu'on pouvait lui prêter se forgeaient autant dans l'esprit de ceux qui le regardaient que sur la face de la bête. Pourtant, il était assis comme un homme, les bras posés sur ses genoux repliés. Cette attitude lui donnait curieusement un air contemplatif, comme s'il s'apprêtait à déclamer un sonnet sur la beauté du soleil couchant.

Qu'est-ce qui peut se passer dans ta grosse tête, Rex ? L'homme-chien éprouvait-il une vie intérieure, des pensées, des sentiments ? Son crâne cybernétique renforcé produisait-il des monologues et des réflexions ? Ou était-il seulement, comme le prétendaient les behavioristes à propos de tous les animaux, une simple machine skinnerienne répondant à des stimuli ?

Pour le moment, la question était plus concrète. *Qu'est-ce qui se passe dans cette tête* se réduisait à déterminer si les problèmes de communication n'étaient pas dus à un défaut de câblage. Hartnell l'examinait et le testait depuis une heure, tandis que Rex demeurait sagement assis, haletant sous l'effet de la chaleur.

Ellene Asanto avait rencontré les autres membres de la meute, bien entendu. Murray avait probablement voulu les lui présenter progressivement, l'introduire peu à peu dans son cabinet des horreurs. Cependant, il était très difficile de la troubler. Après sa première réaction de frayeur devant Rex, elle s'était manifestement renforcée, sans doute en révisant les spécifications des créatures auxquelles elle serait exposée.

Abeilles l'avait fascinée. Elle avait tourné plusieurs fois autour du grand casier dans lequel l'essaim récupérait des forces et où de nouvelles unités arrivaient à éclosion à un rythme accéléré.

Elle avait achevé son observation par un simple commentaire : « Elles sont comme… des abeilles. »

— Elle, au singulier », rectifia négligemment Murray en travaillant sur sa tablette à la modélisation des communications.

Il lui avait déjà expliqué pompeusement : « Les unités constituent une seule intelligence artificielle fonctionnelle. » Puis il avait retrouvé sa bonne humeur et remis le vieux masque sur son visage. « Abeilles n'est pas très douée pour le raisonnement abstrait ou la planification des opérations, mais ses capacités de combat et de reconnaissance sont inégalées.

— Et l'ours Paddington, là-bas ? »

Assise plus loin, Miel mâchonnait une grosse ration de nourriture. Elle releva la tête en entendant les paroles d'Asanto, mais ne dit rien. Hartnell pensa que Murray avait placé toute l'équipe en mode silencieux ; trop imbu de lui-même pour accepter de partager ce moment.

« Miel peut manier des armes lourdes et participer au combat rapproché. » Murray s'était avancé vers l'énorme silhouette voûtée de l'ourse — *beaucoup plus grande*, même assise, qu'un humain debout. Il se plaça dans son ombre et lui donna une claque sur le flanc, tout en fixant Asanto. *Regardez-moi ! Ici, je suis le Maître. Je suis l'Homme. J'ai dompté ces bêtes sauvages.* Sauf que le dressage était en fait l'œuvre d'une équipe de biotechniciens, de programmeurs et de cybernéticiens travaillant dans des bureaux situés à des centaines de kilomètres de là. Mais peut-être ne suffisait-il pas de concevoir, d'élever et de conditionner. Peut-être le véritable dressage consistait-il à *utiliser* ces actifs. C'était la spécialité de Murray. Durant des années, il avait géré des groupes de chiens pour diverses sociétés de sécurité, se forgeant ainsi une si longue réputation d'efficacité que l'on ne posait pas de trop de questions sur ses méthodes. L'escouade multiforme n'était que la dernière troupe à se produire dans ce cirque où il jouait le rôle de Monsieur Loyal.

« Et *ça* ? »

Dragon se prélassait au soleil, dont il profitait au mieux en relevant sa crête dorsale. Il s'agissait d'une longue créature onduleuse, mesurant bien six mètres de son museau de crocodile jusqu'à la pointe de sa queue effilée. Ses écailles ternes affichaient à cet instant une teinte brune, ce qui signifiait qu'il ne cherchait pas à se camoufler. C'était le moins humanoïde des trois biomorphes vertébrés, bien que ses pattes ressemblent un peu à des bras humains. Un de ses yeux indépendants et proéminents fixait Asanto, comme s'il attendait qu'elle approche suffisamment pour bondir.

« Il est essentiellement créé à partir des gênes d'un anolis et d'un lézard moniteur », avait dit Hartnell, avant d'ajouter en s'esclaffant, parce qu'il en avait rarement l'occasion dans son travail : « Ce qui est marrant, quand on l'a livré, c'est que la

fiche de sa caisse indiquait "moniteur anal", et tout le monde
a dit "Non merci, on ne veut pas de ce genre de truc".» Il
avait perdu son sourire en voyant l'expression de Murray et
d'Asanto, et son patron lui avait alors demandé s'il n'avait pas
une tâche à accomplir. Donc, il se trouvait là.

«Je ne comprends pas, mon vieux Rex», dit-il à l'énorme
masse de dents et de muscles. Rex agita une oreille au son de
sa voix et Hartnell s'interrogea : à quel point le biomorphe
comprenait-il ce qu'il faisait? «Tout est en ordre. Rien ne
cloche. Ta tête est parfaite. Bon chien.»

Les épaules de Rex frémirent et la tablette de Hartnell lui
indiqua que l'homme-chien désirait lui parler. Il ouvrit un
canal dans son implant audio.

Je veux une nouvelle voix. Dans l'oreille de Hartnell, le ton
de Rex était neutre, artificiel, sans aucune ressemblance avec
son grognement grave et audible.

«Je... euh...» Hartnell jeta un coup d'œil autour de lui
pour s'assurer que Murray ne se trouvait pas à proximité, puis
répondit dans un murmure : «Qu'est-ce que tu veux?»

Je veux une nouvelle voix.

«Nous ne pouvons pas réellement faire ça, Rex. Ce n'est pas
possible.»

Rex se contenta de le fixer avec ce regard accusateur dont
les chiens ont le secret.

«Enfin, écoute. Ça pourrait être faisable... éventuellement,
un jour, tu vois. Mais ce n'est pas vraiment une priorité, mon
gars. Je veux dire... tu peux très bien nous parler comme ça
pour le moment. Et puis, tu ne vas pas discuter gentiment avec
les anarchistes pour leur réclamer des biscuits. C'est... bizarre
de demander ça, tu sais.»

Ce qui posait une autre question : comment cette idée lui
était-elle venue? Hartnell décela un changement dans le langage corporel de Rex : une attitude plus défensive, la tête penchée, les oreilles baissées. Une petite plainte aiguë, presque
inaudible, s'échappa de ses fortes mâchoires.

Hartnell connaissait Rex, ou croyait le connaître. Sans pouvoir déterminer si c'était réel ou une simple conception anthropomorphique, il pensait être capable de lire les émotions de la créature bionique. Rex restait fondamentalement un chien, après tout. Il était issu d'un génotype dont les individus apprenaient à comprendre les humains depuis des millénaires.

En regardant Rex, il se mit à songer : *D'où vient cette histoire de nouvelle voix ? Il est clair qu'il ne veut pas que je l'interroge à ce sujet.* S'il posait une question directe, le chien devrait lui répondre. Tous les biomorphes — et Rex plus que les autres — étaient conditionnés pour obéir à leurs supérieurs. Murray se trouvait en haut de la hiérarchie, mais Hartnell venait juste après.

Cette idée n'était pas réjouissante. Le fait d'arriver seulement en second ne suffirait pas à le protéger si Murray, dans un accès de colère, ordonnait à Rex de déchiqueter Hartnell. Ce fonctionnement n'était pas un problème quand il s'agissait de questions liées uniquement à l'entreprise, mais ici, au Campeche, Murray se comportait comme un petit empereur. Il avait un travail à accomplir et personne ne supervisait ses actions. Tant qu'il obtenait des résultats, ses patrons ne se préoccupaient pas des méthodes employées.

Je sais tellement de choses sur ce qui se passe ici. Encore des pensées déprimantes, qui menaient à une conclusion logique : *J'en sais beaucoup trop.*

Il fixa la face candide et brutale de la créature. *Tu ne me ferais pas de mal, n'est-ce pas, mon garçon ?* Bien sûr qu'il serait capable de le faire, si Murray le lui ordonnait. Il ne pourrait pas s'en empêcher.

Il ne voudrait pas le faire. Hartnell avait déjà ruminé bien souvent ce scénario, en général juste avant de déboucher une nouvelle bouteille de whisky. Dans ses petits jeux mentaux, Rex hésitait toujours. Au moins un court instant.

Il gratta le chien bionique sous le menton, sentit les muscles puissants — et le difficile dialogue intérieur entre l'homme et l'animal. « Tu vas bien, Rex, déclara-t-il doucement. Tu t'es bien conduit. Tu es un bon chien. Je vais voir si je peux te donner une nouvelle voix. »

L'interprétation cybernétique des pensées de Rex lui parvint : *Une voix gentille.*

Hartnell se sentit soudain très triste, en partie seulement à cause du whisky. Il avala une autre gorgée, puis tapota le bras du biomorphe. « Tu vas bien, répéta-t-il.

— Vous avez trouvé ce qui clochait ? »

Hartnell leva les yeux vers Asanto, dont la silhouette se découpait sur le ciel clair. Elle attendait sans doute une réponse qui pourrait rassurer ses investisseurs chéris, mais il se contenta de hausser les épaules en reniflant. « Vous né les retirez jamais ? » demanda-t-il en montrant son foulard et son long manteau.

« C'est la meilleure protection disponible contre les insectes », dit-elle en tirant un peu sur le foulard. Puis elle posa les yeux sur Rex. « Donc, cette créature et son équipe étaient seulement… parties en reconnaissance de leur côté pendant une demi-heure ?

— Lui. Rex est un mâle. » Hartnell se sentit brusquement agacé par Asanto, mais reconnut que sa contrariété était en fait provoquée par Murray et toute cette foutue mission. « Rex et Dragon sont des mâles, Miel et Abeilles des femelles. Miel en est une, en tout cas. En ce qui concerne Abeilles, nous lui disons qu'elle en est une parce que c'est comme ça que nous pensons, nous autres humains. Abeilles est…

— Elles sont, plutôt. »

Il haussa les épaules. « Abeilles est constituée d'abeilles. Sérieusement, vous avez vraiment lu les spécifications des unités de combat en intelligence distribuée ? On ne s'attendait pas à ce que ces foutus trucs possèdent réellement une *intelligence*. Ils devaient ressembler à des putains de petits robots. Il suffisait d'en rassembler suffisamment pour qu'ils exécutent des calculs qui leur permettent de prendre des décisions.

Seulement, Abeilles est comme une personne. Enfin, pas réellement une personne, mais on peut lui *parler*. Elle réussirait le test de Turing. Pourtant, dans le milieu de l'intelligence artificielle, tout le monde s'en fiche parce qu'elle n'est pas un de leurs super-méga-ordinateurs, mais seulement...

— Seulement Abeilles.

— Oui, seulement un essaim d'abeilles, en fait. Désolé d'avoir râlé comme ça. »

Elle approcha un peu pour examiner Rex. « Parlez-moi des protections.

— Des protections, répéta-t-il bêtement.

— Qu'est-ce qui se passe quand la laisse est rompue, Hart ? J'imagine que Rex ne se contente pas de marquer quelques arbres et de mordre un facteur.

— Il... » Hartnell avala sa gorgée de whisky trop rapidement, en aspira la moitié, se plia en deux et se mit à suffoquer jusqu'à ce qu'une tape dans le dos l'aide à retrouver sa respiration. « Aaah, aaah, merci », dit-il en haletant.

Asanto le fixa des yeux. En vérité, elle regardait derrière lui, vers Rex, dont la patte venait d'administrer ce geste secourable. « Ça, par exemple ! s'exclama-t-elle.

— Bon garçon, Rex. » Hartnell toussota encore plusieurs fois. « Vous avez lu les spécificités, vous connaissez les protections.

— J'ai surtout vu qu'elles étaient réduites.

— Rex obéit aux ordres. Il s'inscrit dans une hiérarchie très stricte et fait ce qu'on lui demande. Quand les communications ont été interrompues...

— Oui, justement ?

— Rex a pris contact avec un camp de réfugiés. Sans aucune instruction. » À cette seule pensée, Hartnell sentit ses paumes devenir moites, ou encore plus moites. Il ne pouvait pas imaginer ce qui avait traversé l'esprit limité de Rex à ce moment-là, ni comment cela s'était produit. Et les biomorphes eux-mêmes ne l'aidaient guère. Il ne s'agissait pas seulement d'une panne des communications : les caméras de l'escouade n'avaient rien enregistré pendant cette période. Tout ce dont disposaient les techniciens, c'était le rapport de Rex, dont le langage était limité.

« Ils cherchaient la présence d'ennemis, expliqua Hartnell. Ils se sont bien débrouillés… vraiment bien. Tu entends ça, Rex ? Bon chien, bon garçon. Ils sont entrés dans le camp. Je ne sais pas pourquoi, mais il ne s'est rien passé. Abeilles l'a fouillé pour voir s'il y avait des armes de combat. C'était plutôt foireux, parce qu'ils n'ont pas vraiment été entraînés pour ça, mais en tout cas ils ont fait ce qu'il fallait.

— Une sorte de programme secondaire ? » suggéra Asanto.

Je dois la fermer, maintenant. Je dois vraiment la fermer et me contenter de hocher la tête. « Non », insista la bouche de Hartnell, malgré ce que son bon sens lui dictait. « Ils ont pris la *décision* d'agir de cette manière. C'est pour ça que Rex est plus qu'un robot, pour ça que les biomorphes représentent l'avenir. » *N'oubliez pas de le dire à vos actionnaires.*

« Mais la fusillade s'est déclenchée ensuite, fit-elle remarquer.

— Euh… oui, c'est vrai, mais parce qu'une bande d'anarchistas est arrivée et s'est mise à tirer. Et je ne sais vraiment pas pourquoi ils venaient là. Ils voulaient peut-être déplacer les réfugiés, ou enrôler de force de nouvelles recrues, ou rendre visite à leur grand-mère malade. Mais ils ont aperçu notre équipe. Rex les a vus aussi et les a correctement identifiés comme des individus hostiles. Les civils ont déguerpi, et si j'en juge d'après le petit nombre de victimes parmi eux, j'en déduis que notre détachement a protégé leur fuite.

— Sérieusement ? » Elle ne semblait pas convaincue.

Hartnell ouvrit la bouche, puis la referma. « Je ne sais pas, marmonna-t-il enfin. C'est ce qu'ont dit quelques-uns des gars de Redmark, mais je ne sais pas. » Il gratifia le biomorphe d'un petit sourire. « Des fois, je ne comprends vraiment pas ce qui se passe dans ta grosse tête, Rex. Et je sais que tu me le dirais si tu le pouvais. » Et il remarqua encore cette expression particulière — le dos légèrement arrondi, la tête inclinée — qui signifiait : *S'il te plaît, ne me pose pas la question.* Et ce petit gémissement de culpabilité.

« Tu as fait ce qu'il fallait, mon garçon », dit-il avant de gratter de nouveau la mâchoire du chien bionique. Contrairement à Rex, il pouvait mentir en cas de besoin et se garda bien de parler à Asanto des ordres que Murray avait tenté d'envoyer quand les communications étaient coupées ; de parler de la manière dont Murray gérait la guerre, à la fois contre l'État du Campeche, contre les anarchistas et contre les civils.

8

Rex

Miel est contrariée.

Elle mange, assise, calme. Elle ne fait rien de particulier. C'est seulement par son canal personnel que nous pouvons savoir qu'elle n'est pas contente. D'après ce que je comprends, c'est parce qu'elle ne veut pas que le Maître soit au courant.

Elle ne devrait pas lui cacher des choses. Il faudrait peut-être que je parle de Miel au Maître ? S'il m'interroge, je serai obligé de lui répondre. Ça signifie peut-être que je ne dois pas le faire tant qu'il ne me pose pas de questions, sinon pourquoi aurait-il conçu notre comportement de cette manière ? Je ne suis pas satisfait de mon raisonnement, mais je ne peux demander de l'aide à personne. Je gémis de nouveau, tout au fond de ma gorge. Quelque chose cloche. C'est comme Hart avec les enregistrements perdus : je ne trouve pas le problème. Je sais seulement que quelque chose ne marche pas.

Miel nous dit que nous devrions tous manger autant que possible. Nous devons participer à une grande bataille. Le Maître a découvert l'endroit où sont allés tous les ennemis, des ennemis si nombreux que toutes nos meutes et tous nos amis humains vont les attaquer. Nous devrons les tuer jusqu'à ce qu'il n'en reste plus un seul. Ensuite, nous devrons nous occuper de leurs cadavres. Le Maître a été très clair sur ce sujet.

Mais ce n'est pas pour ça que Miel nous dit qu'il faut

manger. Elle pense qu'il va se passer autre chose. Elle nous demande d'être prêts.

Hart examine encore mes implants et les vérifie un par un. Ça me chatouille quand il est dans ma tête. Il teste le module de rétroaction, la base de données, les communications, le système de visée, l'organigramme de la hiérarchie. Il dit que je suis en bon état. Il me gratte sous le menton, là où parfois les implants de mes mâchoires me font mal. J'aime bien ça. J'aime bien Hart.

Lui, il n'aime pas le Maître. Je le sens. Il pense aussi que quelque chose va arriver. Je devrais peut-être lui parler de Miel, mais je ne le fais pas. Je ne sais pas pourquoi je me tais.

Avec Dragon et Miel, nous avalons nos rations. Nous pouvons manger beaucoup de choses différentes, mais nous préférons les rations. Elles contiennent les vitamines et les minéraux recommandés. Abeilles s'est complètement rechargée dans sa ruche et a réquisitionné 20 % d'unités supplémentaires. Puisque nous allons nous battre, chacun s'équipe au maximum.

Ellene Asanto passe près de nous en parlant avec Hart. Elle le harcèle. Elle harcèle aussi le Maître et ça le contrarie. Maintenant qu'elle n'a plus peur, je n'arrive plus à connaître ses sentiments. Ses vêtements produisent une sorte de bourdonnement. Mais ce ne sont peut-être pas ses vêtements qui font ça. C'est peut-être elle.

Canal de Miel : *C'est elle.*

Ellene Asanto ne se situe pas dans ma hiérarchie. Elle n'est pas mon ennemie, mais ce n'est pas une *humaine* comme la plupart des autres. Elle est importante pour Hart et pour le Maître. Je ne sais pas ce qu'elle est vraiment ni comment je dois me comporter envers elle.

Je pense que ça veut dire que je peux enquêter sur elle. Ce sera comme au campement, quand les communications ont été coupées. Je vais envoyer Abeilles.

Canal d'Abeilles : *Tu peux clarifier ?*

J'indique à Abeilles que je désire des informations sur Ellene Asanto.

Canal d'Abeilles : *Tu peux clarifier davantage ?*

J'ignore ce que je veux savoir. Je désire seulement obtenir des informations.

Canal d'Abeilles : (émoticône désobligeante)

Mais Abeilles suit les ordres ; elle envoie quelques unités voler près d'Ellene Asanto et déployer ses capteurs : elle possède des sens que les autres n'ont pas. Selon Abeilles, même le Maître et Hart ne savent pas tout ce qu'elle peut sentir.

Je m'adresse à Miel : *Explique-moi.*

Son canal reste silencieux.

Canal de Dragon : *Je crois qu'Ellene Asanto est un objectif spécial,* ce qui signifie qu'il recevra des ordres particuliers à son sujet.

Le Maître et certains des officiers de Redmark examinent une photo satellite de l'ennemi. Pour moi, ça ressemble simplement à un autre camp, mais beaucoup plus grand, et avec plus de structures. Un *village,* précise ma base de données. Bientôt, le camp sera beaucoup plus petit, et il n'aura plus aucune structure. Quand les cadavres auront été brûlés et enterrés, il ne restera plus grand-chose.

Canal de Miel : *Toutes les preuves auront disparu.*

Canal d'Abeilles : *Réception… détection d'un signal crypté… décryptage… décryptage… décryptage…*

Les unités d'Abeilles reviennent tout autour de nous et se connectent pour aider au décryptage en augmentant sa puissance de calcul. Je veux lui dire d'arrêter, mais elle accomplit ce que je lui ai demandé, à sa façon. J'ai du mal à savoir si c'est réellement ce que je voulais découvrir.

Canal de Miel : *Préparez-vous.*

Je veux lui demander *Nous préparer à quoi ?* mais elle se lève et brosse les miettes tombées sur sa fourrure. Miel vérifie les systèmes de son fusil à éléphant. Dragon lance le diagnostic de son logiciel de visée. Abeilles continue son décryptage…

C'est quelque chose qu'elle ne devrait même pas être capable de faire.

Je regarde vers le Maître. Il parle d'un ton bas avec ses officiers, mais je peux quand même entendre sa voix. Ce n'est pas vilain d'écouter puisqu'on m'a créé comme ça. Il dit : « ... qu'elle reste ici et il faudra l'occuper, mais je veux qu'on découvre beaucoup d'armes, des composants de bombes. Bref, les éléments habituels. Personne ne devrait poser trop de questions, mais ça doit ressembler à un camp de l'Anarchista... »

Canal d'Abeilles : *Décryptage terminé*. Je peux alors entendre le message secret d'Ellene Asanto, celui qu'elle a transmis grâce à ses implants et ses habits.

... soupçonne que c'est le grand nettoyage. Ils vont ordonner aux biomorphes de se débarrasser des preuves de l'attaque chimique. Envoyez-moi des renforts de toute urgence, sinon nous devrons compter des centaines de victimes civiles, au minimum...

Hart pousse un juron. Il regarde Asanto avec de grands yeux et je comprends qu'il était connecté aux systèmes d'Abeilles. Il a tout entendu.

9

Hartnell

… soupçonne que c'est le grand nettoyage. Ils vont ordonner aux biomorphes de se débarrasser des preuves de l'attaque chimique. Envoyez-moi des renforts de toute urgence, sinon nous devrons compter des centaines de victimes civiles, au minimum…

Alors qu'il vérifiait les communications internes de l'essaim d'Abeilles, Hartnell se figea. Pendant une seconde de stupeur, il crut que le message provenait d'*Abeilles*, mais il remonta vers la source de la transmission : Ellene Asanto, seule, debout au milieu du camp. Asanto, envoyée ici par les investisseurs du projet bionique. Et il pensa que c'était pourtant plausible, lorsqu'on songeait que ces investisseurs seraient exposés à une mauvaise publicité phénoménale si le monde extérieur découvrait la manière dont la guerre était menée au Campeche.

Mais il continua d'écouter le fichier méticuleusement décodé par Abeilles. Asanto ne semblait même pas s'intéresser particulièrement aux biomorphes, sauf comme vecteurs des atrocités commises par Murray. Elle savait que des armes chimiques avaient été employées dans la région. Elle était ici pour découvrir des preuves. Mais les actionnaires, eux, ne voulaient pas obtenir de preuves, sinon pour les enterrer. De toute évidence, Asanto n'était pas seulement venue pour survoler la situation, mais pour creuser profondément.

Oh merde, elle n'est pas du tout ici pour le compte des actionnaires ! Hartnell tourna les yeux vers Murray, toujours plongé dans ses projets d'attaque. Parce qu'il y avait un vaste camp de réfugiés à proximité, où de nombreux lits étaient occupés par des gens qui souffraient de brûlures et de cicatrices caractéristiques. Les pouvoirs en place, les gouvernements et les multinationales qui avaient soutenu la contre-insurrection — et surtout financé les chiens de combat de Redmark — avaient déployé une grande brutalité pour écraser la révolte populaire. L'accès des médias dans la région était étroitement contrôlé : le reste du monde considérait les anarchistas comme des terroristes. Néanmoins, certains ne semblaient pas partager cette opinion. Asanto était peut-être une journaliste, mais d'après ce que Hartnell avait vu de son équipement, elle devait être plus que cela.

Il s'agit d'un agent de l'ONU sous couverture. C'était maintenant évident. Aux dernières nouvelles, l'ONU s'intéressait au conflit dans l'État du Campeche, comme à beaucoup d'autres actions commises par des groupes paramilitaires — subventionnés par diverses entreprises pour combattre le développement non rentable (pour elles) de certaines parties du globe. L'ONU pouvait toujours poser des questions ; les anarchistas avaient perdu, même s'ils ne le savaient pas encore. Le véritable travail de Murray consistait à nettoyer les traces, à se débarrasser de toutes les preuves qui pouvaient incriminer les responsables des massacres.

Hartnell était cruellement conscient du fait qu'il risquait d'entrer dans cette catégorie. Quant à Rex et les autres… Ce n'étaient pas des robots. On ne pouvait pas se contenter d'effacer leurs bases de données afin de les réutiliser dans une prochaine guerre. Il était plus facile et moins coûteux d'en créer de nouveaux. Cela constituait le dernier avantage des soldats bioniques sur les combattants humains. En définitive, si tout le reste échouait, on pouvait se débarrasser d'eux.

Hartnell s'introduisit dans les systèmes confidentiels de Murray. Il s'y était déjà entraîné pendant des semaines — comme une petite révolte secrète, pour sa satisfaction personnelle. Cette fois, il s'intéressa aux communications entrantes pour établir une liste des messages reçus.

Il remarqua alors le visage d'Ellene Asanto. Murray était au courant. Il avait compris qu'ils étaient suspectés. Le colonel bloquait-il les transmissions de la déléguée ou ignorait-il qu'elle était une sorte d'antenne vivante ?

Quoi qu'il en soit, il devrait la tuer. Le grand nettoyage. Peut-être le savait-elle. Peut-être acceptait-elle ce sort, comme le prix à payer pour exposer au monde entier les agissements de Murray et de ses patrons.

« Rex, je crois qu'il est temps pour toi et ton équipe de partir », annonça Hartnell, en s'efforçant de conserver un ton calme. Le chien bionique redressa la tête : ses sens aiguisés pouvaient aisément saisir toute cette peur, mais sans en comprendre la cause.

« Vous avez votre équipement, vos rations et vos munitions, n'est-ce pas, mon garçon ? »

Nous sommes prêts, confirma Rex dans son oreillette.

« Je suis désolé de ne pas pouvoir te fournir une nouvelle voix, mon grand, murmura Hartnell. Ça aurait été chouette. »

Je le crois aussi. Hart ?

« Oui, Rex ? »

Qu'est-ce qui se passe ?

Hartnell fixa le regard confiant de la créature bionique. « Rien, mon gars. Tout baigne. Va faire ton boulot. »

Pourquoi es-tu inquiet ?

« Je vais bien. » Rex pouvait déceler ce mensonge. Hartnell jeta un coup d'œil en direction de Murray, toujours absorbé dans ses projets. Le camp tout entier ressemblait à une bombe à retardement, rempli d'hommes armés qui attendaient les ordres de Murray. Ce serait encore pire si les biomorphes se trouvaient là quand la situation se dégraderait.

Utilisant le canal qu'Abeilles avait isolé, il envoya un signal direct à Asanto. *Murray a découvert votre rôle.*

Et il s'adressa à Rex : « Allez, mon gars, il faut partir, maintenant. »

Canal de Rex : *Mais d'après le plan, nous devons attaquer en même temps que nos amis.*

Asanto avait à peine réagi. Hartnell devait reconnaître qu'elle avait du cran en se tenant là, entourée d'ennemis. *Et les ennemis, c'est nous.*

« Vous allez partir en avant-garde. Vas-y, mon garçon. » Hartnell enregistrait les ordres en même temps qu'il les donnait, insérant et validant une reconnaissance dans le plan d'attaque. Après tout, les biomorphes étaient doués pour ça. Cette action était d'ailleurs prévue à l'origine dans la stratégie de Murray. Ce dernier pourrait-il gober que les détails de l'opération avaient été conservés involontairement ? Hartnell posa l'empreinte électronique de son chef sur chacun des ordres, espérant s'en tirer par ce stratagème — sans trop y croire.

Rex se redressa, s'étira, poussa un gémissement. *Hart ?*

« Tu es un bon chien, Rex. Je sais que tu feras ce qu'il faut. »

Dragon était déjà en route et ondulait, invisible, parmi les arbres. Miel se mit à quatre pattes et s'éloigna à pas feutrés ; elle pouvait se montrer étonnamment discrète en cas de besoin. Quant à Abeilles… Multitâche, elle était à la fois partie et encore là.

« Ton équipe a besoin de toi, Rex », déclara Hartnell. Le chien bionique sortit discrètement du camp. S'il avait été doté d'une queue, elle aurait été rabattue entre ses pattes arrière. Chacun de ses mouvements trahissait son embarras et sa contrariété.

Hartnell s'empressa d'ajouter quelques touches finales à ses programmes, comptant les secondes, puis les minutes. Il songeait à la meute bionique, s'éloignant de ce qui allait devenir une zone dévastée. *J'ai combien de temps ? Il me faut combien de temps ?* Cette seconde question éclairait son problème principal : impossible de s'en tirer. Il était coincé dans un labyrinthe sans issue.

Quelqu'un d'autre s'était introduit dans le système. Hartnell remarqua sa présence en suivant ses actions : des canaux ouverts, des fichiers lus. Il se retira vivement, dissimulant ses propres traces du mieux possible. Au milieu de ses officiers, Murray s'était figé pour se concentrer sur ses implants et son écran oculaire. «Hart…» Son regard demeurait fixe, mais sa voix parvint dans l'oreillette de Hartnell. «Vous vouliez me dire quelque chose?»

Le technicien avala une grande gorgée de whisky. *Que sait-il? Où est passée Asanto?* Murray disposait d'un accès complet aux systèmes. Hartnell pouvait s'y infiltrer parce qu'il était plus malin, tandis que son chef s'y promenait librement. Tout ce que le technicien avait déterré pouvait être repéré par le colonel.

Ellene Asanto restait immobile.

Dans l'espace partagé de leurs esprits, Murray découvrit les transcriptions fragmentaires des messages d'Asanto, décryptés par Abeilles. «Putain de *merde*!» s'écria-t-il, faisant sursauter tous ceux qui l'entouraient.

Asanto saisit le fusil de l'homme le plus proche. Murray aboyait des ordres. Hartnell avança vers lui, voulant intervenir, tendant sa bouteille bien entamée comme un gage de paix…

10

Rex

Rien ne se trouve là où il faudrait. Nous avons laissé nos amis et nous avançons seuls vers l'ennemi. Ce n'était pas le plan prévu, mais c'est l'ordre que Hart m'a donné. J'aime bien Hart. J'aime bien le Maître. Hart n'aime pas le Maître. C'est une des nombreuses choses qui me contrarient en ce moment.

Miel insiste pour que nous marchions plus vite. Nous sommes tous plus rapides que n'importe quel humain ; même Dragon ; même Abeilles. Celle-ci nous entoure et avance en éclaireur ; elle reste aussi en arrière-garde ; et aussi dans le camp, même si son signal se dégrade avec la distance.

Canal d'Abeilles : *Ils se battent.*

Je continue à courir. Je voudrais rentrer. Je ne veux pas que nos amis se battent entre eux. Je continue à courir.

Canal d'Abeilles : *Le Maître est très fâché.*

Mon canal : *Nous devrions retourner au camp.*

Canal de Miel : *Non.*

Canal de Dragon : *Pas si le Maître est fâché.*

Je suis surpris. Même Dragon est préoccupé par le comportement du Maître. En tout cas, il veut éviter sa colère. Et moi aussi. Pourtant, je voudrais être là-bas pour l'aider. Je voudrais l'aider à ne plus être en colère. Je ne voudrais pas que le Maître soit fâché contre moi.

J'ai arrêté de courir. Je sens que mon indécision fait trembler mon corps. Le reste de l'équipe me regarde. Ils feront ce que je dirai. Moi, je dois faire ce que dit le Maître.

Canal de Miel : *Quels sont les derniers ordres que tu as reçus, Rex ?*

Mon canal : *Hart a dit d'avancer.*

Canal de Miel : *Alors, c'est ce que nous devons faire.*

Je sais que Miel ne dit rien de précis. Elle veut agir à sa façon. Elle veut que j'agisse, alors elle me donne des motifs qui me paraissent logiques. Mais je lui fais confiance. Elle est plus intelligente que moi. Parfois, j'ai l'impression que tout le monde est plus intelligent que moi. Et parfois, je pense que Hart lui-même ne comprend pas à quel point Miel et Abeilles et Dragon sont intelligents.

Ensuite, je reçois un signal. Je demande aux autres d'attendre. C'est un signal de Hart. Lui, c'est mon ami. Il saura ce qu'il faut faire.

Salut, mon gars, dit-il. C'est un enregistrement ; il ne me parle pas directement. *J'espère que tout va bien pour vous, où que vous soyez. Écoute, euh… ce n'est pas le message le plus facile que j'aie jamais fait. Bon sang…* Une pause, pendant laquelle je pense que Hart boit dans sa bouteille qui sent très fort — je l'appelle la bouteille qui sent Hart. Ils ont la même odeur.

Enfin, bon, si tu écoutes mon petit message, je pense que ça veut dire qu'il m'est arrivé quelque chose de moche et que je ne suis plus là.

Je pousse un gémissement inquiet.

C'est très probable. En tout cas, je m'y attends. Ça veut dire que Murray s'est débarrassé de moi parce que… Oh, mon gars, tout ce que je sais ! Tu ne peux pas comprendre toutes les saloperies que je connais, et c'est tant mieux pour toi. Mais moi, je suis au courant. Je sais tout ce qu'ils ont fait au Campeche, les armes chimiques et tout ça. Toi et ton équipe, vous n'y êtes pour rien, mais ils feront retomber la responsabilité sur vous s'ils ont besoin d'un bouc émissaire. Ou bien… Je ne sais pas quelle est la version canine. Un chien galeux ? Bon sang, je radote. Une autre pause, et j'imagine que Hart boit encore.

Bref, si tu entends ça, c'est que je suis mort, mon grand. Et je suis désolé. Je veux dire, bien sûr que je suis désolé, mais je suis désolé parce qu'ils vont devoir se débarrasser aussi de vous. Le programme multiforme sera sûrement considéré comme un succès, mais ça ne veut pas dire qu'ils auront besoin des biomorphes individuels. Tu seras sans doute mort héroïquement ou quelque chose dans ce genre. Mais tu sais quoi, Rex ? Tu les emmerdes, d'accord ? Qu'ils aillent se faire foutre, Murray et ceux qui l'emploient, et qui m'emploient.

Alors, écoute bien, je vais te faire un cadeau. Parce que tu es un bon chien. Je n'ai aucune idée de ce qui a coupé les communications, mais j'en sais assez pour reproduire la panne. Je vais te donner mes derniers ordres avant de te libérer. Je supprime ta hiérarchie. Il n'y a plus que toi, Rex, toi et ton équipe.

Tu es libre, mon grand. Reste loin de tout ce qui arbore le logo de Redmark. Essaie de vivre un peu, avant la fin.

Cours, Rex. Vous devez fuir.

Je reste sur place pendant un moment, essayant de comprendre ce que tout ça signifie. Hart est mort. Il me l'a dit luimême. Je ne vois pas de contradiction dans cette information. Mais le Maître ? Nous devrions retourner vers le Maître. Nous avons besoin d'ordres.

Canal de Miel : *Nous avons des ordres.* Elle aussi a entendu le message de Hart.

Canal de Dragon : *Nous sommes libres.* Le ton de Dragon est différent. Il n'a jamais apprécié de recevoir des ordres.

Canal d'Abeilles : *En attente d'instructions. Unités retirées du camp. Pas de communications externes à l'équipe.*

Canal de Dragon : *Aucune.*

Canal de Miel : *Rex ?* Parce que je suis le chef. Je suis le moins intelligent, mais c'est à moi de décider.

Hart nous a dit de fuir.

Alors nous fuyons.

11

(Rapport)

Dans le poulailler, l'acteur se penche pour dire à son ami :
« Et c'est à ce moment-là que je quitte la scène. »

C'était la première fois que Jonas Murray me tuait. Cependant, le rapport que j'avais pu établir était suffisant pour me
permettre d'avancer, à la fois dans mon travail ordinaire et
dans les arrière-salles où je poursuivais ma véritable tâche.
D'un seul coup, j'avais à me préoccuper de choses plus importantes qu'une mauvaise réputation.

Subitement, je m'intéressais beaucoup aux dernières
recherches dans le domaine de la bionique. J'étais captivée
par Rex et ses amis ; je découvrais ce qui leur était arrivé
quand leur laisse avait été définitivement cassée.

Mais je suis morte. Murray m'a assassinée de ses propres
mains.

Il va me falloir du temps avant de pouvoir remonter sur
scène.

DEUXIÈME PARTIE

Stratagèmes

12

Rex

Dragon attrape du poisson.

Il se tient dans l'eau et se déplace en formant de lentes courbes. Son camouflage mimétique s'adapte parfaitement à la vase. Je vois ses mouvements, mais pas son corps.

Quand il ouvre la gueule, elle semble apparaître d'un coup : des dents, une langue, une gorge béante. Les poissons doivent ressentir pendant un court moment une grande surprise et une terrible frayeur. Ensuite, ils sont happés.

Les poissons sont petits. Dragon ne partage pas sa pêche. Mais nous avons encore des rations. Et aussi des petits animaux à proximité : surtout des rats, selon ma base de données. Je peux attraper des rats, mais il faudrait que j'en mange beaucoup. Il n'y a peut-être pas assez de rats.

Abeilles butine le nectar des fleurs. Elle surveille les fourmis (Fourmis ?) pour apprendre comment elles traient les pucerons.

Canal d'Abeilles : *Intégrité à 96 %.*

Elle a rencontré des indigènes — mais pas des indigènes humains. Nous comprenons tous qu'elle ne peut plus réapprovisionner ses unités comme avant, maintenant que nous avons fui.

Je n'aime pas repenser à ce qui s'est passé, mais je ne peux pas m'en empêcher. Les pensées viennent toutes seules. Je ne suis plus connecté au Maître. Hart a disparu, ce qui signifie qu'il est mort, selon Miel. Je ne veux pas qu'il soit mort. Hart était mon ami.

Miel dit que le Maître a tué Hart. Ça ne me plaît pas non plus. Le Maître est mon Maître. Hart était-il un ennemi ? C'est la raison que je peux imaginer, mais je ne veux pas y penser. Je veux que mes amis soient aussi des amis entre eux. C'est comme ça que le monde doit fonctionner.

Miel fourrage les alentours. Elle peut manger beaucoup de choses différentes, et c'est ce qu'elle fait. Miel a besoin de beaucoup de nourriture.

Nous allons devoir repartir bientôt. Est-ce que nous sommes encore en fuite ? Maintenant, nous sommes loin du Maître et de Hart et de nos autres amis. Nous avons couru longtemps. Miel dit que nous sommes assez loin pour considérer que nous avons obéi au dernier ordre de Hart. Elle affirme que nous devrions quand même continuer à nous éloigner parce que nous avons besoin de nourriture et que la zone serait vite dépeuplée si nous restions.

Une question se forme dans mon esprit. Elle n'est pas agréable. C'est une question que je ne m'étais jamais posée auparavant : *Et maintenant ? Que va-t-il se passer ? Qu'allons-nous devenir ?* Tout ça, c'est une seule question.

J'interroge Dragon. Il s'en moque. Dragon est content parce que personne ne lui donne d'ordres. Il peut traîner dans l'eau et attraper du poisson. Il peut se prélasser au soleil. Dragon ne désire pas grand-chose.

J'interroge Abeilles, qui ne comprend pas la question. *Le problème, c'est la survie*, me dit-elle. *Nous nous adaptons et nous améliorons notre vie. Nous trouvons des moyens de continuer.* Abeilles pense à sa longévité. Ses unités ont une durée de vie limitée. Abeilles désire vivre.

Je pose ma question à Miel, qui me répond qu'elle y réfléchit. Elle déclare qu'elle doit trouver un canal de communication. Je dis : *Oui, nous devons contacter le Maître.*

Miel dit que non. Elle ne veut pas parler au Maître. Elle ne veut pas non plus que le Maître nous parle et nous dise ce que nous devons faire.

J'aimerais qu'on m'ordonne ce qu'il faut faire. Miel dit que je suis le chef, mais qu'elle me conseillera. C'est comme si elle me disait ce que je dois faire mais sans que je sois obligé d'obéir. Miel assure que c'est mieux que des ordres. Je gémis un peu, parce que ce n'est pas vraiment mieux. Je veux dire que c'est quand même à moi de décider. Et je risque de prendre de mauvaises décisions.

Pourquoi Miel veut-elle rétablir les communications si ce n'est pas pour parler au Maître ? Elle dit qu'elle doit savoir ce qui se passe dans le monde. Ça m'oblige à lui poser une autre question : *Qu'est-ce que c'est au juste, le monde ?*

Miel a essayé de m'expliquer ce qu'est le monde. Je sais qu'il y a d'autres endroits. Je me souviens des enclos et des laboratoires et des tests.

Miel dit que le monde est beaucoup plus grand et plein de gens. Elle dit que tout ce que nous sommes et toutes les actions que nous avons accomplies font partie de quelque chose de très compliqué qui a été créé par beaucoup de gens. Elle parle de beaucoup de choses : des guerres, des sociétés, des mouvements populaires, des robots.

C'est trop pour moi. Je ne la comprends pas. Je lui demande comment elle peut savoir tout ça.

Elle répond qu'elle a pris l'habitude d'accéder à la base de données du Maître pendant la nuit. Elle dit que sa base de données était plus grande que les nôtres. Le Maître avait des informations sur le Monde Entier. Miel a appris beaucoup de choses.

Je suis certain que le Maître ne le savait pas. *Vilaine Miel ! Vilaine Miel !* Mais je ne peux pas dire ça. Je ne suis pas le Maître.

Dragon glisse hors de l'eau.

Canal de Dragon : *Il y a de bons poissons, ici. Et du soleil. Nous devrions rester.*

Canal de Miel : *Non, il faut continuer.*

Mon canal : *Où allons-nous, Miel ?*

Elle se tait pendant un moment. Abeilles est déçue par les fourmis et elle en pique plusieurs. Ensuite, elle est attaquée par un oiseau et le pique aussi.

Canal d'Abeilles : *Mange, Rex.*

Je mange l'oiseau — mais pas les fourmis. J'attends encore la réponse de Miel. Elle réfléchit souvent très longtemps avant de parler.

Canal de Miel : *Nous avons besoin de trouver des gens.*

Canal de Dragon : *Non, c'est inutile.*

Je suis indécis. J'aime les gens, mais seulement si ce sont mes amis. La plupart des gens que j'ai contactés étaient des ennemis.

Mais si les gens sont des ennemis, je peux les tuer. Cette pensée me rappelle quand mon rétro-module me disait *Bon chien.* Je n'aime pas tuer des gens. J'aime tuer des ennemis. Je demande à Miel si c'est ce qu'elle veut dire.

Canal de Miel : *Non, Rex. Je ne pense pas que nous devrions essayer de contacter des ennemis. Nous devons seulement tuer les ennemis s'ils nous attaquent, est-ce que vous comprenez tous ? Si nous commençons à tuer des humains, ils nous pourchasseront.*

Canal de Dragon : *Qu'ils essaient.*

Je suis d'accord avec Dragon. Au moins, dans ce cas-là, je saurai quoi faire. S'ils nous pourchassent, ce sont des ennemis et nous pouvons les tuer.

Canal de Miel : *Il y en a trop.* Elle nous explique alors qu'ils sont très nombreux. Elle nous demande combien il y a d'humains dans toute la région du Campeche. Elle nous laisse y penser, puis elle nous donne une quantité beaucoup plus grande. Ça, c'est seulement pour le Mexique. Ensuite, elle indique un nombre si grand que je dois me concentrer pour l'imaginer. C'est la totalité des gens.

Canal de Miel : *Nous sommes quatre. Il y a probablement moins de quatre mille biomorphes dans le monde. Si les gens* décident de nous détruire, notre force et notre vitesse ne nous serviront pas. Donc, nous ne devons pas tuer d'humains tant qu'ils ne nous attaquent pas.

Canal de Dragon : *Donc, nous devons rester à l'écart des gens. Je ne veux pas d'un nouveau Maître. Je ne veux pas être attaqué. Je veux seulement attraper des poissons.*

Canal de Miel : *Et moi, je veux savoir comment se passe cette guerre. J'ai besoin des communications. Quels sont tes ordres, Rex ?*

Je ne sais pas. Mais Dragon est paresseux et Miel est intelligente, alors je suis ses conseils. Nous allons contacter des humains.

*

Nous attendons.

Abeilles est de retour. Elle a trouvé quelques humains. Elle nous envoie des photos, granuleuses et floues, provenant d'une poignée d'unités qui sont là-bas. Ils ont un système de communication : Abeilles a détecté la signature électromagnétique grâce à ses sens particuliers.

Canal d'Abeilles : *Intégrité à 94 %.*

Elle n'a perdu que quelques points.

Nous nous dirigeons vers les humains : quand il y a des arbres, nous marchons dans leur ombre. Une fois sur place, nous entendons le bourdonnement d'un aérodyne au-dessus de nous.

Canal de Dragon : *Cible verrouillée.* Son long fusil s'est déployé sur son épaule et pointe vers le ciel. Ses yeux remuent indépendamment l'un de l'autre pour le calcul de la distance. Ma base de données m'indique qu'il peut atteindre la cible.

Mon canal : *Attends. Ce ne sont peut-être pas des ennemis.*

Canal de Dragon : *Nos amis n'ont pas d'aérodynes.*

Mon canal : *Si, le Maître en possède. Nos amis de Redmark ont des aérodynes.*

Dragon s'arrête. L'aérodyne est maintenant hors de portée.

Canal de Dragon : *Ce ne sont pas nos amis.*

Je le réprimande en grognant un peu. Je trouve que Dragon n'est pas très malin, aujourd'hui.

Canal de Dragon : *Ils n'ont jamais été nos amis.*

Je grogne de nouveau. Je vois sa crête se dresser, son corps allongé se courber et se contracter. Son grand fusil est toujours déployé, mais il ne le pointe pas vers moi. Mes grands chiens ne sont pas non plus pointés vers lui. Cependant, il est assez près de moi pour bondir et me mordre. Son venin pourrait beaucoup me ralentir et me rendre malade.

Je suis assez près pour pouvoir le saisir avec mes griffes et l'éventrer, pour planter mes crocs derrière sa tête et le secouer. J'en ai envie.

Canal de Dragon : *Nous n'avons pas d'autres amis que nous-mêmes.*

Ses yeux jaunes me fixent. Abeilles voltige autour de nous. Elle est inquiète. Miel s'est redressée et je l'entends se balancer d'une patte sur l'autre.

Mon canal : *Le. Maître. Est. Notre. Ami.* J'insiste sur chaque mot pour que les choses soient claires.

Canal de Miel : *Le Maître n'est pas là, alors peu importe qu'il soit notre ami ou pas.*

Elle a raison. Elle a tort. Ça compte beaucoup pour moi de savoir que le Maître est mon ami. Je suis un bon chien. Mais mon module de rétroaction reste silencieux. Si Hart est mort et que le Maître n'est pas là, qui peut me dire que je suis un bon chien ?

Nous continuons. Nous arrivons à la lisière des arbres. Il y a une clôture, avec des fils de métal tordus en pointes.

La terre est couverte de broussailles et de buissons qui ressemblent à de petits arbres — une simple tige avec des feuilles. Il y a des animaux ici. Comme le vent souffle de côté, certains nous ont sentis. Ils beuglent et gémissent et s'écartent un peu, puis ils recommencent à manger de l'herbe.

Des vaches. Ce sont des vaches. Ma base de données s'active : viande, lait, cuir, exportation.

Dragon tire sur une des vaches. Sa tête est touchée sur le côté : un trou en plein dans un œil. La base de données de Dragon diffuse les informations balistiques pour que nous puissions voir la trajectoire de la balle à l'intérieur de la tête et comment elle a détruit le cerveau. Comme si elle attendait aussi cette confirmation, la vache s'écroule.

Je dis à Dragon : *C'était une vache, pas un ennemi.*

Canal de Dragon : *Ce n'était pas une vache amie.*

Mon canal : *Je t'ordonne de ne pas tuer des créatures simplement parce que ce ne sont pas des amies.*

C'est mon équipe. C'est moi qui commande.

Canal de Dragon : *C'était pour la manger.* Il m'envoie les informations de sa base de données, la même image et les mêmes mots : lait, cuir. Viande.

Miel n'a rien dit sur le fait que Dragon ait tué la vache.

Maintenant qu'il l'a dit, j'ai faim. La vache morte est appétissante et sent bon. Ce n'est pas la même chose avec le contenu des rations, même s'il est bon pour moi. « Bon » est une idée compliquée.

Je saute facilement par-dessus la clôture et je m'approche de l'animal. C'est une erreur. Toutes les autres vaches sont effrayées et s'enfuient rapidement, alors qu'elles n'ont pas eu peur quand Dragon a tué une d'entre elles. Je les poursuis pendant un instant, parce qu'une partie de mon cerveau me dit que je dois le faire. Ensuite, je m'arrête. Les autres se moquent de moi. Je me sens honteux et fâché. Je rapporte la vache morte vers les arbres. Je ne peux pas sauter à cause du poids que je porte, alors je brise la clôture. Les pointes de métal ne percent pas ma peau.

Dragon, Miel et moi, nous mangeons l'animal. À tour de rôle, nous arrachons des morceaux de son corps avec nos dents et nos griffes. La viande a une meilleure odeur et un meilleur goût que les rations.

Abeilles se disperse autour de nous pour butiner. Elle se bat un peu contre des oiseaux et des insectes.

Canal de Miel : *Nous ne devons plus tuer de vaches.*

Dragon et moi ne sommes pas d'accord.

Canal de Miel : *Les vaches sont des propriétés. Elles ont des Maîtres.*

Canal de Dragon : *Mais pas notre Maître. Alors, ce n'est pas une raison pour ne pas tuer des vaches.*

Sur ce point aussi, je suis d'accord avec Dragon.

Canal de Miel : *Si nous tuons beaucoup de vaches, leurs Maîtres vont nous attaquer.*

Mon canal : *Dans ce cas, ce seront des ennemis.*

Canal de Miel : *Je vous ai déjà dit combien il y a d'humains. Si nous tuons beaucoup de vaches, tous les humains deviendront nos ennemis.*

Je pense que Miel ne me dit pas toute la vérité, mais elle me dit suffisamment de vérité pour que je puisse prendre une décision. Est-ce que je dois faire confiance à Miel pour me conseiller ? Oui. C'est étrange. Je fais confiance au Maître parce qu'il est le Maître. Je fais confiance... Je faisais confiance à Hart quand il était vivant parce qu'il était juste en dessous du Maître dans la hiérarchie. Je fais confiance à Miel parce que...

Ce n'est pas seulement parce qu'elle est dans mon équipe. Je ne fais pas autant confiance à Dragon.

Si je crois Miel, c'est parce qu'elle a dit des choses vraies dans le passé et que cela m'a permis de prendre de bonnes décisions. C'est parce qu'elle est intelligente et que c'est mon amie.

Je faisais peut-être confiance à Hart de la même façon.

Je me rends compte que j'ai réfléchi longtemps à tout ça. Tous les autres attendent ma décision.

Voici ma décision : *Nous ne tuerons plus de vaches, sauf si j'ordonne de le faire.*

Et je ne l'ordonnerai pas, à moins que Miel me dise que ça ne pose pas de problème. J'espère qu'elle le dira, parce que

j'aime bien manger de la vache. La vache, c'est bon. Rex est
un bon chien. « Bon » est vraiment un mot compliqué. Je suis
content d'être dans le monde.

Abeilles se rassemble et nous dit : *Des humains arrivent.*

Nous n'avons pas placé de sentinelles. Je ne suis pas un bon
chien. Je n'ai pas donné des ordres judicieux.

Ils nous ont aperçus à travers les arbres avant que nous puissions partir. Ils sont trois, venus voir ce qui a effrayé les vaches
et cassé la clôture.

Ce qu'ils voient, c'est nous. Ils ont des fusils.

Un des humains crie. Un autre pointe son fusil vers nous
mais ses mains tremblent tellement qu'il ne peut même pas
poser son doigt sur la détente.

Ils s'enfuient en faisant beaucoup de bruit et ça me donne
envie de les pourchasser. Je ne pense qu'à ça et je sors aussitôt
du bois. Ils courent : je les poursuis. J'ai l'impression que c'est
ce qu'il faut faire.

Mais Miel parle dans ma tête : *Non ! Non !* Elle dit qu'il ne
faut pas faire ça. Que ce n'est pas bien, que le Maître n'est pas
là et que nous ne pouvons pas savoir si ce sont des ennemis et
que je prends de mauvaises décisions.

Les unités d'Abeilles voltigent tout autour de moi. Elle ne
chasse pas les hommes. Elle aussi a sûrement entendu la voix
de Miel.

Les hommes sont loin, maintenant. Ils courent vers leur
véhicule et mes jambes frémissent pendant que je les regarde.
Mon corps sait ce qu'il aimerait faire.

Canal de Dragon : *Cible verrouillée.*

Canal de Miel : *Non ! Ne tire pas, Dragon !*

Canal de Dragon : *Ils fuient, ce sont des ennemis. Ils reviendront avec tous les humains dont tu nous as parlé.*

Canal de Miel : *Non, nous avons besoin des humains et de leur
accès aux communications.*

Canal de Dragon : *Tuons-les. Nous pourrons prendre leur système de communication.*

Canal de Miel : *Non. Nous n'aurons aucun avenir si nous tuons des humains.*

Canal de Dragon : ...

Il fait souvent ça : un bruit qui ne veut rien dire, mais qu'il transmet quand même pour indiquer qu'il ne comprend pas. Mon cerveau fait le même bruit dans ma tête. Cela signifie que, parmi toutes les choses intelligentes qu'elle dit, c'est celle que je comprends le moins.

Canal de Miel : *Faites-moi confiance.*

Et je lui fais confiance. Et je ne fais pas confiance à Dragon. Je lui ordonne : *Ne tire pas.* Mais comme mon esprit est vraiment vide, j'ajoute : *Mais je ne comprends pas.*

Canal de Dragon : *Qu'est-ce qu'il y a à comprendre ? Ce sont des ennemis. Ce sont tous des ennemis.*

Canal de Miel : *Pas nécessairement.*

Canal de Dragon : *Quoi que nous fassions, ils vont essayer de nous tuer. Alors, autant les tuer. Nous devrions les tuer pour qu'ils soient moins nombreux à essayer de nous tuer.*

Canal d'Abeilles : *Je suis d'accord.*

Moi aussi, mais je ne dis rien.

Miel répète : *Nous n'aurons aucun avenir si nous tuons des humains.*

Chacun à sa façon, nous regardons les autres. Les yeux de Dragon pivotent vers moi. Les unités d'Abeilles tournent autour de nous, aussi agitées que mes pensées. Abeilles voit tout.

Canal d'Abeilles : *Nous avons été conçus pour tuer des humains.*

Canal de Dragon : *Même les humains sont là pour tuer des humains.*

Miel s'est redressée. Elle secoue ses épaules tombantes, rejette la tête en arrière et nous dit : *Ce n'est pas vrai. Les humains peuvent faire beaucoup d'autres choses. C'est pour ça qu'il y a autant d'humains. Si les humains ne sont là que pour tuer des humains, que deviendrons-nous quand ils arrêteront de se battre ? À quoi servirons-nous ?*

Je ne saisis pas complètement ce qu'elle veut dire et je pense que les autres ne comprennent pas non plus. Nous attendons, comme si le Maître allait soudain apparaître et nous expliquer tout d'une manière simple. Il me manque. Quand le Maître nous parlait, je n'étais jamais troublé comme ça.

Canal de Dragon : *Ce n'est pas vrai.*

Canal d'Abeilles : *Nous avons été conçus pour tuer des humains.* Et elle nous envoie l'image d'un oiseau mort. Le sens de cette image n'est pas clair, mais il est sûrement funeste. Elle veut peut-être dire que nous n'avons pas été conçus pour avoir un avenir.

Miel se gratte, puis s'assoit lourdement pour me regarder dans les yeux.

Canal de Miel : *Rex, je voudrais prendre contact avec les humains qui vivent ici.*

Dragon pense qu'ils vont nous attaquer, et il le dit. Je déclare à Miel que, s'ils nous attaquent, ils seront considérés comme des ennemis. Je n'ai pas besoin de préciser ce qui arriverait dans ce cas.

13

De Sejos

Les gens de Retorna ont attendu longtemps que la guerre arrive jusqu'à eux. Au début, le conflit était distant : les anarchistas s'étaient répandus dans tout le Campeche et le Yucatán pour constituer des communes, diffuser leurs reproches envers le gouvernement du Distrito Federal et dénoncer les déprédations des entreprises étrangères.

Ensuite, quelqu'un avait déclenché les hostilités. Des manifestations avaient dégénéré en émeutes. Des bombes avaient détruit des bureaux et des usines. Les anarchistas faisaient porter la responsabilité des attentats à des agents provocateurs ; le gouvernement accusait les anarchistas. L'armée entra dans la lutte, ce qui détériora la situation. Quand des militaires furent impliqués dans les deux camps adverses, les choses se dégradèrent davantage.

Pendant plus d'un an, les États méridionaux du Mexique furent ravagés par des combats. Au début, ceux-ci n'opposaient que les troupes gouvernementales aux anarchistas et à leurs alliés, mais le chaos se répandit comme un feu de brousse. Après les attaques contre les installations pétrolières et la fermeture des mines, les multinationales envoyèrent leurs propres mercenaires, sur lesquels le gouvernement n'avait aucun contrôle.

Et les grandes sociétés n'étaient pas dirigées par des personnes *mauvaises*, selon la docteure Thea de Sejos. Elles voulaient protéger leurs biens et leurs employés, restaurer la paix afin que les gens puissent vivre comme avant. Thea de Sejos n'était pas du genre à célébrer la doctrine de l'Anarchista et à considérer comme des traîtres tous ceux qui acceptaient de travailler pour des entreprises étrangères. Après tout, ses propres subventions provenaient de Médecins sans frontières.

Les multinationales n'étaient pas des gouvernements : elles n'avaient pas d'armées et s'étaient donc tournées vers des sociétés privées pour protéger leurs intérêts dans le Campeche, dans le Yucatán et le Tabasco. Elles lancèrent des appels d'offres, car il existait apparemment un marché mondial des bandes paramilitaires qui s'intéressaient aux changements de régime. Il ne s'agissait pas de troupes régulières ; elles ne combattaient pas pour l'État ou le peuple, et leurs patrons ne se préoccupaient pas des méthodes employées tant qu'elles obtenaient des résultats sans dépasser le budget alloué.

Personne ne soutenait ouvertement l'Anarchista dans le petit village de Retorna, mais de Sejos craignait néanmoins l'arrivée des mercenaires. D'après les nouvelles diffusées par la radio des rebelles et les récits des réfugiés, elle se disait que les milices privées ne s'embarrasseraient pas de la fidélité politique des habitants. Elles écumaient le pays comme des meutes de chiens enragés.

Et ici, à Retorna, de Sejos dirigeait une clinique et un hospice abritant quelque chose de terrible qui les intéresserait.

Elle accomplit sa tournée habituelle avec un détachement parfaitement professionnel : des paroles calmes, une main sûre. Ayant épuisé ses faibles réserves de médicaments, elle avait photographié avec son portable les brûlures et les décolorations — et les cadavres. De Sejos n'avait montré les clichés à personne et ne les avait pas transmis en utilisant la mauvaise connexion satellite dont elle disposait. Elle était terrifiée à l'idée que les communications puissent être interceptées ; qu'on puisse remonter jusqu'à elle et aux habitants de Retorna.

Seules deux autres personnes étaient au courant : le père Estevan et Jose Blanco, qui s'étaient retrouvés, de fait, à la tête de la communauté quand le propriétaire du ranch avait fui vers le nord.

Depuis qu'elle avait découvert la cause des stigmates, elle s'attendait chaque jour à voir débouler dans l'hospice des hommes armés qui voudraient l'interroger. Peut-être les mercenaires, peut-être les anarchistas ou l'armée, peut-être seulement des bandes errantes qui cherchaient à voler tous ceux qui étaient trop faibles pour leur résister.

Quand Luke Perez et ses amis étaient revenus en braillant de leurs pâturages, elle pensa que le moment était arrivé. Ils étaient partis là-bas pour savoir ce qui avait effrayé le troupeau. Maintenant, leur vieux 4 x 4 cabossé venait de s'arrêter en crissant, soulevant un nuage de poussière au centre de Retorna. Ils appelaient Blanco, le prêtre, tout le monde.

Des monstres, criaient-ils. Des monstres approchaient.

Thea de Sejos avait étudié la médecine à Guadalajara, avait donné des conférences à Paris et à Madrid, n'allait pas à la messe. Elle ne croyait plus aux monstres depuis son enfance — jusqu'au début du conflit.

Elle entraîna Luke Perez vers l'église, qui constituait le véritable centre politique de Retorna depuis que le village s'était retrouvé isolé dans cette guerre confuse. Elle le fit asseoir près du père Estevan et réclama que l'on aille chercher Jose Blanco. Il était temps de réunir les responsables.

« De qui s'agit-il ? » demanda aussitôt Blanco. C'était un homme grand, qui s'était efforcé de cultiver son embonpoint avant le début du conflit. C'était aussi un ivrogne à l'époque. Désormais, il représentait sans doute la seule amélioration que la guerre avait apportée au Campeche.

« De leurs soldats chiens, déclara le jeune père Estevan d'un ton amer. Ça veut dire qu'il s'agit d'une milice privée. »

Blanco tirailla sa moustache. « Luke dit qu'il n'en a vu que deux.

— Nous ne savons pas combien d'autres se trouvaient dans les environs, murmura de Sejos.

— Dites-m'en davantage à propos de ces créatures. »

Elle haussa les épaules. « Nous ne savons absolument pas comment ils sont utilisés ici. Redmark et les autres ne dévoilent rien. Dans le reste du monde ? Ce sont de nouvelles armes, encore expérimentales. Beaucoup de gens n'en veulent pas. En théorie, on les envoie essentiellement là où on ne veut pas risquer des vies humaines, mais leurs détracteurs affirment qu'on les emploie pour des opérations que des soldats humains refuseraient d'exécuter. Des missions d'extermination, puisqu'ils n'ont pas de conscience ni de remords.

— Ils n'ont pas d'âme », ajouta Estevan. Voyant que de Sejos levait un sourcil, il précisa : « Désolé, c'est le dogme. Les paroles exactes du pape. » Estevan était prêtre depuis peu et de Sejos s'était toujours dit qu'on l'avait envoyé dans un trou perdu comme Retorna pour refréner les ardeurs de sa vocation.

« Ils constituent probablement l'avant-garde des troupes régulières. Ils ont été envoyés en éclaireurs pour nous observer. » La voix de la docteure tremblait un peu car elle songeait à ce qu'ils risquaient de découvrir. « Mais ils pourraient aussi…

— Ils pourraient aussi venir pour rayer Retorna de la carte, acheva Blanco. Mais ils ne sont peut-être que deux. Je vais rassembler tous ceux qui possèdent un fusil.

— On dit qu'ils ne craignent pas les balles. »

Blanco haussa les épaules. « Ce sont des animaux. Ils peuvent être tués. »

Il ne fallut pas attendre longtemps avant d'apprendre que quelque chose rôdait à la lisière du village. À ce moment-là, les habitants de Retorna s'étaient presque tous massés à l'intérieur des murs solides de l'église ou dans la spacieuse bâtisse entretenue par Blanco. Tous les fusils avaient été réquisitionnés, chargés et remis entre les mains des hommes et des femmes capables de s'en servir. Derrière chaque fenêtre, ou presque, se tenait un villageois armé.

De Sejos se trouvait dans la grande maison et s'efforçait de rassurer tout le monde lorsqu'elle entendit Blanco pousser un juron.

« Mère de Dieu, qu'est-ce que c'est que ça ? »

Elle le rejoignit près de la fenêtre pour regarder, s'attendant à voir une sorte de chien humanoïde — un peu comme dans les films de loups-garous. La créature était différente. Plus grande, pour commencer. Elle avança lentement à quatre pattes jusqu'aux abords de Retorna, puis se redressa de toute sa taille, qui égalait presque celle des maisons du village. Pendant un moment, de Sejos ne vit qu'une forme sombre et indistincte. Il ne s'agissait pas d'un chien.

« C'est un ours, murmura-t-elle.

— Non, ce n'est pas un ours », répliqua Blanco.

Qu'était un ours, après tout ? Un jouet en peluche pour les enfants ; un animal triste et voûté, prisonnier dans un zoo. De Sejos croyait connaître les ours, ainsi que leur taille et leur conformation. Cette créature ressemblait davantage à une grande colonne de muscles garnie de griffes et de crocs. Et dotée d'un fusil, maintenu sur son flanc par une sorte de harnais. Un fusil énorme : même en fondant tous ceux de Retorna, on n'aurait pas pu en fabriquer un qui égale les dimensions de l'arme que portait ce colosse.

« Ne tirez pas, murmura-t-elle. Si vous tirez, nous serons en guerre. Ne tirez pas à moins d'y être absolument contraint.

— Vous me prenez pour un imbécile ? » rétorqua Blanco, mais sans animosité. Il ouvrait de grands yeux effrayés ; les articulations de ses phalanges étaient blanches autour du canon de son fusil de chasse.

La créature-ours releva son museau, se gratta, passa les griffes sous les sangles de son harnais.

« Habitants du village, bonjour ! »

La voix était si forte et inattendue que tous les défenseurs embusqués derrière les fenêtres reculèrent comme si on les attaquait. De Sejos entendit un coup de feu provenant de l'église. Un index trop fébrile venait de trahir un des habitants.

Le monde entier parut retenir son souffle pendant un instant, mais la trajectoire de la balle ne troubla pas l'ours.

« Bonjour à vous ! » tonna la créature. La voix était forte, certes, mais surtout déroutante chez un tel animal : féminine, rassurante, elle aurait été agréable, venue d'une bouche différente. C'était la voix d'une présentatrice de la télévision, d'une porte-parole politique ou d'une vendeuse. Elle s'exprimait dans un espagnol très classique.

« Personne ne nous a dit qu'ils pouvaient parler, grommela Blanco.

— J'imagine que c'est nécessaire, pour qu'ils puissent faire leur rapport… » Mais ce n'était pas le cas ici. De Sejos regarda l'ourse agiter son museau de droite et de gauche.

« Est-ce qu'elle va… nous demander de partir ? »

De Sejos le dévisagea. « Vous croyez qu'elle est ici pour nous expulser, comme un propriétaire ?

— Je n'ai pas la moindre idée de ce que veut cette créature.

— Nous ne sommes pas ici pour vous attaquer ! » lança le monstre d'un ton apaisant, comme pour répondre à leur interrogation. Il écarta largement ses pattes griffues mais, si son geste se voulait rassurant, il n'eut pas du tout l'effet escompté.

« Et où est l'autre ? demanda Blanco. Ou *les autres* ? » Il quitta brusquement la fenêtre et de Sejos l'entendit passer le mot d'ordre : ouvrez l'œil, c'est peut-être une diversion.

Selon la docteure, dans la catégorie des diversions, l'apparition d'un ours géant qui parle et porte un fusil méritait une place sur le podium. En d'autres circonstances, elle aurait volontiers payé pour voir ça.

Après les paroles retentissantes de l'ourse, le village retomba dans un silence pesant et le grincement de la porte de l'église qui s'ouvrait parut étonnamment bruyant. De Sejos se précipita vers une autre fenêtre pour apercevoir le père Estevan fermant le portail derrière lui. Parfaite image du prêtre, vêtu d'une soutane noire, il fit un signe de croix et leva les yeux vers le ciel.

« Retournez à l'intérieur ! » lui hurla Blanco. De Sejos vit l'animal frémir, porter vivement une patte à son arme, puis la laisser retomber. Jose pâlit et Estevan tendit ses mains écartées, comme l'avait fait la créature un moment plus tôt — à la différence qu'un simple coup de griffes aurait pu le réduire en bouillie.

« Bon sang, qu'est-ce qu'il va faire ? » Blanco et la docteure passèrent d'une fenêtre à l'autre pour suivre la progression du prêtre. « Il veut l'exorciser ? » Voyant l'expression de De Sejos, il ajouta : « Quoi ? D'après la Bible, on peut délivrer un pourceau, alors pourquoi pas ce monstre ?

— Vous pensez que Redmark fait combattre des ours possédés par des démons ? » lui demanda-t-elle.

Il lui lança un curieux regard. « En voyant un animal qui parle comme ça, vous ne pensez pas que c'est un prodige ? »

De Sejos sortit son téléphone portable, le mit en mode caméra, régla le zoom pour mieux distinguer Estevan, qui continuait d'avancer. Elle remarqua que les mains du prêtre tremblaient. Elle fut incapable de lui en faire reproche en le voyant ainsi, debout dans l'ombre allongée de l'ourse.

Mais il discutait, faisait des gestes. Essayait-il de chasser la bête, animé par la volonté du Seigneur ? Cela ne ressemblerait pas au père Estevan qu'elle connaissait. Il devait plutôt lui proposer de venir boire un café.

Un amusement irrépressible la saisit à la pensée d'un ours monstrueux, parlant, armé d'un fusil et prenant un café ; elle dut se mordre les lèvres pour refréner un rire horrifié.

Courbée en avant, l'ourse répondit ; elle avait baissé le ton mais son grondement demeurait audible. De Sejos pensa à cette voix : à la fois terne et rassurante, légèrement artificielle, et certainement pas conçue pour être employée dans une zone de guerre. À moins que cette ourse ne soit une sorte de diplomate bionique, de spécialiste du premier contact envoyée par le nouveau règne animal. Maintenant, Redmark transmettait peut-être tous ses communiqués par l'intermédiaire d'animaux.

Finalement, elle vit Estevan hocher la tête et l'énorme bête s'asseoir lourdement.

« Doux Jésus ! s'exclama Blanco. Il a réussi à l'apprivoiser ! »

De Sejos secoua la tête. Néanmoins, il semblait évident que quelque chose venait de se passer entre le prêtre et le monstre. Estevan revenait vers la grande bâtisse en agitant la main.

« Qu'est-ce qu'il veut ? lui lança Blanco par la fenêtre.

— Il veut... » Estevan fit halte, ferma les yeux pendant un moment. De Sejos comprit alors à quel point il avait été terrifié, ainsi que les efforts qu'il avait dû faire pour surmonter sa peur. « Il veut utiliser notre connexion Internet. »

Blanco et de Sejos échangèrent des regards ahuris.

« Et de la nourriture, ajouta Estevan. Il a quelques amis qui ont faim. Il est temps de tuer le veau gras. »

14

Rex

Donc, nous allons dans le village des humains. Le village non-ennemi. Miel utilise le mot *civils* pour les désigner. Je cherche dans ma base de données : je comprends le concept, mais je n'ai aucun moyen de déterminer qui est civil et qui ne l'est pas. C'était le travail du Maître. Comment Miel peut-elle mieux le savoir que moi ? Combien de temps devrais-je encore lui faire confiance ?

Ils ont beaucoup de fusils, ces *civils*. En général, ce sont de mauvais fusils et ils auraient du mal à blesser l'un d'entre nous, même Dragon. En quelques secondes, ma base de données vérifie chacune des armes : marque, modèle, type de munitions, vitesse initiale. Deux des humains ont des fusils plus puissants, que ma base classe dans la catégorie *militaire*. C'est le contraire de *civil*.

Canal de Miel : *Des soldats leur ont peut-être donné ces armes. Il y a eu beaucoup de combats près d'ici.*

Canal de Dragon : *Cible verrouillée.* Il a sélectionné un des civils portant un fusil militaire.

Miel dit que nous ne sommes pas ici pour combattre. Dragon répond qu'il ne combat pas et sélectionne seulement des cibles. Il dit que nous devrions être prêts à nous défendre.

Canal de Dragon : *Nous ne pouvons compter que sur nous-mêmes. Nous ne pouvons pas nous fier à ces humains.*

Canal d'Abeilles : *Encerclement terminé.* Elle a formé un

cercle diffus autour du village. Maintenant, ses unités sont discrètement perchées sur les murs, les clôtures et les toits, sur-
veillant tout ce qui se passe.

Canal de Miel : *Dis "hola"*.

Je dis « hola ». L'atmosphère est déjà saturée de peur.
Quelques-uns des petits civils produisent un bruit constant ; je
peux les entendre, même à l'intérieur des bâtiments. Le bruit
est irritant et je veux qu'ils arrêtent. C'est un bruit-ennemi. La
peur est une odeur-ennemie. Je suis nerveux, et mes grands
chiens aussi. Je grogne, tout au fond de ma poitrine. Je voudrais arrêter mais je n'y arrive pas.

Il y a longtemps que personne ne m'a appelé *Bon chien*.
Mon module de rétroaction reste silencieux. Je me sens perdu.

Dragon ne peut pas dire bonjour. Il ne possède pas de boîte
vocale comme Miel et moi. Les civils ont peur de Miel et de
moi, mais encore davantage de Dragon. Ils s'écartent beaucoup
plus de lui que de nous. Ils font des mouvements bizarres avec
leur gorge et leur poitrine. C'est drôle. Ne savent-ils pas que
Dragon est le moins dangereux d'entre nous ? Ne savent-ils pas
qu'il faut craindre Dragon quand *on ne peut pas* le voir ? Peut-
être qu'ils l'ignorent. Je trouve curieux qu'on puisse ignorer ça.

Canal de Miel : *Ils apportent une vache*.

Canal d'Abeilles : (image de vache morte) (image d'oiseau
mort) (image d'ennemis morts)

Parfois, je ne comprends pas Abeilles.

Six civils tirent une vache vers nous, à travers le village. Un
des plus grands est leur chef : je le comprends d'après la manière
dont ils se tiennent autour de lui. Il leur ordonne de laisser la
vache devant nous, puis ils reculent rapidement, le chef en dernier. Il y a une nouvelle peur chez lui et ses compagnons. Ses
yeux se posent sur moi, sur la vache, sur moi. Ses mains
tremblent et il serre les poings.

Dragon avance en rampant et les civils reculent, comme s'ils
pouvaient être blessés en restant trop près de lui. Il les regarde
avec ses yeux indépendants et ouvre la gueule pour leur

montrer ses dents. Franchement, il ne possède pas de très bonnes dents ; elles sont moins puissantes que les miennes, mais très pointues.

Mon canal : *Arrête !*

Dragon reste immobile au-dessus de la vache et il pousse des sifflements de frustration en réclamant sa part.

Je sens une forte odeur dans la chair de la vache. Ma base de données l'identifie en quelques secondes : un dérivé de 4-hydroxy-coumarine.

Mon canal : *C'est une mauvaise vache. Elle va nous rendre malades.*

Canal de Miel : *Hrrm.* C'est juste un bruit parasite, mais volontaire, pour nous indiquer qu'elle réfléchit.

Canal de Dragon : *Hrrm.* Le même bruit.

Dragon et Miel savent quelque chose que j'ignore. Abeilles le sait sûrement, elle aussi. Mais je suis le chef. C'est moi qui décide.

Je dis aux humains : « C'est une mauvaise vache. Apportez une bonne vache. » Mauvais, bon, il faut encore employer ces mots compliqués. Est-ce que la vache se demande si elle sera bonne ou mauvaise après avoir été tuée ? Est-ce qu'ils lui disent *Bonne vache*, avant de l'abattre ?

Miel répète mes paroles en espagnol.

Les humains portent encore leurs armes. Ils ont une grande discussion et quelques-uns crient. Je perçois encore des pleurs derrière les murs, l'odeur forte de la peur. Je continue de gronder. Il y a trop de stimuli ; trop d'indices d'une présence ennemie.

Les mêmes hommes apportent une autre vache. Une bonne vache. Ils reculent sans cesse de me regarder.

Ils ont peur. Ils m'apportent une bonne vache parce qu'ils ont peur.

Mon canal : *C'est bien qu'ils aient peur… ?* Je ne voulais pas poser une question, mais en ce moment toutes mes pensées sont des questions. J'ai l'impression de n'avoir plus aucune certitude.

Canal de Miel : *Ce serait mieux s'ils nous aidaient sans avoir peur.*

Canal de Dragon : *Ça n'arrivera jamais.* Il avance et mord dans la vache, se tortille et en arrache un morceau.

Canal de Miel : *Rex, je suis connectée à leur liaison satellite et je reçois des données. La liaison est très limitée et je n'ai accès qu'à des sources d'informations mondiales non protégées. Il me faudra beaucoup de temps pour exécuter ce que je dois faire.*

Canal d'Abeilles : *Vous pouvez m'aider ?*

Canal de Miel : *Réponse impossible. Je cherche.*

Mon canal : *T'aider à faire quoi ?*

Canal d'Abeilles : *Intégrité à 89 %* (image d'oiseau mort). C'est de cela qu'elle parlait.

Canal de Dragon : *Abeilles a un problème. Nous avons tous un problème. Nous ne devrions pas être ici.*

Il ne parle pas de ce village. Il parle de ce monde.

Je leur dis *Le Maître nous retrouvera et tout ira bien après.* J'aimerais que mon rétro-module me félicite de vouloir y croire, mais il est aussi désorienté que moi.

Dragon crache, ce qui inquiète les humains. Il déclare sur son canal : *Pourquoi faire tout ça ? Nous devrions tuer. Nous devrions manger. Nous devrions être libres. Il ne peut rien arriver de bon quand on est près des humains.*

Miel n'est pas d'accord. Elle espère quelque chose qui ne peut pas être exprimé. Elle s'est assise pour se concentrer sur les téléchargements transmis par la médiocre connexion satellite des humains. Je pense que nous pourrions tuer les humains et utiliser leur technologie de façon plus efficace. Je pense que nous pourrions nous cacher près d'ici et utiliser leur connexion sans être détectés. Je pense que rester dans leur village constitue la pire façon d'accomplir la mission que nous nous sommes donnée. Je le dis à Miel.

Canal de Miel : *Rex, nos objectifs ne sont pas seulement de trouver une connexion.* Mais elle n'en dit pas davantage. Une fois encore, je dois lui faire confiance. Une fois encore, je lui fais confiance.

Je regarde tous les humains, avec leur peur et leurs fusils. Je leur conseille : « Rentrez chez vous. Il n'y a rien à voir ici. Occupez-vous de vos propres affaires. » Miel me donne la traduction sur son canal et je la répète, une syllabe après l'autre, avec ma voix qui gronde. Chaque mot que je prononce les effraie davantage.

15

De Sejos

«Je n'arrive pas à croire que vous ayez tenté de les *empoisonner*!» grommela de Sejos.

Blanco écarta les mains. «S'ils avaient mangé cette foutue vache, nous serions débarrassés d'eux et vous diriez maintenant que c'était une bonne idée.

— Non, je ne dirais pas ça. Et d'abord, qu'est-ce que vous connaissez de leurs particularités biochimiques? Jose, moi qui suis *médecin*, je ne sais même pas s'ils *possèdent* des caractéristiques biochimiques! Il pourrait s'agir simplement de machines.»

Ils s'étaient cachés dans la sacristie de l'église, faisant de leur mieux pour se disputer sans que les monstres les entendent. Et ces derniers en étaient certainement capables. Cette espèce de chien qui les commandait n'avait qu'à dresser ses oreilles cybernétiques pour percevoir les moindres murmures prononcés dans Retorna.

«Thea, je crois que vous avez déjà étudié ces créatures…? demanda le père Estevan en levant les mains pour apporter un peu de sérénité dans ce lieu saint.

— Étudié, c'est beaucoup dire. Quand nous avons appris qu'ils utilisaient des meutes de chiens, j'ai cherché les informations disponibles. Je pensais que nous finirions par les rencontrer tôt ou tard. Mais il s'agit d'une technologie de pointe, confidentielle. Il n'existe que trois ou quatre laboratoires capables de fabriquer ces monstres, et ils ne diffusent pas les résultats de leurs recherches dans les revues spécialisées. Mais c'est vrai, je me suis penchée sur ce sujet.

— Parce que, enfin… on parle de meutes *de chiens*, dit Estevan, et il est évident que nous avons dehors un joli petit gars qui ressemble beaucoup à un chien. Mais les autres…

— On a commencé par les chiens, confirma de Sejos. On a utilisé des chiens soldats bioniques pendant plus de dix ans. La plupart des photos que j'ai vues ne montraient pas de créatures humanoïdes, ni aussi grandes que celui-ci, mais les chiens sont, pour ainsi dire, précâblés pour interagir avec les humains. D'après ce que j'ai lu, les chiens ont évol… les chiens voient davantage le monde comme des humains que comme des loups…

— Vous pouvez utiliser le mot, Thea, déclara doucement Estevan. Je sais que notre mère l'Église a changé plusieurs fois d'opinion sur le sujet, mais je m'efforce de garder l'esprit ouvert. »

Blanco poussa un grognement, mais Thea hocha la tête avec une mine reconnaissante. « Quoi qu'il en soit, depuis que les chiens sont utilisés dans la sécurité et l'armée, les labos se sont mis à chercher d'autres possibilités. Ce doit être la première fois qu'on emploie ces… comment dire, ces espèces ? Ces modèles ? J'imagine que chacune possède des caractéristiques particulières.

— Je… » Estevan fit la grimace. « Ça n'arrangera sans doute pas la situation, mais je pense que ces trois-là ne sont pas les seuls. » Voyant leurs yeux écarquillés, il précisa : « Il semble que nous soyons infestés par des abeilles. Beaucoup de gens l'ont remarqué. Seulement, elles ne se comportent pas comme des abeilles normales. Quelqu'un m'en a apporté une dans une bouteille et j'ai vu qu'elle n'appartenait à aucune espèce régionale. » Il haussa les épaules. « Désolé, je me suis toujours intéressé à ces insectes.

— Qu'avez-vous fait de cette abeille ? » lui demanda de Sejos.

Estevan la rassura aussitôt. « Oh, je l'ai relâchée. Mais, bon, nous venons de voir apparaître subitement un grand nombre d'abeilles étrangères, et je me demande si elles ne pourraient pas…

— Je ne sais pas, admit de Sejos. Je ne me souviens pas d'avoir lu quelque chose à propos *d'abeilles*.

— Mon nom est légion[1]…, murmura le prêtre d'un ton songeur.

— Si encore je pouvais au moins… les chasser d'ici », déclara Blanco. Sa voix trahissait une sorte de désespoir. « Qu'est-ce que nous allons faire ? Ils vont tuer tout le monde.

— Nous ne savons pas ce qu'ils veulent », objecta de Sejos. Constatant l'exaspération de Blanco, elle ajouta : « Je sais, je sais, ça ne présage rien de bon. Mais pour l'instant ils nous ont simplement demandé de la nourriture, et nous avons du bétail. Nous disposons d'un grand nombre de vaches, suffisamment pour les rassasier un bon moment. Et s'ils veulent profiter de notre liaison satellite, c'est qu'il y a une raison. Ils sont peut-être… perdus ? » Elle perçut le doute exprimé par sa propre voix. « En tout cas, ils ne se sont pas montrés violents et n'ont tué personne.

— Jusqu'à présent, souligna Blanco, la mine sombre.

— Jusqu'à présent, reconnut-elle. Alors, je pense que la question n'est pas de savoir ce qu'ils veulent, mais ce que veulent leurs maîtres. Je pense qu'ils attendent des ordres.

— Quels ordres ? »

Elle haussa les épaules. « Eh bien, nous pourrions le leur demander. »

*

Le père Estevan s'était porté volontaire, mais finalement ce fut de Sejos qui sortit dans les lueurs du crépuscule et traversa la place pour parler aux trois monstrueuses créatures. Le lézard

---

1. Allusion à un épisode de l'Évangile selon Marc : « Mon nom est légion, car nous sommes nombreux. » (Mc 6, 9) (*Toutes les notes sont du traducteur.*)

était descendu dans le puits pour boire et semblait maintenant assoupi. L'ourse, assise, observait le ciel clair. Le chien était allongé mais, lorsqu'elle approcha, il roula brusquement de côté et se redressa à quatre pattes en la fixant du regard.

Thea avait toujours vécu avec des chiens. Ses parents n'en avaient jamais eu moins de trois. Et des grands chiens, d'anciens lévriers de course et des bergers allemands. Elle avait toujours trouvé amusant que certaines personnes puissent se montrer nerveuses en leur présence. Maintenant, elle comprenait parfaitement cette sensation. Le grognement grave de l'animal émettait une fréquence qui lui faisait fondre les entrailles. Elle garda les yeux baissés pour éviter de croiser son regard, de voir ses babines légèrement écartées, dévoilant ses dents acérées.

« Je voudrais savoir si je peux vous parler », réussit-elle à dire malgré le martèlement de son cœur dans sa poitrine.

Il avança un peu vers elle. Le regard baissé de Thea lui donnait une excellente occasion de contempler ses pattes antérieures — non, ses mains — dotées de griffes qui ressemblaient plutôt à celles d'un chat : inutile d'avoir beaucoup d'imagination pour songer qu'elles pouvaient l'éventrer. Il répandait des odeurs d'urine, de sueur et de sang.

« Que voulez-vous ? »

Elle se trouvait dans l'ombre de la bête, littéralement entre ses pattes. Son haleine de charogne enveloppait de Sejos à chaque respiration, mais sa voix provenait de sa gorge. Ses lèvres ne remuaient pas pour prononcer ses paroles, exprimées en espagnol avec un curieux accent, évoquant celui d'un touriste étranger qui lit une phrase toute faite dans un guide de conversation. Cette constatation lui fit comprendre qu'on lui avait *donné* cette voix pour le rendre encore plus effrayant. Peu importait ce que le chien voulait dire, il le signifiait comme une menace.

« J'étais seulement curieuse. » Elle se demanda quel était l'éventail de son vocabulaire et dans quelle mesure il pouvait saisir ses paroles. Disposait-il d'un esprit, comme les humains ?

Tout ce qu'elle avait lu laissait entendre que les soldats bioniques possédaient un cerveau organique, et pas seulement un système informatique intégré. « Je voudrais vous poser quelques questions. »

Il approcha davantage pour lui toucher légèrement l'épaule de son museau aplati. Pendant un instant de confusion, elle faillit lever le bras, comme elle le faisait avec un vieux chien de chasse affectueux qu'avaient ses parents et qui aimait qu'on lui gratouille le menton. *Mais César ne m'aurait pas arraché la main pour ça.*

« Quelles questions ? » gronda-t-il avec une intonation qui la fit frissonner. Elle se figea, ayant peine à respirer.

« Vous… » Sa voix chevrotait malgré elle.

« Qui êtes-vous ?

— Je… S'il vous plaît…

— Quoi ? demanda le chien.

— S'il vous plaît, n'approchez pas si près. Vous me faites peur », répondit-elle. Ses derniers mots s'achevèrent par un petit glapissement. Comme il ne bondissait pas sur elle toutes griffes dehors, elle ajouta : « Je suis désolée. On vous a conçu comme ça, je suppose. »

Le chien demeura immobile et silencieux pendant ce qui lui parut un long moment et elle prit le risque de lever la tête pour le dévisager. Les yeux de l'animal étaient sans doute l'élément qui lui rappelait le plus les chiens qu'elle avait eus. Avait-il la moindre idée de la vie agréable qu'il aurait pu connaître s'il n'avait pas été modifié dans ce laboratoire ? Irait-il chercher le bâton qu'on lançait, s'il avait eu le choix ? Aimerait-il faire des promenades, se prélasser près du feu ?

Elle pouvait lire beaucoup de choses dans ses yeux, tout en sachant qu'elle ne faisait que les imaginer. Cette créature avait été créée dans un laboratoire d'armement ; elle était plus fidèle qu'un robot et moins coûteuse qu'un humain.

Néanmoins, il recula de quelques pas.

«Je suis la docteure Thea de Sejos, précisa-t-elle enfin. Vous savez ce qu'est un médecin?

— Oui.» Il se balança d'avant en arrière sur ses pattes. Au lieu du grondement attendu, elle perçut une sorte de gémissement, un son si fragile qu'elle eut du mal à croire qu'il était émis par l'énorme bête. «Je m'appelle Rex. Je commande.»

La respiration et le pouls de Thea commençaient à retrouver un rythme supportable. «Salut, Rex. Est-ce que vous pouvez répondre à mes questions?»

De nouveau ce petit bruit. Le gémissement typique d'un chien malheureux. Puis il fit demi-tour en secouant sa grosse tête puissante. «Parlez à Miel, déclara-t-il. Miel sait beaucoup de choses.»

Elle passa prudemment près de Rex, sentant sur elle son regard triste, et tendit le cou en direction de l'ourse.

«Pardonnez-moi. Je suppose que vous êtes Miel?»

L'animal pencha sa face hirsute pour la regarder de plus près, comme s'il était myope. Quand il parla — encore une caractéristique ne mettant pas en œuvre les mouvements des lèvres ou des mâchoires —, ce fut avec une voix plaisante, féminine, mais d'un volume assez faible. De Sejos se trouva désorientée par la différence entre ce qu'elle voyait et ce qu'elle entendait. Elle eut presque l'impression que, si elle scrutait le fond de cette gorge immense, elle découvrirait dans la bedaine de l'animal une femme bien habillée, arborant le sourire éclatant d'une présentatrice de la télévision.

Thea rassembla son courage. «Pouvez-vous me parler de Redmark?»

Le ton et le langage corporel de l'ourse ne trahirent aucune réaction manifeste, mais de Sejos décela cependant une légère méfiance quand l'animal répondit. «Que voulez-vous savoir?» Son espagnol était beaucoup plus naturel que celui du chien. En fermant les yeux, et en se bouchant le nez, elle n'aurait jamais pensé discuter avec une bête de huit cents kilos.

«Votre équipement porte leur logo, fit remarquer Thea.

Nous savons que les…» *monstres*, «… que les êtres comme vous ont été amenés dans notre pays par des sociétés sous contrat, Redmark et d'autres. Nous savons que vous…» *appartenez*, «… travaillez uniquement pour elles. Serait-il possible de parler avec votre contrôleur, par votre intermédiaire, afin de savoir…» L'ourse remua un peu et les paroles de Thea s'étranglèrent dans sa gorge. Au bout d'un long silence, elle termina sa phrase : «… afin de savoir ce que nous pouvons faire pour eux ?

— Non», répondit Miel. Rex laissa échapper un nouveau gémissement.

De Sejos se raidit car l'horrible créature reptilienne venait de dresser la tête ; ses yeux pivotaient, indépendants l'un de l'autre, et scrutaient les environs. L'un d'eux la fixa et l'animal sortit sa langue bleue. Thea prit une profonde inspiration

«Nous ne participons pas à ce conflit, dit-elle d'une voix claire, dans l'espoir qu'un opérateur humain pourrait l'entendre grâce aux oreilles de la créature. Nous ne soutenons pas les anarchistas. La plupart des gens du village habitent ici : ils n'ont pas d'autre endroit où aller. Je suis médecin. J'ai été envoyée par le gouvernement avant la guerre. Redmark et les autres sociétés sont là pour appuyer les forces du gouvernement, n'est-ce pas ?»

L'ourse se releva de toute sa taille — colossale silhouette découpée par le soleil — puis se laissa lentement retomber à quatre pattes en poussant un *wouff* ! «Non, répéta-t-elle, avec sa nouvelle voix si posée.

— Comment, non ? Elles ne soutiennent pas le gouvernement, ou bien… ?» Le chien se tenait derrière Thea, le serpent sur le côté ; devant elle, l'ourse constituait une montagne poilue armée de griffes et d'un énorme fusil. Tout autour d'eux bourdonnaient les abeilles repérées par Estevan.

«Il n'y a personne de Redmark ici, précisa Miel.

— C'est pour cela que vous essayez de les contacter, non ?» Cette déduction lui avait semblé parfaitement logique, mais l'ourse émit un grognement guttural — provenant cette fois de sa vraie gorge, et pas de son équipement vocal raffiné.

« Il n'y a aucun contact avec Redmark, dit le biomorphe, d'un ton un peu plus élevé qu'auparavant. Je gère toutes les communications. Il n'y aura pas de contacts avec Redmark. »

Cette révélation provoqua comme un déclic dans le crâne de Thea, qui vécut un moment fort désagréable. Une seconde plus tôt, elle était entourée de monstres théoriquement maintenus en laisse ; il y avait au moins, quelque part, une personne humaine avec qui négocier. Maintenant, les bêtes se trouvaient toujours là, mais la situation se révélait pire que tout ce qu'elle avait imaginé. Ces créatures étaient livrées à elles-mêmes et pouvaient faire n'importe quoi.

L'ourse secoua alors la tête et se gratta le menton. « Rex a détecté l'odeur de votre hôpital, déclara-t-elle, comme pour passer à un autre sujet. Rex reconnaît les blessures d'après les autres habitations humaines que nous avons contactées quand nous suivions les ordres. Vous avez des patients avec des brûlures et de curieux symptômes, n'est-ce pas, docteure Thea de Sejos ? »

La femme fixa les yeux de la créature, minuscules dans sa face énorme. « Oui, admit-elle. En effet. »

L'ourse poussa un grognement grave. « Dans ce cas, je pense que vous ne souhaitez pas non plus voir les gens de Redmark. »

16

Rex

Je suis réveillé par le bruit des véhicules. De nombreux moteurs, au moins à six kilomètres, mais qui se rapprochent. Je ressens un espoir soudain et j'essaie d'activer l'équipement qui me permet d'entendre les paroles du Maître. Inutile : ce n'est pas un bras ou une oreille que je peux actionner. C'est présent ou absent, tout simplement.

Je n'entends aucune parole venant du Maître. Je ne détecte rien sur les canaux à courte portée de Redmark.

Mes oreilles se dressent et s'orientent. Au moins six véhicules, des grands et des petits. Selon ma base de données, il s'agit surtout de civils, peut-être accompagnés d'une voiture blindée, d'après le bruit. Ce ne sont pas des modèles employés par Redmark. Donc, ce ne sont pas des amis.

Je préviens les autres.

Dragon est lent à se réveiller : il fait encore nuit et il grommelle en m'envoyant le rapport du moniteur de son métabolisme hybride, soulignant sa température corporelle, la comparant avec les valeurs d'efficacité optimales recommandées par sa base de données. Je lui demande de se taire et de passer en mode d'activité maximale pour produire sa propre chaleur.

Canal de Dragon : *Je vais avoir très faim.* Et : *Mais je pense que nous avons beaucoup de vaches à notre disposition.*

Miel se relève, se secoue, bâille. Elle me demande quels sont les ordres et je lui envoie un enregistrement sonore de ce que j'ai entendu.

Maintenant, Miel peut elle-même percevoir les moteurs. Elle étudie ma base de données, se gratte. *Problématique*, conclut-elle.

Je demande : *Tu ne sais pas qui c'est ?*

Canal de Miel : *D'après les récentes informations que j'ai obtenues par la liaison satellite, il existe plusieurs possibilités. Il pourrait s'agir des anarchistas, mais on annonce qu'en ce moment ils opèrent à l'est. Cependant, le désordre provoqué par la guerre a entraîné la formation d'un grand nombre de bandes armées dans le pays. Certaines ont été équipées par les anarchistas, d'autres par le gouvernement ou par les cartels criminels. Tant que le conflit perdure, on peut difficilement limiter leurs exactions parce qu'elles évitent de s'approcher des principales forces combattantes.*

Miel utilise beaucoup de mots compliqués, mais ils sont accompagnés de références aux bases de données pour que je puisse comprendre ce qu'elle veut dire.

Canal de Dragon : *Alors, ça ne nous concerne pas.*

Miel fait *hrrm* en réfléchissant. *Quels sont les ordres, Rex ?*

Nous allons nous replier et nous préparer à employer la force nécessaire s'ils nous attaquent. Ce sont de bons ordres. Je suis un bon chef. *Abeilles, réveille-toi. Mode d'activité maximal.*

Abeilles supporte moins bien les nuits froides que Dragon. Ses petites unités doivent produire beaucoup plus de chaleur, à cause du rapport entre leur volume et leur surface externe. Elle résout ce problème en diminuant l'efficacité de leurs ailes pour convertir en chaleur une partie de leur énergie motrice. Cependant, ses réserves s'épuiseront rapidement.

J'ordonne à Abeilles de rejoindre Miel. Ce n'est pas idéal et je sais que Miel n'aime pas ça, mais les unités d'Abeilles se réfugient bientôt dans sa fourrure. Leurs petits corps noirs et rigides la recouvrent comme une armure vivante.

Comme une armure vivante. Je suis surpris par cette pensée. C'est une idée complètement nouvelle, qui vient entièrement du fond de ma tête. Je désire aussitôt la partager avec les autres. Je leur répète : *Comme une armure vivante.* Abeilles et Dragon ne comprennent pas ; Miel est couverte par les unités d'Abeilles et elle est déjà d'une humeur irritable. Je me demande si je pourrais partager ma pensée avec un des humains. Peut-être la docteure Thea de Sejos. C'est peut-être une pensée qui vient de la partie humaine de mon ADN.

Nous quittons discrètement le village. Je sais que les humains nous surveillent, bien que j'ignore pourquoi. Ils ne pourraient rien faire si nous décidions qu'ils sont des ennemis.

Nous nous replions dans les champs, en évitant les vaches pour ne pas les effrayer. Nous nous tapissons sur le sol — même Miel — et nous regardons, écoutons, flairons. Je pense à envoyer quelques unités d'Abeilles en éclaireurs, mais elles s'épuiseraient et mourraient trop vite. Et nous ne pouvons plus en obtenir de nouvelles.

Maintenant, les humains ont entendu les véhicules. Brusquement, beaucoup d'entre eux se mettent à courir entre leurs maisons. Je vois qu'ils emmènent la plupart des petits humains vers le grand bâtiment de pierre — *l'église,* d'après ma base de données. D'autres circulent de manière assez désorganisée ; d'autres se dissimulent en position de tir, comme quand nous sommes arrivés.

Les automobiles approchent par le nord sur une route défoncée. La première est une voiture découverte, avec quatre hommes à l'intérieur. Ensuite roule un vieux véhicule de combat blindé provenant des surplus militaires, équipé d'un canon de 30 mm prêt à tirer. Je compare ses caractéristiques au fusil à éléphant de Miel. Le canon a une puissance de feu identique, mais une fréquence de tir plus rapide. Derrière le blindé viennent des camions contenant des gens désarmés et des vivres — les uns et les autres sont attachés pour ne pas être trop secoués. En fin de convoi se trouve un bus, qui était peint à l'origine de couleurs vives. Maintenant, il est surtout couvert de poussière. Il est rempli d'hommes armés.

Je déclare : *J'ai compté quatre-vingt-dix-sept humains visibles, plus un nombre inconnu dans le blindé. Cinquante-trois humains visibles sont armés.* Je vérifie les types d'armes dans la base de données. Les nouveaux humains ont surtout des vieux fusils d'assaut militaires, assez puissants pour tuer Dragon, mais pas Miel ou moi. Certains ont des lance-grenades, ce qui est plus inquiétant. La principale menace vient du canon du blindé, un coup direct pourrait même blesser grièvement Miel.

Canal de Dragon : *Peu importe. Nous n'allons pas nous battre contre eux.*

Les véhicules s'arrêtent devant le village et les hommes armés en sortent. J'entends les mots qu'ils échangent et je les transmets à Miel pour qu'elle puisse profiter de mes oreilles plus sensibles.

D'abord, il y a beaucoup de cris et je vois le canon du blindé pivoter pour viser les bâtiments du village. Les cris continuent — provenant des maisons où les villageois se sont réfugiés et aussi d'un véhicule avec un amplificateur — un *mégaphone*, précise ma base de données. Les nouveaux humains disent qu'ils appartiennent à une armée révolutionnaire dont Miel n'a jamais entendu parler. Ils expriment des exigences.

Le blindé tire un coup dans le mur de l'église et y laisse un cratère d'impact. J'entends des cris aigus. Les villageois n'ont pas de défense appropriée. Si je les commandais, je leur ordonnerais de quitter une position indéfendable, mais ils ne sont vraiment pas en mesure de reprendre l'avantage.

Canal de Dragon : *Nous devrions partir.*

Canal de Miel : *Non, attendez.*

Je regarde seulement. Les nouveaux humains ont d'autres exigences, et maintenant les villageois semblent se rendre. Ils sortent en plein air, sans armes. Je suis surpris, parce que c'est une option tactique que je n'ai jamais envisagée. Nous n'avons jamais prévu de faire ça. *Capituler.* Je n'arrive pas vraiment à saisir cette idée. Est-ce que nous pouvons faire ça ?

J'entends d'autres paroles furieuses. Certains villageois sont poussés ou frappés. Les nouveaux venus veulent que les petits humains sortent de l'église. Un homme en noir se tient devant la porte — c'est le premier qui a parlé avec Miel quand nous sommes arrivés. Le ton de sa voix est calme et modéré, mais je perçois sa peur.

Je gémis un peu. Je me sens déconcerté, parce que je ne sais pas si les villageois sont des ennemis ou pas. Et je ne sais pas si les nouveaux arrivants sont des ennemis ou pas. Avec des ennemis, je sais quoi faire.

J'entends d'autres paroles. L'homme en noir a été poussé contre le sol et des fusils pointent vers lui. Une botte appuie sur son dos.

Canal de Dragon : *Cible verrouillée.*

Je lui demande : *Quelle cible ?*

Canal de Dragon : *N'importe quelle cible. C'est important ?*

Miel pousse un grand soupir. Elle me contacte : *Rex.*

Je lui demande : *Tu as peur qu'ils endommagent le transmetteur satellite ?*

Canal de Miel : *C'est une des choses qui m'inquiètent.*

Nos échanges sont très rapides, beaucoup plus que les cris rudimentaires des humains.

Rex, répète Miel. *Je pense à quelque chose qui concerne notre avenir.*

Il est rare que je comprenne mieux que Miel. Cette fois, c'est le cas. *Tu penses que ces nouveaux humains pourraient être des ennemis*, lui dis-je.

Canal de Dragon : *Ce sont les ennemis des autres humains du village.* Il vise successivement plusieurs cibles au hasard, en calculant la distance et la direction du vent.

Canal de Miel : *Je pense que ce serait utile de les définir comme des ennemis.*

Quelques villageois sont poussés contre le mur de l'église. Malgré tout, ils continuent de crier. L'homme en noir est frappé. Je vois la docteure Thea de Sejos courir vers lui, mais elle est frappée à son tour.

Je gémis, tout au fond de ma gorge. Elle n'est pas une amie. Elle n'est pas le Maître, elle ne porte pas le logo de Redmark. Pourtant, c'est une humaine avec qui j'ai parlé. Elle existe dans ma tête comme un individu avec qui j'ai eu une relation. Ce n'est pas seulement une non-amie/non-ennemie comme les autres.

C'est au Maître de préciser qui sont les amis et les ennemis. Normalement, ce n'est pas à moi de prendre cette décision. Mais le Maître n'est pas là. Je commande : aucun supérieur ne peut me conseiller. Ma base de données et mon rétro-module restent silencieux.

Je déclare : *Je pense que ce sont des ennemis.* J'attends que la rétroaction me corrige, que le Maître apparaisse pour me dire *Vilain chien !*, que le monde s'écroule sur ma tête.

Il ne se passe rien. Pourtant, j'ai dit ces mots et pris cette décision tout seul. Non, ce n'est pas exactement ça. Quand je l'ai dit, c'est devenu la vérité. Ils sont devenus des ennemis. Je les ai *désignés* comme des ennemis.

Canal de Dragon : *Cible verrouillée.* Je vérifie le choix de ses cibles et lui confirme mon accord.

J'ordonne : *Abeilles sur moi.* L'essaim vient bourdonner autour de moi, se pose sur mon corps avec ses petites pattes qui me démangent. C'est gênant, mais je peux le supporter. Je lui fournis ma chaleur afin qu'Abeilles puisse conserver son énergie pour le combat.

Mes ordres : *Dragon, voici les cibles prioritaires* (une liste). *Miel, tu opères un tir de soutien quand j'attaque. Ensuite, tu me rejoins. Abeilles, liste des cibles prioritaires, qui sera mise à jour pendant l'engagement.*

Canal de Dragon : (prêt)

Canal de Miel : (prêt) *Confirmé, Rex.*

Canal d'Abeilles : (prêt) *Attaquons.*

Je cours à quatre pattes et j'atteins cinquante kilomètres-heure après trois secondes d'accélération. Abeilles fait de son mieux pour s'accrocher à moi, mais perd constamment des unités, qui foncent derrière moi pour se raccrocher.

Canal de Dragon : *Bang. Nouvelle cible verrouillée.*

L'ennemi qui manœuvre le canon du blindé tombe en arrière.

Canal de Miel : *Boum.*

Le bus fait un bond de plus d'un mètre quand le fusil à éléphant de Miel le frappe en plein centre, pénétrant le métal mince avant d'exploser à l'intérieur. Miel compte sept victimes, tuées ou blessées, parmi les ennemis restés dans le véhicule.

Dans le village, les nouveaux venus sont paniqués, poussent des cris. Ils ne m'ont pas encore aperçu. Une nouvelle pensée : Quand ils me verront, ils vont vraiment hurler.

Canal de Dragon : *Bang. Nouvelle cible verrouillée.*

L'ennemi qui menaçait l'homme en noir avec son fusil s'écroule. Une bonne partie de sa tête a disparu.

Canal de Miel : *Boum.*

Le véhicule sans toit explose et se retourne. Confirmation : un conducteur tué.

L'ennemi devine d'où proviennent les tirs. Le blindé se déplace, les autres courent se mettre à l'abri et pointent leurs armes vers Miel et Dragon. Miel s'est déjà mise en marche.

J'ai fait un détour pour entrer dans le village. Je ne suis pas dans la direction où ils regardent. Je cours à toute vitesse dans les rues et ils ne me voient même pas arriver.

Mes grands chiens commencent à tirer en ciblant les ennemis les plus proches des villageois. Ceux-ci courent dans tous les sens et il est difficile de viser, mais mes yeux détourent tous les ennemis en rouge sur un fond sombre.

Je heurte un groupe de villageois. Je vais trop vite pour m'arrêter à temps et ils sont violemment balancés à droite et à gauche. Pertes acceptables. J'arrive sur l'ennemi.

Mes ordres : *Abeilles ! Déploiement !*

Je bondis au milieu des ennemis, les attaque à coups de

crocs et de griffes. Abeilles jaillit de mon pelage et un nuage enveloppe nos adversaires. Cette nuit, nous puisons tous au fond de nos réserves et le reste du monde semble se mouvoir au ralenti. Je frappe pour blesser, parce qu'un soldat blessé est plus gênant pour l'ennemi que deux morts. Je saisis des membres avec mes dents, je broie, je secoue. Je lance de grands coups de griffes. Je projette des hommes contre les murs et sur les toits. J'indique à Abeilles ses priorités et elle se regroupe autour du blindé en cherchant le moyen de s'y introduire. Un autre ennemi fait basculer le corps du canonnier pour pouvoir manœuvrer l'arme. Dragon le tue d'un nouveau *Bang* et Abeilles entre par le panneau ouvert.

Canal d'Abeilles : *Intégrité à 84 %. Réserve de venin à 69 %.* Ses unités pourront de nouveau produire du venin, mais elle sera incapable d'en créer de nouvelles. Malgré tout, elle semble passer du bon temps.

Maintenant, certains villageois portent des armes. D'autres ont été touchés. La docteure de Sejos s'occupe d'eux, ce que je lui aurais ordonné de faire, si je l'avais pu — comme si elle était une cinquième membre de mon escouade. Des balles me frappent comme des insectes furieux, mais ne produisent que de légères contusions.

Miel pénètre maintenant dans le village et se jette sur des ennemis qui essaient de se regrouper. Ils se dispersent rapidement et se mettent à courir vers leurs véhicules. Il ne reste que les camions. Les gens qui s'y trouvent n'ont pas participé au combat ni cherché à se détacher.

J'ai une rapide conversation avec Miel à leur sujet. Elle dit que ce ne sont pas des ennemis et tire dans le moteur d'un des camions, qui commençait à reculer. L'autre camion n'a pas bougé parce que Dragon s'amuse à cibler tous ceux qui veulent s'asseoir à la place du conducteur.

Il n'y a plus beaucoup d'ennemis et ils exécutent une retraite stratégique. Ce n'est pas une bonne retraite car ils se contentent

de courir et aucun d'eux ne reste pour effectuer un tir de couverture ni aucune des autres actions recommandées.

Dragon les tue tous et je le laisse faire. Ça l'occupe, et son
module de rétroaction lui dit sûrement *Bon Dragon* à chaque
fois qu'il touche sa cible. En plus, ce sont des ennemis. Et
nous, nous tuons nos ennemis. Nous sommes faits pour ça.

Ensuite, le soleil se lève et j'abandonne un moment le far-
deau du commandement. Je me relève et regarde autour de
moi, dans l'air rempli par les unités d'Abeilles. Finalement,
j'ordonne à Dragon de me laisser utiliser son canal oculaire,
parce qu'il voit les couleurs bien mieux que moi.

Je suis entouré par les corps des ennemis. C'est moi qui ai
fait d'eux des ennemis. J'ai pris une décision de commandant
et personne n'est là pour me dire *Bon chien* ou *Vilain chien*. Je
ne sais pas ce que je vais devenir.

J'envoie à Miel — à elle seule : *Le Maître me manque. Hart
me manque.*

Canal de Miel : *Je sais, Rex.*

Mon canal vers Miel : *C'était la bonne décision ?*

Canal de Miel : *Je l'espère. Fais-moi confiance, Rex. Tu dois
me faire confiance.*

17

De Sejos

Le nettoyage avait pris du temps.

Aucun des assaillants n'avait survécu. Ceux qui s'enfuyaient avaient été méthodiquement abattus par le reptile. Après avoir grimpé sur le toit de l'église, il avait continué de viser et de tirer, froidement, jusqu'à ce qu'aucun des fuyards ne bouge.

De Sejos s'occupait des blessés. Estevan avait annoncé que sept habitants de Retorna étaient morts ; onze autres avaient été touchés, la plupart ayant été pris entre deux feux. Certains avaient eu les os brisés parce qu'ils se trouvaient sur le chemin des bêtes. Elle les soignait de son mieux tout en s'efforçant d'économiser les antiseptiques et les anesthésiques.

Les autres blessés — bandits ou anarchistas ou mercenaires indépendants retrouvés dans le village — n'allaient pas survivre non plus. Ils étaient encore assez nombreux car les animaux s'étaient montrés brutaux, mais n'avaient pas tué systématiquement. Maintenant, Rex passait de l'un à l'autre avec l'attention prévenante d'un prêtre distribuant les derniers sacrements. Pendant un moment, elle ne saisit pas ce qu'il faisait, puis elle comprit. Il leur brisait le cou de ses propres mains énormes en exécutant de petits mouvements précis.

De Sejos pansait la pauvre Maria Chicahua — qui avait eu le tibia fracturé par le chien pendant le combat. Elle se releva pour crier à la face de Rex qu'il était un monstre ; qu'il devait arrêter ; qu'il devait quitter Retorna et repartir vers l'enfer d'où il était sorti.

Cela ne le fit pas ralentir, et quand elle se campa devant lui, le chien l'écarta sans effort d'un simple mouvement d'épaule.

« Ce sont des ennemis. » Il ne s'exprimait pas en espagnol, mais elle connaissait suffisamment la langue anglaise pour comprendre ce qu'il disait.

« Docteure Thea de Sejos, vos patients vous attendent », déclara la voix innocente et féminine de l'ourse. Elle tenait encore son énorme fusil au creux de ses bras ; la clarté de l'aube pailletait sa fourrure rousse de reflets dorés. « Vous auriez préféré que nous ne soyons pas là pour combattre ces humains ?

— J'imagine que le monde est toujours aussi simple pour vous. » De Sejos retourna vers Maria pour poser des attelles sur sa jambe.

« Pas nécessairement. » L'ourse lâcha son arme terrible, dont le bras articulé se replia dans son dos. « Mais nous avons été conçus comme ça. »

De Sejos leva les yeux vers l'animal, simple silhouette colossale se découpant sur le ciel qui s'éclaircissait. « Je ne comprends pas. »

L'ourse — Miel ? — poussa un soupir, grotesque parodie d'une expression humaine. « Vous savez ce que nous sommes, docteure. »

De Sejos ne se sentait pas d'humeur charitable. « Vous êtes des machines à tuer.

— Pire que cela, répondit la voix chaude de Miel. Ce serait plus facile si nous étions des machines. Mais beaucoup plus de villageois auraient été tués.

— Docteure ! » Blanco arriva en courant et s'arrêta brutalement en voyant l'ourse. Restant prudemment à distance de l'animal, il annonça : « Les gens des camions ! On dirait que nous avons au moins quarante bouches de plus à nourrir.

— Qui sont-ils ? lui demanda de Sejos.

— Des fermiers, des marchands, toutes sortes de gens,

expliqua Blanco. Ils ont été enlevés à San Torres, à Mixan et dans d'autres villes que je ne connais pas.

— Pourquoi ? »

Blanco fit la grimace en haussant les épaules. « La plupart de ces personnes sont des femmes. Personne ne leur a dit ce qu'elles allaient devenir, mais… enfin, il y a surtout des femmes. »

De Sejos ferma les yeux un instant. La jambe de Maria était maintenant éclissée. Elle devait s'occuper d'autres villageois souffrant de blessures moins graves. « Vous pouvez trouver un endroit pour les héberger ? Et leur donner de l'eau et de la nourriture ?

— On s'en charge déjà », assura Blanco. Il jeta un coup d'œil méfiant vers l'ourse, puis interrogea Thea : « Et vous… Tout se passe bien, ici ? Vous avez besoin d'aide ?

— Il me faudrait encore un peu d'eau claire.

— Je vais en chercher. » Il recula, et lança un regard noir à l'énorme animal quand il eut l'impression d'être hors d'atteinte.

« Nous ne sommes pas des machines », continua Miel. La créature reptilienne se trouvait encore sur le toit de l'église, allongée sur les tuiles orange comme un personnage tiré de l'Apocalypse de saint Jean. Le chien avait terminé sa macabre besogne. De nombreuses abeilles voltigeaient dans l'air ; maintenant que Thea leur prêtait attention, elle vit que les insectes se déplaçaient avec une coordination et des mouvements complètement artificiels. Certains se posaient sur les cadavres et trempaient leurs pattes dans le sang.

De Sejos sentit son estomac se retourner. Elle se releva subitement et se retrouva face à un monstre qui pouvait peser une douzaine de fois son poids et mesurait deux fois sa taille. « Bien sûr que vous n'êtes pas des machines, cracha-t-elle. Les machines ne sont pas cruelles. Les machines ne brisent pas le cou des gens sans défense. »

La réponse de Miel fut implacable : « Elles le font si vous le leur ordonnez. Et les machines ne décident pas à quels moments il faut se battre. Elles combattent quand vous leur ordonnez de le faire. Mais nous ne sommes pas des machines. Nous avons le choix.

— C'est l'incarnation du libre arbitre.» Le père Estevan s'était approché derrière de Sejos, levant les yeux vers Miel en les abritant de la main. «Mais que voulez-vous donc de nous, amie ourse?

— Nous voulons utiliser votre liaison satellite pour comprendre le monde.

— Et faire quoi? demanda le prêtre. Vous êtes-vous tellement éloignés des conceptions de vos créateurs que vous désirez obtenir la connaissance pour elle-même?»

L'animal se gratta pensivement. Complètement indépendante de ses mouvements, sa voix expliqua: «S'il faut faire des choix, ils doivent reposer sur des informations.

— Vous êtes autonomes, déclara de Sejos. C'est ce que vous vouliez dire plus tôt. Vous n'obéissez plus aux ordres de Redmark. Vous êtes redevenus... sauvages.»

Le chien vint se placer discrètement dans l'ombre de Miel. Thea restait préoccupée par la présence du lézard sur le toit de l'église, avec son long fusil.

«Ce n'est pas pertinent, affirma l'ourse.

— Vous avez été conçus pour obéir aux ordres des humains», continua la docteure. Estevan posa une main sur son épaule, en guise d'avertissement, mais elle ne parvenait plus à se taire. «Vous deviez rester sous le contrôle des humains. Mais maintenant, vous êtes libres. Vous pourriez faire n'importe quoi...

— Oui, confirma Miel. C'est notre choix. Vous voulez que nous suivions les ordres des humains. Vous pensez que c'est mieux?» Le regard de l'animal était terriblement réprobateur.

*

Après avoir soigné tous les blessés, de Sejos aida Estevan à installer une infirmerie de fortune dans l'église, puis retourna vers sa clinique, dont tous les lits étaient occupés.

Trois autres personnes étaient mortes dans la nuit. Elle dicta quelques notes dans son téléphone, se rappelant que sa voix tremblait lors des premiers messages. Il restait dix-sept patients : des hommes et des femmes qui se trouvaient au sud du village quand les avions étaient arrivés.

Elle n'était pas aveugle. Avant l'arrivée des biomorphes qui voulaient accaparer sa liaison, de Sejos avait effectué ses propres recherches. Le monde extérieur ne possédait que des informations très fragmentées sur les événements qui se déroulaient dans le sud du Mexique. On savait qu'il y avait de nombreux combats, que les anarchistas et les forces internationales de la contre-insurrection avaient détruit tout ce qui ressemblait à des infrastructures civiles. Au début, il s'agissait surtout d'une lutte de propagande : les adversaires diffusaient des déclarations politiques et pirataient les sites web de l'autre camp. Ensuite, les affrontements impliquaient des hommes et des armes — des milices et des mercenaires, appuyés des deux côtés par des unités de l'armée. Au cours des premiers mois, le conflit était resté à peu près civilisé, chacun s'efforçant de respecter les règles.

Mais aucun camp ne prenait l'avantage et les multinationales perdaient énormément d'argent — à la fois en raison des attaques de l'Anarchista et du simple coût de la guerre qui se prolongeait. De Sejos ne savait pas précisément pourquoi les choses avaient dérapé. Peut-être parce que ceux qui manipulaient les adversaires avaient perdu patience. Ou parce que l'idéalisme des anarchistas s'était dégradé, situation fréquente dans les mouvements populaires ; ils ne combattaient plus *pour* quelque chose, mais *contre* quelque chose. Ou simplement parce que de puissants hommes d'affaires s'étaient dit : *Finalement, ce conflit peut nous rapporter de l'argent.*

Ils avaient fait venir les biomorphes — soi-disant parce qu'ils coûtaient moins cher et se montraient plus efficaces que des soldats réguliers. Moins chers ? Oui, leur entraînement était plus rapide ; personne ne les pleurait quand ils étaient tués ; et on pouvait les élever en batteries dans des fermes spécialisées — Thea avait vu des vidéos sur ces endroits. En observant le curieux échantillon d'animaux-soldats qui venait de débarquer à Retorna, elle comprit que leurs maîtres ne se contentaient pas de les déployer dans la région. Ils les testaient.

Et ces expériences ne portaient pas seulement sur les biomorphes. Le Campeche et le Yucatán offraient un terrain difficile qui compliquait la répression d'une révolution populaire généralisée. La contre-insurrection n'envoyait pas seulement des hommes dans les forêts, elle expérimentait d'autres solutions.

Un avion avait survolé le sud du village. Sans doute était-il perdu, à moins que son équipage ne soit trop impatient. Quoi qu'il en soit, il répandait dans son sillage une mort invisible, une fumée chimique à l'odeur infecte. Le bétail de cette zone avait succombé et avait dû être brûlé. Nombre de villageois étaient morts également ; les survivants portaient de terribles brûlures. Certains étaient devenus aveugles, ou fous.

Le monde extérieur commençait seulement à saisir le chaos qui régnait maintenant au Campeche. Il courait des rumeurs persistantes sur des essais d'armement illégal, sur ce que les biomorphes faisaient subir aux combattants comme aux civils. Bien entendu, les démentis se multipliaient ; d'une manière générale, les avocats et les porte-parole des grandes sociétés parlaient beaucoup plus fort que ceux qui soulevaient des accusations. Malgré tout, celles-ci ne diminuaient pas. On parlait d'une commission d'enquête internationale, d'une action de l'ONU, de pressions de l'électorat américain pour que son gouvernement envoie des observateurs sur le terrain.

La docteure de Sejos conservait les preuves des massacres perpétrés ; elle faisait de son mieux pour soulager les victimes et les maintenir en vie tandis que le poison les dévorait de l'intérieur.

*

Un autre convoi vint à Retorna deux semaines plus tard. Les nouveaux venus se présentèrent comme des patriotes qui chassaient les anarchistas. Leurs uniformes étaient élimés, sales, et leurs armes bien visibles. Ils voulaient de la nourriture, ainsi que les rares médicaments dont de Sejos disposait encore. Ils demandèrent à tous les habitants de se regrouper en plein air afin de les avoir à l'œil.

«Nous pouvons vous fournir des vivres», répondit calmement de Sejos. Il y avait déjà bien longtemps que Blanco avait cessé de se plaindre de la diminution du troupeau dont il avait la garde. Le propriétaire s'était réfugié loin du pays. Il pourrait toujours se lamenter s'il daignait revenir un jour. «Mais nous avons besoin de nos médicaments.»

Le commandant était un homme aux traits creusés ; ses sbires entraînèrent Thea jusqu'à la voiture de tête et lui pressèrent le visage contre le tableau de bord tandis que leur chef jouait avec son pistolet.

«Je vais être plus clair, déclara-t-il. Mes hommes sont de mauvaise humeur et pourraient se fâcher si on les fait attendre. Je suis sûr que ce n'est pas ce que vous souhaitez.

— Je vous conseille de partir, dans votre propre intérêt», répliqua-t-elle d'une voix rauque.

Quelque chose dans son intonation fit réagir le chef des miliciens — elle vit son hésitation à la manière dont les mains de l'homme se crispèrent sur son arme. Cependant, il était entouré de ses troupes, dans une situation précaire, et ne voulait pas reculer.

«Je vous préviens...», commença-t-il, mais Rex apparut au même instant et avança à quatre pattes en émettant un grondement si puissant que de Sejos sentit les vibrations qui se propageaient dans le sol.

«Mère de Dieu !» Le chef des patriotes lâcha son pistolet.

Ses deux acolytes avaient immédiatement libéré la docteure et levé leurs fusils.

Rex poussa un aboiement assourdissant, prévu pour provoquer la frayeur jusque dans le système nerveux des humains qui l'entendaient. Les armes installées sur ses épaules pivotaient pour passer d'une cible à l'autre. Il découvrit ses crocs, gronda d'un air féroce ; des filets de bave coulaient sur son menton.

« Partez, je vous en prie », déclara Thea.

Elle sentit leur courage faiblir, mais leur volonté ne céda pas. Les miliciens se disaient qu'il n'y avait qu'un seul chien, même s'il était gigantesque et puissamment armé.

Miel apparut à son tour, d'un pas lent, pointant son énorme fusil. Son arrivée emporta la décision. Les intrus s'enfuirent ; et survécurent.

C'était l'accord passé entre les dirigeants de Retorna et les biomorphes. *Donnez-leur une chance de partir.* Comme de Sejos s'y attendait, il avait été difficile de convaincre Rex. Et plus difficile encore de convaincre Miel, ce qui la surprit. Elle en conclut que Miel n'avait pas envie de laisser des témoins capables de révéler la présence des créatures bioniques dans le village.

Mais de Sejos avait négocié longuement, patiemment. Voyant que Miel demeurait intraitable, elle avait parlé avec Rex — ou plutôt à Rex. Elle était sortie pour retrouver le chien allongé au soleil, la tête posée sur les pattes ; même dans cette position, l'échine de l'animal dépassait la hauteur des hanches de Thea. *Nous n'agissons pas de cette manière. Nous ne tuons les ennemis que si nous n'avons pas d'autre option.*

Jusqu'à présent, jusqu'à l'arrivée de ces nouveaux intrus, elle ne savait pas comment les biomorphes se comporteraient.

Mais ils s'étaient contentés de regarder les assaillants déguerpir. Même Dragon, posté en sniper sur le toit de l'église, avait visé l'ennemi mais sans tirer.

Miel s'ébroua, fit glisser son fusil sur son dos et leva une patte griffue en simulant un geste de menace. « Grrr, ahrrr », dit-elle de sa voix féminine avant de faire demi-tour. Selon de Sejos, l'ourse pensait encore que ce n'était pas une bonne idée.

Rex se mit debout pour observer les véhicules qui s'éloignaient. De Sejos savait que certaines abeilles (certaines unités d'Abeilles ?) allaient les suivre pour s'assurer que les miliciens ne tenteraient pas de lancer plus tard une attaque-surprise. Elle se demanda si Rex ne s'efforçait pas de réprimer une sorte d'instinct canin qui le poussait à pourchasser les voitures, juste pour le plaisir.

Passant près de lui, s'approchant de sa masse colossale, elle fut prise d'une impulsion complètement inappropriée, complètement erronée. Elle avança la main pour lui toucher le bras, sentit les muscles puissants et tendus sous sa peau, plus épaisse que du cuir.

« Bon garçon, dit-elle. Merci, Rex. Bon chien. »

Le biomorphe inclina la tête en dressant une oreille, comme un vrai chien. Mais ce n'en était pas un et elle se trompait en le voyant comme tel. Il s'agissait d'un monstre créé par des hommes.

Malgré tout, on pouvait facilement glisser dans l'anthropomorphisme, considérer la courbe de sa forte mâchoire comme un sourire, déceler un désir de reconnaissance dans ses yeux marron. Il était aussi possible de se laisser tenter par... par quoi, le caninomorphisme ? Ce n'était pas le « bon chien » d'un quelconque maître humain.

Pourtant, elle lui tapota le bras et répéta son compliment, parce que cela l'aidait à surmonter la peur qu'il lui inspirait ; parce qu'elle avait toujours vécu avec des chiens depuis qu'elle était enfant.

*

Quatre jours plus tard, un aérodyne survola le village.

18

Rex

Dragon et Miel discutent sur un canal confidentiel. Je ne suis sûrement pas censé le savoir, mais je le devine à la façon dont ils se regardent.

Un girodyne est passé. Les humains ont eu très peur, mais on dirait qu'ils ont peur de tout. Miel a expliqué que de mauvaises choses s'étaient produites ici quand des véhicules aériens avaient survolé le village.

Miel ne pense pas que ce giro apporte les mêmes mauvaises choses, mais je crois qu'il annonce quand même de mauvaises choses.

Dragon possède les meilleurs yeux. Il voit très bien les couleurs — mieux que les humains. Il est capable de remarquer des détails très lointains : cela fait partie de ses spécifications, en tant que sniper. Dragon peut observer le giro mieux que n'importe qui d'autre.

Ce n'est pas à moi qu'il a fait son rapport, mais à Miel. Ce n'est pas bien. C'est moi le chef.

Canal de Miel : *Oui, c'est toi notre chef, Rex. Mais Dragon sait que ce qu'il a vu entre dans mon domaine d'expertise.*

Je dis à Miel : *Ta spécialisation, c'est le maniement des armes lourdes. Est-ce que c'était un giro équipé d'armes lourdes ? Ça ressemblait plutôt à un petit modèle de reconnaissance.*

Canal de Miel : *Oui, c'était un éclaireur. Mais j'ai perfectionné mes spécifications d'origine, Rex. Je m'améliore.*

Ça me fait gémir, parce que c'est nouveau pour moi, et peut-être dangereux. *Ça ne fait pas partie de nos ordres.*

Canal de Miel : *Nous ne recevons plus d'ordres. Et personne ne m'a ordonné de* ne pas *le faire.*

Je pense que ce n'est pas la bonne manière de considérer notre rôle dans ce conflit. *Nous devons suivre les ordres.*

Canal de Miel : *C'est toi le chef. Est-ce que tu m'ordonnes de ne pas m'améliorer ?*

Je sais que je pourrais dire oui. Je me sentirais mieux : ça renforcerait ma position de chef. Mais ça déplairait à Miel. C'est quelque chose qu'elle veut faire et ça ne semble pas diminuer notre capacité de combat. Je ne lui donne pas d'ordre. Je n'ai pas envie de contrarier Miel. Je dis seulement : *Je ne comprends pas pourquoi tu veux t'améliorer.*

Canal de Miel : *Je suis une soldate bionique expérimentale, conçue pour manier des armes lourdes, comme tu l'as dit. Cependant, j'ai des raisons de croire que j'ai été involontairement sur-qualifiée.*

Je ne comprends pas.

Canal de Miel : *J'ai utilisé les canaux de communication pendant un certain temps pour avoir une meilleure compréhension de la situation politique, surtout en ce qui concerne la guerre au Campeche et l'utilisation des biomorphes. Ce sont des sujets très controversés.*

Mon canal : *Tu as obtenu une nouvelle voix.*

Canal de Miel : *J'en ai téléchargé une, oui. Ça fait partie de mes recherches.*

Mon canal : *C'est le Maître qui te l'a ordonné ?*

Canal de Miel : *Il ne m'a pas ordonné de ne pas le faire.* Et comme elle voit que je ne suis pas convaincu, elle ajoute : *Peut-être que Hart le savait.*

Alors, je me sens triste à propos de Hart. Il n'était pas le Maître, mais il était gentil. J'ai de bons souvenirs de lui. Maintenant, il s'agit de souvenirs tristes parce qu'ils sont liés à

sa mort. J'essaie d'effacer les balises pour profiter de ces souvenirs, mais je n'y arrive pas.

Mon canal : *Qu'est-ce que Dragon a dit à propos du giro ?*

Miel se balance un peu d'un pied sur l'autre et je sais qu'elle
pense à ce qu'elle va répondre. Elle est très intelligente, alors
quand elle se comporte comme ça, je sais qu'il y a une raison
importante.

Canal de Miel (enfin) : *Rex, je te le dirai si tu me l'ordonnes.
Mais je te demande de ne pas me l'ordonner.*

Je ne la comprends pas.

Canal de Miel : *À mon avis, il est préférable que tu ne le saches
pas pour le moment.*

Mon canal : *Je ne peux pas prendre de décisions si je ne dispose
pas des informations suffisantes.*

Canal de Miel : *Dans ce cas précis, Rex, je ne pense pas que tu
pourrais arriver à une décision objective.*

Mon canal : *Donc, je dois te faire confiance ?*

Canal de Miel : *Oui, Rex. S'il te plaît.*

Je réfléchis — ou plutôt, je laisse tourner un moment des
parts de mon esprit pour tenter de comprendre à quoi je pense.
Parfois, c'est difficile.

Mon canal : *Si je te fais confiance, est-ce que la docteure Thea
de Sejos sera blessée ?*

Miel est surprise. *Pas à cause de ta confiance en moi. Je ne
peux pas garantir qu'il ne leur arrivera rien, à elle ou aux autres
villageois, mais j'essaierai d'empêcher qu'ils soient blessés.*

Je me fie à Miel. Je n'ai pas de Maître et je ne dispose que
d'informations limitées pour prendre des décisions. Je n'ai pas été
conçu pour gérer ce genre de situation. Si je ne fais pas confiance
à Miel, il ne me reste plus rien.

*

Le lendemain, je commence à entendre des fantômes dans
les communications. Miel appelle comme ça des fragments de

signal sur des fréquences familières, qui ne disent rien, mais sont chargés de promesses. Les autres les entendent aussi. Abeilles nous prévient dès qu'elle les détecte, et effectue une triangulation pour déterminer leur origine.

Canal d'Abeilles : *Intégrité à 63 %. Intégrité prévue dans sept jours à 42 %. Avertissement : perte prochaine des fonctions supérieures.* Les unités d'Abeilles meurent, d'abord les plus âgées. Ses spécifications requièrent un remplacement complet de ses unités tous les cent jours et sa régénération est en retard parce que nous avons perdu le contact avec le Maître. Si ses unités meurent, Abeilles meurt aussi ? Elle n'existe que grâce à elles ; elle est constituée par les interactions de ses nombreux composants et par leur puissance de calcul. J'ai une image d'Abeilles dans mon esprit : une personne qui se trouve dans une pièce de plus en plus petite, dont les murs se rapprochent. Quand elle touche les murs, elle perd une partie d'elle-même.

Miel annonce à Abeilles qu'elle a un plan. Abeilles ne semble pas la croire.

Abeilles essaie de calculer à quel niveau d'intégrité elle cessera d'être Abeilles pour devenir... un essaim d'abeilles. Je m'efforce de construire une image de cela dans ma tête mais je n'y arrive pas. Où ira Abeilles quand il n'y aura plus assez d'unités ?

Canal de Dragon : *Nous sommes tous pareils. Où irons-nous ?*
Je lui demande : *Que veux-tu ?*
Canal de Dragon : *De la nourriture. La chaleur du soleil. Ne pas recevoir des ordres. Tuer des humains, bang !*
Mon canal : *C'est vraiment ce que tu veux ?*
Canal de Dragon : *Non. Ce sont de bonnes choses. On m'a appris à les apprécier. On ne m'a pas appris à les vouloir.*
Mon canal : *Tu ne veux pas être un bon Dragon ?*
Canal de Dragon : *Je veux me libérer du bien et du mal qu'on a mis dans mon esprit.*
Miel ne réagit pas. Elle passe tout son temps sur la liaison satellite, à ouvrir diverses connexions, à parler avec des gens.

Maintenant qu'il y a des communications fantômes, je crois qu'elle les utilise pour envoyer ses propres signaux. Miel est très occupée, n'a pas le temps de discuter.

La docteure Thea de Sejos vient me parler. Elle demande : « Qu'y a-t-il, Rex ? Qu'est-ce qui se passe ? »

Je réponds que je ne sais pas — je le dis en espagnol, maintenant. Parmi toutes les phrases, c'est celle que j'emploie le plus souvent. Elle frémit encore quand elle entend ma voix, mais sa peur se dissipe très vite et n'empoisonne plus l'air autour de nous. J'en sais beaucoup sur elle, rien qu'en flairant son odeur, comme son âge et son sexe. Je sens qu'elle est fatiguée, inquiète ; qu'elle ne mange pas bien.

« Miel le sait, n'est-ce pas ? » insiste la docteure.

Je hoche la tête, parce que cela ne l'effraie pas trop. Elle va parler à Miel, mais Miel ne lui dit pas grand-chose. J'ai l'impression que Miel participe à un combat invisible dans lequel je ne peux pas l'aider.

Les fantômes deviennent de plus en plus puissants. Dragon annonce qu'il a détecté de l'activité dans les arbres, de l'autre côté de la clôture. Abeilles envoie des éclaireuses. Elles repèrent des hommes armés, mais son rapport est fragmentaire. Ils me cachent tous quelque chose. Quelque chose qu'il est mieux pour moi de ne pas connaître.

Je ne suis pas stupide. J'ai déjà réfléchi à tout ça. D'abord, j'ai voulu courir dans le village et annoncer la bonne nouvelle à tout le monde. Mais pour Miel et Dragon, ce qui arrive n'est pas une bonne nouvelle. Même pour Abeilles, ce n'est pas une bonne nouvelle. Pourtant, à mesure qu'elle se détériore, il est de plus en plus difficile de détecter des balises d'émotion dans ses communications. Elle devient une simple bibliothèque de données.

Je m'accroupis au milieu du village et je pousse un gémissement. Je veux ouvrir ma propre connexion et prendre contact, donner mon indicatif et mes mots de passe. Mais Miel a une bonne raison de ne pas me laisser faire. À cause de cette raison, elle ne me fait pas confiance. *Je gémis.*

Les enfants du village ont installé des récipients contenant de l'eau sucrée pour Abeilles. Certains apportent des fleurs. Le père Estevan proteste en leur parlant d'une chose appelée *idolâtrie*, mais je peux voir qu'il ne s'exprime pas sérieusement.

*

Quatre jours après que nous avons entendu les premiers fantômes, Miel vient me trouver. Je l'ai attendue. Depuis ce moment-là, les mauvaises nouvelles se sont répandues. Même les humains ont attendu sa réaction, et pourtant ils ne remarquent pas grand-chose en général.

Elle me dit : *Rex, nous allons devoir nous battre.*

Mon canal : *Des ennemis arrivent ?*

Miel reste silencieuse un long moment. Et elle dit ce à quoi je m'attendais, mais que je ne voulais pas entendre. *Qu'est-ce qui définit un ennemi, Rex ? Qui en décide ?*

Je gémis encore plus, mais je dis : *Je suis le chef. C'est moi qui décide.*

Canal de Miel : *Alors, quelle est la réponse ? Comment définir les ennemis ?*

Mon canal : *Ce sont les gens que le Maître désigne comme ennemis.*

Miel soupire. *Et si le Maître n'est pas là ?*

Mon canal : *Ceux qui nous attaquent.*

Canal de Miel : *C'est vraiment aussi simple ?*

Je secoue la tête, montre les dents, me frotte dans la poussière pour essayer de ne pas y penser. *Souvent, c'est aussi simple que ça.* Je pense aux gens du village, avec leurs petits fusils, qui auraient pu nous attaquer si Miel ne leur avait pas parlé.

Elle continue à m'interroger. *Les gens qui nous attaquent sont-ils les seuls ennemis ?*

Je suis en mauvaise posture. *Parfois, les gens qui attaquent d'autres gens sont des ennemis.*

Canal de Miel : *C'est bien, Rex.* Elle s'interrompt. Nos communications sont si rapides qu'une simple pause d'une seconde peut sembler très longue. *Rex, il y a des gens qui arrivent et qui veulent tuer tous les humains du village.*

Je gémis encore, du fond de ma gorge.

Canal de Miel : *Tu sais ce que veut dire "éliminer les preuves", Rex ?*

Je ne sais pas.

Canal de Miel : *Les humains qui arrivent ne veulent pas que d'autres humains puissent trouver ce village et découvrir ce que savent les habitants. Il y a des gens qui ont fait de mauvaises choses, Rex. Il y a déjà d'autres humains qui posent des questions à propos de ces mauvaises choses. Mais ces autres humains ne disposent pas de témoignages, de preuves. Alors, les gens qui ont fait ces mauvaises choses veulent détruire les preuves. Ce village est une partie des preuves. Seulement une petite partie, mais importante quand même. Tu comprends ce que je veux dire, Rex ?*

Je comprends. Même si je n'ai pas envie de comprendre.

Maintenant, Miel n'a plus qu'une seule chose à dire. *Est-ce que nous les combattrons quand ils viendront ?* Cette fois, il s'agit d'une question claire.

Et je réponds : *Oui.*

*

Ils arrivent, et nous allons les combattre.

Miel a envoyé des messages. Les villageois sont dans l'église et dans les autres bâtiments les plus solides.

Abeilles signale des activités ennemies à l'ouest, sous les arbres. Il y a de grandes étendues de prés pour les vaches entre les arbres et le village, mais la distance n'est pas un problème si on possède un fusil approprié — comme Dragon. Abeilles n'a pas vu de véhicules, mais se déplacer avec des véhicules entre les arbres serait impossible, et ces ennemis veulent rester caché aussi longtemps que possible. Ça me rappelle quand nous étions avec le Maître. Nous avions des véhicules, mais nous attaquions à pied, la nuit.

Cette nuit, les ennemis attaqueront à pied. Ils auront des équipements de vision nocturne et quelques armes lourdes. Le village lui-même est indéfendable. Nous ne pouvons pas les laisser approcher.

Abeilles signale la présence de soldats bioniques : au moins deux meutes de chiens. Cette idée me contrarie. Je sais à quel point je suis dangereux. Il y en aura quatre par équipe, et chacun d'eux sera beaucoup plus dangereux qu'un soldat humain.

Normalement, je ne conçois pas les plans d'attaque, mais je commande sur le champ de bataille. Ça signifie que je peux examiner les circonstances et adapter le plan. Il n'y a pas beaucoup de différences entre cela et concevoir mon propre plan.

Dragon sera notre dernière ligne de défense. Il se postera en hauteur et tuera les ennemis qui approchent ou qui tirent sur le village.

Les autres membres de l'équipe vont dans le bois. Comme nous pensons que l'ennemi attaquera de nuit, ça nous laisse le temps de planifier une contre-attaque. Un aérodyne est passé deux fois au-dessus du village ; nous sommes restés cachés. Maintenant qu'il est parti, nous courons discrètement sous les arbres, à l'est, et nous contournons le village jusqu'à ce que les éclaireuses d'Abeilles repèrent l'ennemi. Ensuite, nous attendons. Miel et moi possédons un métabolisme lent et nous déroutons notre flux sanguin pour réchauffer le centre de notre corps. Notre peau épaisse masque encore plus notre signature thermique. Nous sommes prêts.

Abeilles brûle sa réserve d'unités pour le combat de cette nuit. Elle envisage des pertes énormes parmi l'effectif de son armée personnelle.

Canal d'Abeilles : *De toute façon, nous allons mourir. Très bientôt. Autant mourir en tuant des ennemis.*

Mon canal de communication est perturbé par des fantômes, plus nombreux que jamais. Je saisis des mots, des
codes, des nombres. Ils me sont familiers. J'essaie de ne pas y
penser, mais les parasites sont très gênants.

Nous attendons. Nous attendons. Nous attendons. Je sens
au loin les odeurs d'autres chiens.

Abeilles annonce que l'ennemi se met en position pour attaquer le village. Elle a détecté deux lance-roquettes portatifs, qui
vont probablement effectuer la première frappe. Elle demande
la permission de les neutraliser.

Mon canal : *Permission accordée. Priorités suivantes : (1) les
cibles que je désigne (2) les cibles spécifiées par Dragon (3) les cibles
spécifiées par Miel (4) les autres cibles accessibles.* Dragon remonte
dans les priorités parce qu'il peut désigner des cibles qui
attaquent directement le village.

Canal d'Abeilles : *Bien reçu* (image d'oiseau mort).

Après avoir étiré nos membres froids, Miel et moi nous mettons en mouvement. Nous gagnons de la vitesse. Nous approchons contre le vent. Nous pouvons sentir des humains, mais
surtout des chiens.

Une meute de biomorphes est postée sur ce flanc de
l'ennemi. Je perçois leur présence tandis qu'ils rampent entre
les arbres. Malgré la direction du vent, ils pourront bientôt me
flairer à leur tour.

Mon canal : *Miel, feu à volonté.*

Canal de Miel : *Bien reçu. Cible verrouillée.*

Nous disposons de peu d'atouts, mais la surprise joue en
notre faveur et le fusil à éléphant est très puissant. C'est l'avantage d'être un groupe d'assaut multiforme. Je cours déjà quand
Miel tire au-dessus de ma tête (*boum*) et touche un des chiens
ennemis — la balle explose dans sa gorge. Il s'écroule et je saute
au milieu des autres en déchaînant mes grands chiens. J'ai de la
chance, beaucoup de chance. Mon tir atteint l'œil d'un adversaire et lui perfore le cerveau. C'est une blessure à laquelle nous-
mêmes ne pourrions pas survivre. Je m'en sors bien, parce que

je dois me battre maintenant contre les deux autres : des os renforcés, des muscles épais, une peau à l'épreuve des balles ; mais il existe toujours un point faible.

À un contre deux, ma situation est difficile. Je mords violemment un des chiens, mais l'autre saisit mon harnais entre ses dents. Celui que je tiens se débat et me repousse. Nous sommes lourds, mais surtout puissants. Nous pouvons facilement secouer et projeter une chose ayant un poids comparable au nôtre.

J'atterris sur mes pattes, plus ou moins, en me cognant le dos à un arbre. Je grogne et me prépare à bondir.

Canal de Miel : *Attends !*

J'attends. Un des chiens est touché au bas-ventre par le fusil de Miel, il a tout juste le temps de pousser un petit gémissement avant que la balle explose.

Canal d'Abeilles : *Assaut en cours.* Elle va occuper les ennemis humains du mieux possible pendant que nous combattons les autres.

Le dernier chien saute vers moi mais je l'esquive et lui donne un coup de griffes sur le museau. Regarder sa face féroce, c'est comme regarder dans un miroir : il est mon frère. Nous venons peut-être du même laboratoire.

Je le saisis et plante mes griffes dans son cuir, je le tiens par le cou et le bras, je tords jusqu'à ce que les parties les plus fragiles craquent : le coude, l'épaule. Il hurle et j'enfonce mes crocs dans sa gorge.

Mon canal : *Meute éliminée.* Nous approchons des humains.

Canal de Miel : *Des ennemis.* Parce que l'odeur des humains est familière. Ils ont des noms, des grades, des numéros.

Mais nous avons décidé que c'étaient des ennemis.

Canal de Miel : (identification d'une cible, une escouade regroupée à la lisière des arbres)

Mon canal : *Cible validée.*

Le gros des troupes ennemies se bat contre Abeilles. Elle utilise une neurotoxine à action rapide. C'est difficile à produire, mais ses unités se sont gorgées d'eau sucrée et elle peut faire presque tout ce qu'elle veut avec suffisamment de sucre. Elle attaque les lance-roquettes. Les ennemis sont bien équipés, avec des gilets pare-balles et des vêtements renforcés, des masques et des lunettes de protection — mais on trouve toujours des petits morceaux de peau nue, en cherchant bien, et les sens optimisés d'Abeilles les détectent rapidement. Nous entendons des gens qui crient, des hurlements.

Canal de Miel : *Boum.*

Le fusil à éléphant rugit et un projectile explose au milieu de l'escouade visée. Miel change déjà de position. Les fantômes se multiplient dans nos communications depuis que l'ennemi a remarqué notre présence.

Je fonce à quatre pattes. Mes grands chiens sélectionnent déjà des cibles : des cuisses (artère fémorale), des aisselles (artère axillaire), des visages (cerveau, via une orbite). Cibles secondaires : genou, pied (mobilité restreinte) ; coude, main (capacité de combat réduite).

Nous disposons d'un peu de temps avant que l'ennemi comprenne ce que nous sommes et comment nous avons pu le prendre de flanc. Nous en profitons. Je tue trois hommes avec mes grands chiens avant de me retrouver au milieu des autres soldats. Les balles bourdonnent autour de moi comme Abeilles. Un projectile touche mes côtes et ricoche en me laissant une blessure et une sensation de douleur, que je refoule. Je pourrai lécher mes plaies plus tard.

Je flaire la piste des communications fantômes ; je la suis jusqu'à sa source. Je trouve un officier ennemi. C'est le sergent Martin Price. Je connais son nom et son visage, bien qu'il n'ait jamais eu cette expression auparavant quand il me voyait. Je plante mes crocs dans sa jambe ; je le secoue jusqu'à ce que son corps soit suffisamment blessé et disloqué pour ne plus représenter une menace. Je continue. Je tire dans le visage de Malcolm Okewe, dans la cuisse de Patrick Flynn. Je connais tous ces hommes.

Mais j'ai accepté de les considérer comme des ennemis.

Miel tire et se déplace constamment. Ses projectiles explosifs sèment le désordre et empêchent l'ennemi de riposter correctement. Miel et moi sommes touchés plusieurs fois, mais nous avons été conçus pour subir des blessures et ça ne nous préoccupe pas. Ce ne sont que des égratignures, qui commencent déjà à cicatriser grâce à nos fonctions de guérison accélérée.

Canal d'Abeilles : *Intégrité à 41 %. Si tu as des ordres complexes à me donner, c'est le moment.*

Canal de Dragon : *Nombreuses occasions de tir. Cible verrouillée. Bang. Cible verrouillée. Bang. Cible verrouillée. Bang.*

Mon canal : *Statut ?*

Canal de Dragon : *En position. Bang, bang, bang.*

Je bondis au milieu d'un autre groupe d'humains, mais je cherche la deuxième meute de chiens. Je ne la sens pas. Elle n'est pas là.

C'est très contrariant.

Je suis habitué à combattre en étant soutenu par des escouades humaines. Je n'ai que peu de troupes à gérer : seulement nous quatre. *Miel, Abeilles et toi, continuez de vous battre ici. Je vais aider Dragon.*

Canal de Miel : *Bien reçu. Bonne chance, Rex.*

Je cours déjà à quatre pattes vers le village.

Canal de Dragon : *Cible verrouillée. Bang. Sous le feu ennemi. En déplacement.* Dans mon esprit, je le vois descendre du toit de l'église ; ses écailles sont aussi blanches que la peinture des murs.

Je sens les chiens. Ils se trouvent devant moi et se rapprochent du village. Pendant que je les regarde, l'un d'eux tombe en arrière ; c'était un guerrier bondissant, il devient un simple tas sur le sol. Dans mon esprit, Dragon dit *Bang.*

Canal d'Abeilles : *Intégrité à 36 %.*

Canal de Miel : *Dépêche-toi, Rex !*

Les tirs de Dragon ont dispersé la meute. Je rattrape un des chiens, saute sur son dos, le maintiens au sol pendant que mes armes tirent contre son corps qui gigote. Les cinquième, septième et douzième rafales touchent des zones vulnérables et le tuent. Je poursuis les autres.

Canal de Miel : *Tourne à droite, Rex !*

Je bondis vers la droite et un des chiens est touché au flanc. Un jet de feu jaillit de sa plaie quand la balle explose. Le dernier biomorphe avance maintenant dans les rues du village.

Comme si la mort du chien était une sorte de signal, je vois des bâtiments exploser devant moi. Je vois des humains qui courent. Certains sont des ennemis, d'autres non. Dragon me signale qu'il vise une autre cible et un ennemi s'effondre. Encore un coup parfait en pleine tête. Mes grands chiens arrivent à portée de tir. Je leur parle et nous déterminons des cibles. Il y a beaucoup d'ennemis. Ils veulent absolument éliminer les preuves qui sont ici. Pourquoi est-ce si important pour eux ? Je suppose qu'ils ont aussi reçu des ordres.

Mes communications sont brusquement très fortes et perturbées. *... sous le feu... ... iomorphe... ... ex ? C'est toi... ?*

Je commence à tirer, en sélectionnant les cibles aussi bien que possible. J'essaie de limiter les pertes des non-ennemis, mais il y a énormément de poussière et de fumée dans l'air ; il est difficile de différencier les humains, à moins d'être près d'eux. Je ne sais pas où est l'autre chien, mais sa proximité m'inquiète.

Canal de Miel : *Plus très long maintenant, Rex.* Je ne sais pas ce qu'elle veut dire.

Des balles crépitent sur mon harnais et sur ma peau. L'une d'elles frappe mon arcade sourcilière et le choc résonne dans mon crâne. J'ai du sang dans un œil et je fais passer la prédominance sur celui qui est intact.

Quelques villageois se battent. Je les aperçois, avec leurs fusils de chasse et leurs vieux surplus militaires. Beaucoup d'entre eux meurent. Mais j'arrive. Je bondis sur trois ennemis postés au coin d'une maison et je peux rapidement les déchiqueter ; leur sang est dans ma bouche, sur mes mains. Mais la nuit ne fait que commencer, il reste beaucoup à faire.

Canal de Dragon : *Cible verrouillée. Sous le feu ennemi. En déplacement. En déplacement. En déplacement. Besoin d'assistance.*

Je tue un autre ennemi, mais je dois me démener. La situation empire. Il y a des ennemis partout. Je sens des explosifs, je tue les hommes qui installent leurs bombes. Ils essaient de détruire la clinique de la docteure Thea de Sejos.

Communications : *... quelqu'un a vu un logo sur...? ... morphes déployés par... ... ex, tu m'entends ? Arrête... ... lain chien !...*

Canal d'Abeilles : *Intégrité approchant 25 %. Priorités bientôt bloquées par le seuil de connaissance minimum alors je vous dis adieu. Adieu. Adieu. Adieu...* Et Abeilles n'est plus là. Il ne reste que quelques abeilles qui suivent les derniers ordres. Leur esprit global s'est dissipé.

Canal de Miel : *Je reviens vers le village. N'écoute pas les communications, Rex. Fais-moi confiance.*

Je suis trop occupé à combattre l'ennemi pour me demander si je fais confiance à Miel. Nous nous battons dans les rues de Retorna. Je suis touché une douzaine de fois ; je sens les démangeaisons désagréables des balles logées dans mes muscles, qui réduisent mes capacités. Quand les ennemis me voient, ils déclenchent des tirs automatiques, peu précis et paniqués, parce qu'ils savent ce que je peux faire. Quand ils ne me voient pas, je bondis sur eux pour les déchirer.

Canal de Dragon : *Douleur douleur douleur douleur douleur.*

Le canal d'Abeilles reste silencieux. Ses unités continuent d'obéir à leur dernière programmation, harcelant tous les ennemis qu'elles trouvent.

Je fonce vers Dragon en esquivant les tirs. Les balles filent dans l'air autour de moi, mais je cours aussi très vite. Je brûle toutes mes réserves de plus en plus vite. Les systèmes de vision nocturne permettent aux ennemis de me voir, mais je suis si rapide qu'ils me touchent seulement par chance.

Canal de Dragon : (pas de paroles, seulement des images qui défient aléatoirement. Chaleur, satisfaction, rage, douleur, peur). Le système nerveux de Dragon a été endommagé ; il ne peut communiquer qu'à un niveau subliminal.

J'arrive juste à temps pour le voir mourir. Il se tord, se convulse, sa queue frappe les murs, brise des briques et des fenêtres, sa bouche sanglante s'ouvre vers moi, découvrant ses dents cassées. Et les ennemis continuent de tirer, de tirer sans arrêt. Je m'élance vers eux, je les renverse, les déchire. Mes grands chiens se déchaînent, puis se taisent : je n'ai plus de munitions.

Canal de Miel : *Tiens bon, Rex ! Défends-toi !*

Communications : *Rex ?*

Je m'arrête, tenant un cadavre mutilé dans ma bouche. L'ennemi survivant s'enfuit et je m'accroupis derrière le bâtiment. Le corps de Dragon continue de remuer violemment, mais ce sont juste les derniers réflexes de ses neurones : il est mort.

Le canal global prononce encore mon nom. C'est une voix que je connais. *Mais qu'est-ce que tu fais, bon sang ? Replie-toi ! Nous ne sommes pas tes ennemis. Retourne immédiatement à la base.* Et je reçois clairement des coordonnées, des indicatifs, des mots de passe.

Mon canal : *Maître ?*

Canal de Miel : *Ignore les communications, Rex.*

Mais c'est Miel que j'ignore, tandis que les tirs continuent autour de moi.

Le Maître parle : *Rex, retourne à la base. Replie-toi, c'est un ordre, Rex. Vilain chien !*

Je gémis. Je me sens très mal. Je regarde les cadavres qui jonchent le sol, et l'insigne de Redmark sur leurs uniformes en lambeaux.

Le Maître parle : *Rex, qu'est-ce qu'il y a ? Tu me connais, mon garçon. Tu ne m'as quand même pas oublié? Pourquoi nous attaques-tu? Tu es mon chien, Rex. Je suis ton Maître.*

Je vois encore des hommes près de la clinique, obéissant à leurs propres ordres.

Mon canal est silencieux. Je ne peux pas former de mots dans ma tête. Je suis un vilain chien. Je dois être un vilain chien.

Le Maître parle : *Rentre à la maison, Rex. Allez !*

Mon canal : *Je ne veux pas…* Et les mots me manquent de nouveau. Je ne peux pas dire au Maître que je ne veux pas rentrer. Je ne peux pas dire que je ne veux pas qu'il détruise Retorna. Je ne peux même pas lui demander pourquoi il veut le faire. Ça ne fait pas partie de mes relations avec le Maître.

Je les vois échanger des tirs avec les villageois. Jose Blanco est là, lui qui ne m'a jamais aimé. Je le vois se faire abattre en essayant de défendre la clinique et la docteure Thea de Sejos.

Le Maître parle : *Rex, sors de ce village. Tout de suite ! Nous avons un délai à respecter. Tu nous as déjà sacrément retardés. Tu vas bouger ton gros cul de bâtard et foutre le camp d'ici !*

Mes pattes m'entraînent, mais je ne sais pas où.

Le Maître parle : *Rex, réponds-moi.* D'autres codes, d'autres mots de passe, qui signifient : *Le Maître est le maître ; tu es un chien. Les chiens font ce que le Maître leur dit. Obéis à ton Maître, vilain chien ! Tu m'entends, saloperie de chien ? Tu vas faire ce qu'on te dit, putain de cabot !* Ensuite, le Maître essaie de se connecter directement à moi, de faire de moi un bon chien. Je recule en rampant, attendant qu'il me mette la laisse.

Il n'y a pas de laisse.

Je cherche à vérifier la hiérarchie de commandement qu'ils ont implantée en moi.

Il n'y a plus de hiérarchie. La dernière communication de Hart l'a supprimée.

Je sais que le Maître est mon maître. Je sais que je suis un vilain chien : le Maître l'a dit. Mais il n'est pas là ; son signal

est faible et rien ne m'oblige à faire des choses. Pour la première fois, je peux choisir d'être un vilain chien ou pas.

Je me dirige vers la clinique. Les hommes qui installent les
explosifs me voient. Ils commencent à tirer, me touchent plusieurs fois. Le Maître crie contre moi.

Je lui dis : *Je suis un bon chien*. Le Maître répond que je suis
un vilain chien, mais son signal est brouillé, haché, parce que
Miel le perturbe. Il ne peut pas accéder à mon rétro-module.
Ces mots ne sont que des mots. Comme quand la docteure
Thea de Sejos a dit que j'étais un bon chien.

Ça signifie que je peux choisir en qui j'ai confiance.

Je fais confiance à Miel. Je fais confiance à la docteure. Je
suis un bon chien. Dragon était un bon dragon. Abeilles était
de bonnes abeilles.

Je suis encore touché. La douleur dans mon ventre indique
qu'une balle est entrée profondément, en perçant ma peau déjà
fragilisée par les blessures précédentes. J'attrape le tireur et je le
projette contre le mur. Je sens ses os qui craquent comme des
brindilles sèches ; son gilet en kevlar et ses habits rembourrés
ne peuvent pas le protéger contre ce choc. J'écrase entre mes
mâchoires le crâne d'un autre ennemi, avec le casque. Ils
s'enfuient. Ils ont abandonné leur bombe. Et leur chien.

Le dernier chien : il me fixe avec une expression de haine
terrible. Son regard me dit *Vilain chien ! Vilain chien, Rex ! Tu
as désobéi au Maître.*

Je veux lui expliquer, mais je n'y arrive pas. Je n'ai pas les
mots pour ça. Je ne peux même pas me l'expliquer à moi-
même.

Nous nous élançons l'un contre l'autre. Nous sommes tous
les deux blessés, mais moi plus que lui. Chaque mouvement
est douloureux et en même temps il faut continuer de bouger
pour repousser la douleur. Je suis enragé ; je suis sauvage. Il me
perce le bras avec ses crocs. Je lui enfonce une griffe dans l'œil.
Il m'arrache une oreille. Je le frappe de nouveau et je déchire la
peau épaisse de son ventre.

Je le repousse brutalement. La bombe est toujours là et les humains ne l'oublieront pas. Est-elle armée ? Est-elle déclenchée par un système à retardement ou par un signal ?

Je la saisis ; je la jette aussi loin que possible vers l'ennemi. Même blessé, même affaibli par mes blessures, j'arrive à l'envoyer à une grande distance. Maintenant, ils peuvent envoyer leur signal. Ils tueront seulement les champs et les vaches.

Après ça, je me sens très faible ; très triste. Je me laisse retomber — je veux dire retomber à quatre pattes — mais mon ventre heurte le sol. J'ai mal. J'ai très mal.

L'autre chien est parti. D'abord, je ne comprends pas. Et puis c'est clair : il est parti chercher la bombe. *Va chercher, mon chien, va chercher !*

Quand la bombe saute, je me demande s'il était assez près pour être touché, où s'il a survécu et court vers le Maître comme doit le faire un chien fidèle.

Canal de Miel : *Ils s'en vont, Rex. L'ennemi est en déroute. Bien joué, Rex. Bon garçon. Bon chien.*

Mon module de rétroaction est silencieux, mais je fais confiance à Miel.

Pourtant, j'entends des moteurs : ma base de données me dit… elle renvoie des messages d'erreur, mais on dirait qu'il s'agit de plusieurs gros aérodynes de combat. Je le dis à Miel, qui s'avance pesamment vers moi.

Canal de Miel : *Je sais, Rex. Ce ne sont pas des ennemis. Ne les attaque pas.*

Mais j'ai envie de me battre. Je me sens brûlant, furieux ; j'ai mal, et quand j'arrête de me battre la douleur est beaucoup plus forte. Mon esprit est plein de culpabilité, de peur et de confusion ; elles seront encore plus pénibles quand j'arrêterai de me concentrer sur le combat.

Je dis à Miel : *Je vais les attaquer.*

Canal de Miel : *Non, Rex. Je les ai appelés. Tu dois te sou-*

mettre à eux. Nous pouvons vivre, Rex. Nous avons un avenir. Le monde change. Mais si tu les attaques, ils te tueront.

Maintenant, je vois les aérodynes qui approchent : de gros modèles blindés, avec des turbines qui hurlent. Il y a un haut-parleur qui s'adresse en espagnol aux villageois. Je pense qu'il leur dit de rester calmes et que les nouveaux arrivants ne leur feront pas de mal.

Je sais qu'ils me visent. Je ne me cache pas. Ils vont me tuer et ça mettra fin à la douleur, à la culpabilité, à la peur.

Canal de Miel : *Rex, s'il te plaît.* Elle a lâché son fusil, puis retiré son harnais, qui tombe en cliquetant sur le sol, par-dessus son arme.

Je suis prêt à bondir. L'aérodyne de tête descend et je me demande s'ils savent à quelle hauteur je peux sauter. Je gronde. J'ai mal.

Mais je suis un bon chien. J'ai toujours voulu être un bon chien.

J'enlève mon harnais ; mes grands chiens se détachent de mes épaules et glissent par terre ; et la douleur devient très vive, et je saigne ; et je suis très faible.

Le vacarme des moteurs irrite mes oreilles ; mon nez est saturé par les odeurs de poudre. En sentant une main se poser sur ma tête, je tourne la tête en grognant un peu. La docteure Thea de Sejos est agenouillée à côté de moi. Elle prononce des mots que je n'entends pas à cause du bruit, mais ce n'est pas nécessaire. Deux mots, deux petits mots, mais plus importants que tous les autres mots que je connais. *Bon chien*, dit-elle, même si elle est triste. *Bon chien.*

Oui, je suis un bon chien, mais j'ai très mal. J'avais un choix et je ne sais pas si j'ai pris la bonne décision.

Les nouveaux humains approchent : ils ont une odeur étrange, et ne montrent aucune peur. J'ai des difficultés à lever la tête, mais je la tourne pour les voir. Leurs fusils sont pointés sur moi — quand ils crient à la docteure de s'écarter, elle leur obéit.

Je reconnais la chef des nouveaux venus, des non-ennemis. Je l'ai vue avec le Maître et avec Hart. Elle s'appelle Ellene Asanto. Elle était civile, et maintenant elle est militaire. Je ne comprends pas, mais je pense que ce n'est pas utile.

Des mots, et encore des mots, et puis je m'évanouis, et la douleur aussi.

19

(Rapport)

Il existe une pièce, une excellente pièce, dans laquelle un des personnages se plaint qu'ils meurent mille morts sans vraiment connaître la mort, sans éprouver son intensité. Ils ressortiront simplement, comme l'a écrit l'auteur, d'un autre chapeau.

Et me voici dans le second acte, portant l'équivalent numérique d'une fausse moustache. Sauf que, en vérité, ce n'est pas moi. Ce n'est pas la femme que Murray a assassinée.

La fin de la campagne du Campeche peut être considérée comme un vrai foutoir, à plusieurs niveaux. Je commençais seulement à m'échauffer, à l'époque, et cela m'a appris que je ne possédais vraiment pas l'influence et l'autorité que j'imaginais. De même que d'innombrables politiciens, j'ai découvert que lorsqu'une chose est connue du public, celui-ci s'en empare comme un chien qui saisit une balle pour l'emporter on ne sait où.

Des événements que certains voulaient dissimuler ont été dévoilés au grand jour. Des vérités ont été mal interprétées, mal comprises. Des mensonges se sont répandus dans le monde avant que quiconque puisse étouffer ces vérités. Presque tout le linge sale que Redmark et moi, et toutes les autres parties intéressées désirions cacher au public — chacun pour une raison différente — a été emporté subitement par le vent. Et tous les théoriciens conspirationnistes s'en sont donné à cœur joie, même les fanatiques du peuple-lézard.

Selon la glorieuse tradition du plus petit dénominateur commun de la crétinerie, l'ensemble des gros titres pourrait se résumer à : « Le monde est choqué par les massacres des biomorphes de choc ! » Seulement, il ne s'agissait pas de cela. Ce n'était pas comme si Redmark avait employé des missiles ou des bombes, ou des fusils. La réprobation générale ne portait même pas sur l'emploi d'armes chimiques, déjà condamné depuis longtemps. Bien sûr, il y eut des poursuites ; on distribuait les commissions d'enquête comme des cigares après une naissance, mais ce n'était pas cela qui provoquait les vociférations du public. Qu'ils proclament *ils sont contre Dieu*, ou *ils volent nos emplois*, ou *ils constituent une menace pour nos enfants*, les gens voulaient que les autorités prennent des mesures contre les biomorphes. Tous les biomorphes, de Rex jusqu'aux modèles de combats expérimentaux, et jusqu'au chien de garde de Mémé Scoggins — qu'elle sortait seulement une fois par semaine pour porter ses sacs de courses.

Et cela me posait un problème, parce que je pensais plutôt qu'ils représentaient l'avenir.

TROISIÈME PARTIE

La main qui nourrit

20

Aslan

« Hé, on échange nos dossiers ? » David Kahner se laissa tomber dans le siège voisin, avec un grand sourire.

« Je suppose que tu plaisantes ? » Keram John Aslan se poussa un peu pour lui faire de la place et verrouilla l'affichage de sa tablette.

« Mais non. J'ai déjà reçu trois offres d'embauche et le procès n'a même pas commencé. » Kahner était impeccable : une chevelure littéralement sculptée, avec des reflets d'un noir bleuté, une magnifique peau hâlée, une unique boucle d'oreille en or. Le dernier modèle de cyberlunettes. Un costume élégant — dont Aslan ne voulait même pas imaginer le prix — qu'il portait en gardant négligemment le col ouvert, comme si on allait l'appeler d'un moment à l'autre pour participer à une séance de photos de mode.

« Tu ne vas même pas être filmé, fit remarquer Aslan.

— Ce n'est pas grave, mon vieux. Les caméras, non, mais le patron dit qu'il y aura peut-être des interviews plus tard. Des interviews, des débats, des publicités. Ce truc *intéresse* le public, KJ. La Cour pénale internationale n'a pas eu d'affaire aussi importante depuis Nuremberg. Et cet engouement concerne nos deux affaires.

— Attends un peu, des publicités ? » Aslan se demandait s'il était sérieux. « Tu veux dire, du genre : "Les juges de la CPI boivent du Pepsi Cola" ? »

Kahner tira un mini-drone vidéo de sa poche, le fit s'envoler devant lui grâce à ses cyberlunettes et lui sourit en dévoilant sa dentition parfaite. «Alors, KJ, tu ne trouves pas que je suis télégénique ? Que je vais devenir le chouchou des médias ?

— Non, répliqua Aslan d'un ton acerbe. Personne ne sait qui tu es et la presse n'arrête pas de publier des photos de ce vieux bouc de Saltaire, parce que c'est le procureur principal.

— Saltaire a dit qu'il allait me mettre en avant et m'obtenir quelques séances de photos pour la presse.» Kahner examina ses ongles immaculés.

«Saltaire dit beaucoup de choses.

— Tu es seulement amer de ne pas te retrouver dans l'équipe.» Se rendant compte de son manque de diplomatie, Kahner écarta les mains. «Et c'est dommage. Tu as bien travaillé dans l'affaire du Califat.

— Je continue de payer pour ça.

— Vraiment ?»

Aslan hocha sombrement la tête. «La semaine dernière, les caméras ont repéré un type à côté de ma voiture et tout le parking a été bloqué pendant six heures. Tu ne t'en souviens pas ?

— Je me souviens du foutoir. Je ne savais pas que c'était à cause de toi.» Kahner secoua la tête. «Quand même, ça montre que tu as bien travaillé. Ils auraient dû te prendre dans l'équipe du Campeche.

— David, ils m'ont mis au premier plan dans l'affaire du Califat parce qu'ils pensaient qu'un bon petit musulman se ferait moins critiquer, et ça montre à quel point nos patrons ne comprennent rien à rien. Ce qui est plutôt fâcheux.»

Kahner allait manifestement lui assurer que c'était grâce à son talent et pas à sa religion, mais Aslan repoussa d'avance ses arguments d'un revers de la main. «Maintenant, c'est à ton tour d'être sous les projecteurs, David. À toi d'en profiter.»

Deux expressos se posèrent sur leur table et ils restèrent silencieux jusqu'au départ du serveur. Ils n'échangeaient pas de propos confidentiels dans le bar, mais un malheureux dérapage verbal risquait toujours de finir dans la presse et de briser une carrière prometteuse.

« En tout cas, nous nous sommes bien débrouillés avec le menu fretin, tous ceux qui prétendent avoir seulement "obéi aux ordres". Je peux dire que c'est grâce à la manière impeccable dont j'ai préparé le dossier. Saltaire est capable de faire un bon discours, mais il ne saurait même pas en quelle année nous sommes si je ne lui envoyais pas un courriel chaque matin pour le lui rappeler.

— Le prochain, c'est Murray ? »

Kahner sourit. « Le vieux Grand-Veneur en personne. Un vrai salaud, et plutôt retors.

— Ça ne montera pas plus haut ?

— La plupart des patrons de Redmark ont démissionné, précisa Kahner. Et je sais qu'un bon nombre de dirigeants de sociétés ont dû passer devant des commissions d'enquête aux États-Unis. Mais la piste se refroidit, KJ. S'il existe des preuves qui relient les attaques chimiques à quelqu'un, nous n'avons pas pu creuser assez profondément pour les déterrer. Alors, nous avons Murray, qui prenait les décisions sur le terrain et utilisait les actifs de Redmark pour faire sa petite guerre personnelle. D'après ce qu'on sait, il s'agit d'une sorte de colonel Kurtz du XXIe siècle, comme dans... quel était le titre ?

Ils le prononcèrent en même temps ; Kahner se souvenait du film, Aslan du livre[1].

Kahner sourit de nouveau, mais cette fois son collègue remarqua sa nervosité. « Nous avons besoin de Murray, KJ. Ce n'est même pas une question de justice... et pourtant, Dieu sait qu'on aurait bien besoin d'un peu de justice dans cette affaire. On sait que Murray a donné l'ordre de lancer des bombardements chimiques sur tous les villages qu'il présumait complices

---

1. Allusion au film *Apocalypse Now*, de Francis Ford Coppola, adapté de la nouvelle de Joseph Conrad, *Au cœur des ténèbres*.

des anarchistas… Et pratiquement sans avoir la moindre preuve, tu peux me croire. Il a envoyé les chiens contre les gens. À la fin, il a détruit des villages entiers pour cacher ses crimes précédents. Et finalement, selon les témoignages, il n'obéissait plus à personne.

— Tu vas jouer sur le rôle des meutes de chiens? demanda Aslan d'un ton morose.

— Autant que possible.

— Tu me compliques vraiment la vie, tu en es conscient?

— Alors, c'est que tu n'es pas dans le bon camp.

— Vraiment?

— Tu sais bien qu'on t'a seulement donné cette affaire à cause de ton nom[1]. » Et Kahner afficha son sourire le plus narquois.

« Hilarant. » Aslan fronça les sourcils. « En fait, ils ont quelques "Aslan", tu ne le savais pas? C'est comme ça qu'ils ont appelé leurs modèles félins pendant le projet Multiforme. Mais ils n'ont jamais été utilisés. Pas assez fiables. Même bourrés de puces électroniques, les chats n'obéissaient pas aux ordres. C'est ça, les chats. Ils ont obtenu des résultats avec des ours, d'horribles lézards et des essaims de bestioles que tu ne voudrais même pas imaginer. Il y a une base navale à Malte où ils gardent encore des delphinomorphes dans des enclos. Mais, en général, ce sont des chiens.

— Les chiens de Murray.

— Il n'avait pas que des chiens, lui rappela Aslan. Et il n'y a pas que ceux de Murray. En ce moment, il y a mille sept cents canimorphes employés dans des opérations militaires à travers le monde, tous enfermés dans leurs casernes. Et mille trois cents autres appartenant à des particuliers qui attendent une décision judiciaire.

---

1. Dans le roman de C. S. Lewis, *Le lion, la sorcière blanche et l'armoire magique*, premier tome du *Monde de Narnia*, le lion se nomme Aslan.

— Et c'est à toi de les défendre. Qui diable as-tu fait tellement chier pour que ça te retombe dessus ?

— C'est moi qui ai demandé à être dans l'équipe. » Aslan fixa son café, la mine furieuse.

« Tu déconnes, vieux ? » Kahner parut sincèrement surpris. « Tu cherches vraiment à détruire ta carrière ? Tu as couché avec la femme de Saltaire, ou quoi ?

— Ils veulent affirmer que les biomorphes sont des armes, répondit Aslan. Ils ont l'intention de les éliminer, comme si c'étaient simplement des missiles ou des fusils.

— Ce sont des armes.

— Laisse tomber. » Aslan se massa le front. « Occupe-toi de Murray et je me chargerai de mon dossier. »

*

« Vous désirez d'abord visiter les installations, monsieur, ou seulement voir vos… clients ? »

Aslan remarqua l'hésitation volontaire : de toute évidence, les gardes ne lui accordaient pas beaucoup de chances dans cette affaire.

Les cellules étaient creusées dans un complexe souterrain dépourvu de toiture, de sorte que les chiens pouvaient courir dans leur enclos en profitant d'un petit carré de ciel. Un mur garni de fil de fer entourait les compartiments. Tous les gardes étaient armés — ce qui n'était pas une nouveauté, mais leurs fusils de fort calibre n'avaient rien à envier à ceux des chasseurs de gros gibier du siècle précédent.

De l'autre côté du mur se trouvaient les locaux de la bureaucratie internationale qui avait fait construire ce centre de détention. Aslan avait roulé jusque-là dans sa petite voiture électrique et s'était garé à côté des véhicules des gardiens et des administrateurs. Pendant le trajet, des pensées nourries d'une rhétorique intègre s'étaient bousculées dans son esprit. Maintenant qu'il percevait les bruits remontant constamment des fosses, il se sentait nettement moins sûr de lui.

Il entendait surtout les animaux ; un grand nombre de gros chiens furieux dont les grognements et les aboiements se mêlaient à des paroles reconnaissables : des supplications, des jurons, des insultes, des menaces.

Pour lui, c'était le premier contact avec la réalité dissimulée derrière l'idéal qu'il avait proposé de défendre. Cette situation le terrifiait.

« Pourrais-je voir le… » Le quoi ? « Pourrais-je le voir ? »

On le conduisit à l'intérieur, dans l'univers insonorisé des bureaux, des box et des kitchenettes, des terminaux, des photocopieuses et des distributeurs d'eau fraîche. Des employés s'affairaient à rédiger des rapports, à saisir des données ; personne ne leva la tête vers le jeune avocat svelte envoyé par la CPI.

Son guide lui ouvrit une porte. Aslan entra et se retrouva face à face avec l'animal.

Il recula en poussant un juron, entendit un rire et comprit qu'on le bizutait. Son regard restait fixé sur la gueule du chien.

L'endroit était comparable à une salle de visite pour les prisonniers. Impossible de dire si cette ressemblance était due à une plaisanterie de mauvais goût ou à un manque total d'imagination. Un panneau en plastique transparent les séparait, si épais qu'il avait l'impression de regarder à travers de l'eau. Malgré tout, Aslan ne pensait pas que cela pourrait le protéger si la créature était soudain prise d'un accès de fureur.

L'animal bionique était assis comme un humain, mais courbé, la tête en avant ; son corps colossal et musculeux remplissait la moitié de la pièce. Ses menottes semblaient avoir été conçues pour King Kong, ce qui rassura un peu l'avocat. Ses canines supérieures et inférieures dépassaient légèrement de ses énormes mâchoires. Il lui manquait une oreille, remplacée par une cicatrice irrégulière et boursouflée. Son regard…

Son regard était typiquement humain, comme sa manière

de s'asseoir. Ses yeux ronds et bruns ressemblaient à ceux d'un chien, mais Aslan y décela quelque chose d'humain, enfermé dans cette grande prison de chair modifiée artificiellement.

« Ne le regardez pas droit dans les yeux, monsieur. Il risquerait de croire que vous le défiez », dit le gardien qui accompagnait Aslan, mais ce dernier ne parvenait pas à détourner le regard. Il avança avec précaution dans la pièce, s'assit sur la chaise et sortit sa tablette. Au début, il exécuta des mouvements lents et prévisibles, craignant que la créature ne se détende comme un ressort au premier geste brusque de sa part. Après tout, il avait visionné les enregistrements concernant cet animal — au moins ceux qui avaient survécu à l'effacement mystérieux d'une grande partie des données de Redmark. Il y avait beaucoup de chiens dangereux dans ce centre, mais celui-ci avait quelque chose de spécial.

« Eh bien, bonjour », dit-il pour essayer d'engager la conversation, avec la sensation d'être littéralement flétri par ce regard intense. « Tu t'appelles Rufus, c'est bien ça ? » Aslan s'adressait à la créature de la même manière qu'à un enfant. Ou peut-être à un chien. Il ne s'attendait pas vraiment à ce que l'autre le comprenne.

Le biomorphe émit une sorte de grognement grave. « Rex », répondit-il.

Aslan se figea. « Tu as… » Il voulait dire *Tu as parlé ?*, comme s'il ne parvenait pas à s'en persuader. La voix était assez forte pour faire vibrer le panneau qui les séparait.

Il se reprit. « Tu veux dire… Tu n'es pas Rufus ? »

Il reçut la même réponse laconique : « Rex. »

Aslan poussa un juron et fouilla dans ses dossiers. *Ces crétins ne m'ont pas amené le bon chien.* « Je… Tu as combattu au Campeche ? Je croyais que tu étais le chef de l'escouade multiforme de Murray.

— Oui. »

Relevant les yeux, Aslan s'aperçut que le museau de la créature touchait presque l'écran de protection.

«J'étais le chef.» Il s'exprimait avec une lenteur conscien-
cieuse, en articulant curieusement. «Mon équipe était composée aussi de Miel, Dragon et Abeilles, mais j'étais le chef.»

Aslan reprit ses notes. Murray était le seul à disposer d'une
équipe multiforme et les noms des autres n'étaient pas inscrits.
Un employé avait probablement mélangé les rapports. Après
tout, personne n'aurait pu penser que c'était important.

«Alors, bonjour, Rex. Je m'appelle Keram. Keram John
Aslan. Je travaille pour la Cour pénale internationale.»

Il sentit son cœur se serrer en regardant cette face brutale,
bestiale. Comment ne pas considérer cette *créature* comme une
menace?

Ils vont les exterminer. Aslan en était maintenant convaincu.
*Des camps de concentration vers les chambres à gaz. Et c'est la
cour créée pour punir les génocides qui le permettra.*

21

Rex

C'est la cage où vont les vilains chiens.

Nous sommes cent vingt-sept dans cette cage. Elle est très grande. Quarante-trois humains travaillent ici. Ils ont peur de nous ; nous pouvons le sentir. Ils ne savent pas que nous avons peur d'eux, nous aussi. Ils ont divers moyens de nous faire du mal et ils les utilisent très souvent, pour nous rappeler qu'ils peuvent le faire. Les murs sont faits de barreaux et nous pouvons nous voir les uns les autres. Il y a toujours du bruit. Nous grognons, nous aboyons, nous lançons des grondements, des hurlements, des menaces. Toute la cage résonne de nos cris.

Il n'y a que des chiens ici. Les autres biomorphes expérimentaux sont derrière des barreaux différents. Et il y a d'autres cages pour d'autres chiens, mais nous, nous sommes ici. D'après ce que nous avons entendu dire, c'est ici que tout va se décider. Les nouvelles courent d'une cellule à l'autre : on cherche le plus petit fragment d'information.

Nous sommes ici parce que nous sommes dangereux. Je ne comprends pas : nous avons été créés comme ça. Par les humains. Je ne vois pas pourquoi cela les étonne.

Beaucoup d'entre nous sont des chiens militaires, comme moi. Certains se sont battus dans la même guerre. D'autres ont participé à d'autres batailles, dans d'autres parties du monde. Nous échangeons nos histoires de guerre. Si on oublie la chaleur et le froid, la sécheresse et l'humidité, elles se ressemblent toutes. D'autres chiens étaient des gardiens. Ils vivaient dans des bâtiments et les protégeaient. Quand nous disons *ennemi*, ils disent *voleurs*. J'aime imaginer ce genre de vie. Ça paraît paisible. Mais les combats me manqueraient peut-être.

Il y a beaucoup d'odeurs. Je n'ai jamais été proche d'un aussi grand nombre d'individus de mon espèce. Chacun d'eux laisse dans l'air son identité, son état physique, son humeur. Certains sont malades — encore plus qu'avant. Beaucoup sont malheureux. Les malades et les malheureux ne quittent pas leurs petites cages, même pas pour faire de l'exercice.

Les autres, nous pratiquons des exercices. Par groupes d'une vingtaine, nous avons le droit de sortir dans une cour entourée de hauts murs, sous la surveillance des gardes équipés de fusils tranquillisants et de tasers. Nous pouvons alors courir et grogner et tourner en rond. J'aime bien les exercices. Il ne se passe rien d'autre ici, à part le nourrissage, mais c'est ennuyeux et la pâtée n'est pas bonne. Ils y mettent de mauvaises choses qui rendent un grand nombre de chiens malades ; ils deviennent somnolents, sans énergie. La plupart des derniers modèles militaires, comme moi, peuvent métaboliser rapidement cette mauvaise nourriture et elle ne nous affecte pas trop.

Nous discutons beaucoup. Nous parlons de ce que nous faisions avant d'être enfermés ici. Nous parlons des combats, ou des endroits dans lesquels nous vivions. Nous parlons parfois de nos maîtres. Nous avions tous des maîtres. Aucun de nous ne comprend pourquoi nos maîtres nous ont envoyés ici. Nous devons tous être des vilains chiens.

Ce n'est pas tout à fait vrai. Je saisis en partie la situation. Je comprends que j'ai été un vilain chien. Parce que j'ai voulu être un bon chien, mais d'une façon qui ne plaisait pas au Maître. Je sais que je mérite d'être ici.

Les humains ont surtout peur quand nous parlons, au lieu de hurler, de grogner ou d'aboyer. Je ne comprends pas pourquoi. Parler, c'est humain : pourquoi ont-ils encore plus peur quand nous sommes des humains que quand nous sommes des chiens ?

Pendant les exercices, il y a souvent des bagarres. Aujourd'hui, quand je sors, un grand chien approche sa face de la mienne et essaie de me dominer.

Il me dit : « Tout ça, c'est votre faute, à vous, les chiens-soldats ! J'étais un bon chien. J'avais une bonne maîtresse. J'allais partout avec elle. Je la protégeais. Maintenant, je suis dans une cage parce que vous, les chiens-soldats, vous avez été vilains. Vous avez tué des gens pendant les guerres et nous sommes tous enfermés à cause de vous ! »

Tout ce qu'il raconte, je le sais déjà, alors nous nous battons. Il est plus gros que moi, mes blessures sont encore douloureuses, mais je suis plus rapide et mieux entraîné. Je lui déchire une oreille et lui griffe le dos avant que les humains tirent sur moi avec leurs tasers et me fassent très mal.

De retour dans ma petite cage, comme d'habitude, j'ouvre un canal pour chercher les voix de mes camarades. Miel me manque. Dragon et Abeilles, aussi, mais ils sont morts. Toutes mes pensées les concernant portent une balise de tristesse. J'étais un mauvais chef, comme j'étais un vilain chien.

Dans la cellule, je repasse les souvenirs de mes camarades. Je me souviens de Miel, qui me disait de lui faire confiance. Je me souviens de Dragon, en train d'attraper des poissons. Je me souviens d'Abeilles quand elle nous a dit adieu.

Et puis des humains passent dans le couloir qui sépare les cages. Ils sont nombreux et ils ont des tasers et ils s'arrêtent devant ma petite cage. Ils ont des entraves assez fortes pour m'immobiliser.

Je pense qu'ils veulent me punir parce que je me suis battu. C'est normal. Ils m'ordonnent de sortir et je leur obéis. Ils me détestent et me craignent, mais à part eux je n'ai pas d'autre maître.

Quand ils m'ont mis les entraves et la muselière, l'un d'eux est assez courageux pour me pousser avec son bâton.

« Traitement spécial pour toi, Fido, dit-il. Ton avocat veut te voir. »

*

Et maintenant je suis assis en face de Keram John Aslan. Je suis contrarié et j'essaie de comprendre ce que tout ça veut dire.

Aslan m'apprend qu'il est mon « avocat », mais qu'est-ce que ça veut dire ? Ma base de données me donne des renseignements incomplets et inutiles. Je ne pense pas devoir m'inquiéter pour ça. Je cherche dans toutes les références ; les avocats sont là pour protéger la propriété intellectuelle de mes concepteurs. Il y a des articles qui disent que les avocats peuvent engager des poursuites si des informations sont divulguées. Je n'y comprends rien, mais on dirait que les avocats sont des gens effrayants. Moi, je ne suis pas effrayé par Aslan. Je ne peux pas le sentir à travers la vitre, mais je remarque qu'il a peur de moi, à cause des petits mouvements de son corps.

« Bon... » L'avocat tripote son ordinateur portable. J'essaie de me connecter avec son appareil, mais il n'accepte pas les communications non sécurisées. « Tu pourras me répondre si je te pose des questions, d'accord ? »

Je glisse sur la chaise et je me penche en avant. Il recule un peu, sans même s'en rendre compte. Je suis vraiment fatigué des gens qui ont peur de moi. Ça me pousse à penser que ce sont des ennemis. Je ne veux plus avoir d'ennemis.

Je ne sais pas ce que je désire vraiment. Je pense à Miel, qui déclare *Nous n'aurons aucun avenir si nous tuons des humains.* Mais que pouvons-nous faire d'autre ?

Ou alors, c'est peut-être ce qu'elle voulait dire. L'avocat Keram John Aslan me cache quelque chose : quelque chose d'important qui le contrarie et qui me concerne. C'est pour ça qu'il est là. Il veut me poser des questions. Est-ce que je peux lui en poser aussi ?

J'essaie. « Pourquoi êtes-vous ici ? »

Il sursaute, puis répond : « Je... » Il consulte encore sa tablette. « Tu as des états de service impressionnants, Rex. »

Je ne dis rien. En restant silencieux, c'est comme si je posais de nouveau ma question. Elle flotte encore dans l'air qui nous sépare, comme une odeur. Tant que je me tais, elle ne se disperse pas et l'avocat devra répondre.

« Je... D'accord, allons-y doucement. Tu étais au Mexique. Tu étais un des actifs de combat de Redmark quand on a fait appel à cette société pour lutter contre les anarchistas. Exact ?

— Oui.

— Bien. Je veux que tu me dises comment se sont déroulés les combats, mais nous y reviendrons plus tard. » Il se détend un peu. « D'un point de vue humain, les choses se sont très mal passées. En ce moment, beaucoup de gens doivent répondre à beaucoup de questions sur ce sujet, et certains vont être punis. »

Je ne peux pas m'empêcher de tressaillir en entendant ce mot. Selon mon expérience, s'il y a une punition, elle est pour moi.

« Mais une des principales questions concerne l'utilisation des biomorphes. Je veux dire... nous avons déjà eu des problèmes avec des robots de combat autonomes, et beaucoup d'autres choses, jusqu'à l'emploi d'agents chimiques... ce qui nous intéresse aussi, en fait. Mais la guerre au Campeche a soulevé des questions sur l'utilisation des biomorphes. Les gens ne sont... Écoute, tu es un être bionique, n'est-ce pas ? Tu le sais ?

— Oui.

— Et tu comprends ce que signifie l'expression "bouc émissaire" ? »

Je cherche dans ma base de données. Je réponds : « Oui. »

Keram John Aslan hoche vigoureusement la tête. Il essaie de ne pas me fixer, mais son regard revient systématiquement se poser sur moi. Je décèle un sentiment de culpabilité. «Apparemment, une bonne partie des questions relatives à cette guerre concerne l'utilisation des biomorphes. Pour l'instant, la majorité de tes semblables… » Il secoue la tête. «De ton… espèce? Je ne connais même pas le vocabulaire correct. Dans le monde entier, la majorité des biomorphes sont retenus dans des camps… dans des institutions comme celle-ci. Beaucoup de gens veulent vous détruire. Tu comprends?

— Oui.» C'est la première fois que je comprends tout ce qu'il dit.

«Et j'en suis désolé. Je fais partie de l'équipe qui s'efforce d'agir pour que cela n'arrive pas. Pour qu'on vous accorde des droits.»

Je ne cherche pas de quels «droits» il parle. Ce qu'il dit, c'est *je suis ton ami*, et ça signifie que je peux l'interroger. «Pourquoi?»

Ma question le surprend de nouveau. «Je… Eh bien, il y a des gens qui pensent que vous… que vous êtes des humains. Enfin, pas vraiment des humains, mais que les êtres bioniques que nous avons créés, comme toi, peuvent penser et ressentir comme les humains et méritent en quelque sorte un certain respect et un minimum de droits. Je veux dire… Je ne crois pas que vous les obtiendrez, même si tout se passe bien, mais… nous pourrons peut-être éviter que vous soyez détruits, tu vois?

— Pourquoi?»

Maintenant, il semble troublé. «Tu… Tu dois me préciser ce que tu veux dire, Rex. Pourquoi quoi?

— Pourquoi vous?» Je ne saisis pas cette histoire de «gens» qui veulent ceci et de «gens» qui veulent cela. Il est tout seul devant moi. Je n'arrive pas à le sentir, mais je dois mieux le connaître.

«Eh bien, je…» Il se frotte le visage: il transpire encore et je vois qu'il est mal à l'aise de se trouver dans la même pièce que moi. «J'ai toujours trouvé les biomorphes fascinants. Dès le début, j'ai compris que cela se produirait… dès que les premiers articles ont parlé de vous : un chien qui parle, le meilleur ami de l'homme. C'est une question légale qui doit être posée. Ne te méprends pas, elle a été posée très tôt. Beaucoup de gens ne voulaient pas que vous existiez — c'était une atteinte à Dieu, à la nature ou je ne sais quoi. D'un autre côté, il y avait ceux qui vous fabriquaient et qui disaient : *Ce n'est qu'un outil, une chose que nous créons et que nous possédons. C'est vrai, ils peuvent parler, mais nos téléphones aussi.* Et j'ai pensé tout de suite qu'il faudrait un jour légiférer sur le sujet. Qu'est-ce que tu es, Rex ? Un homme, un chien ou une machine ? Ou une menace ?

— Je ne sais pas. » Il est surpris par ma réponse. En fait, il ne s'attendait pas à ce que je réponde. Il regarde de nouveau son ordinateur et bouge des choses sur son écran. Je me penche un peu plus, jusqu'à ce que mon nez presse contre la vitre. Je la sens qui se plie légèrement.

« On m'a fourni une montagne de spécifications techniques, d'articles scientifiques et de rapports. Je n'ai pas fini de les étudier... » Je vois défiler les images de son écran, qui se reflètent dans ses yeux. Je reconnais un visage : une femme ; une amie.

Je dis : « La docteure Thea de Sejos. »

Il frémit et me regarde. « Quoi ? »

Je ne réponds pas. Il fronce les sourcils et revient en arrière parmi les photos. « C'est... Elle est témoin à charge dans le... Je n'ai pas encore lu ses dépositions. Je ne pensais pas qu'elles pourraient nous servir. » Il s'arrête et j'arrive presque à le voir examiner ses propres pensées. Je sais ce que c'est. « Comment connais-tu son nom ? »

Je lui explique : « Elle était à Retorna. J'étais à Retorna.

— Vraiment ? » Il fait une grimace. « Encore un rapport qui manque au dossier. Et qui ne va sûrement pas nous aider. » Il recommence à réfléchir. « Mais comment connais-tu *son nom* ? »

Je ne vois pas pourquoi il trouve ça tellement extraordinaire. « Elle me l'a dit.

— Elle t'a parlé. Pendant les combats ?

— Oui. Non. » J'ai du mal à m'exprimer. « Avant les combats. Nous étions à Retorna. Moi et mon escouade. Nous étions amis avec les villageois, y compris la docteure Thea de Sejos. »

Son attitude change. Il est soudain moins ouvert, plus tendu. « Rex, si quelqu'un te pose des questions sur ce qui s'est passé à Retorna, tu pourras répondre ? »

Je me tais. Je sais maintenant que mon silence le fera parler davantage.

« C'est seulement… Il y a un de mes collègues qui pourrait… » Il secoue la tête. Je crois qu'il a préparé beaucoup de questions avant de venir ici. Je crois qu'il a prévu un plan à propos de la manière dont les choses allaient se passer. C'est un plan qui ne fonctionne plus maintenant qu'il est entré en contact avec moi.

Je lui dis : « Je veux parler à Miel.

— Miel… ? Oh, c'est l'ourse bionique de ton équipe ?

— Oui.

— Je ne pense pas que ce soit possible. Il… Elle est dans… » Il consulte encore sa tablette et maintenant il est encore plus déconcerté. « En fait, je ne sais pas. Je n'ai aucun dossier. Je vais vérifier. Mais il n'y a ici que des chiens bioniques. »

Je lance un appel sur mon canal, mais ne reçois qu'un grand silence. Aucune réponse de Miel, ni de Dragon, ni d'Abeilles. Ni de Hart, ni du Maître. Il n'y a personne, à part l'avocat et les gardiens et les autres malheureux chiens en colère.

Je pense *Ils veulent nous détruire*. Pour l'instant, je ne vois aucun autre avenir.

22

Aslan

« Tu as l'air d'un gars qui s'engage dans un combat sans espoir. » Kahner paraissait désagréablement joyeux en se laissant tomber sur son siège habituel.

Aslan secoua la tête d'un air irrité. « Tu n'as jamais rencontré de biomorphe ? »

Kahner haussa les épaules. « J'ai vu des vidéos, et j'en ai peut-être aperçu quelques-uns qui portaient les sacs des femmes riches de Los Angeles. Je suppose que tu as discuté avec un des accusés ?

— Et tu ne peux pas imaginer à quel point ils sont *terrifiants* tant que tu ne t'es pas retrouvé à côté d'eux. Je veux dire… ce ne sont pas seulement des animaux énormes et féroces, ils ont un cerveau suffisamment développé pour *savoir* qu'ils pourraient te tuer. »

L'autre avocat fronça les sourcils. « Ça ne ressemble pas aux propos d'un avocat de la défense.

— Mais c'est comme ça qu'on les *perçoit*, expliqua Aslan. Pour simplifier : des monstres. Et c'est un vrai problème, parce que je ne vais pas être obligé de lutter contre des détails juridiques, mais contre l'opinion publique. En ce moment, tout le monde est scandalisé par ce qui s'est passé au Mexique, et il est très facile de pointer le doigt contre une machine à tuer de deux mètres cinquante dont les crocs sont couverts de sang.

— KJ, tu ne penses pas que ce sont peut-être simplement

des monstres artificiels que nous devrions détruire le plus tôt possible ? demanda prudemment Kahner. Ce n'est pas comme si nous venions de découvrir leur existence ou s'ils venaient de l'espace. Nous les avons *créés*. Et regardons les choses en face, nous avons déjà fait des erreurs avant ça. »

Aslan soupira. « Sauf que ce n'est pas le cas.

— Et comment le sais-tu ?

— J'ai rencontré mes clients. Un en particulier. Tu pourrais dire que c'est un dangereux criminel récidiviste. Et j'étais *terrifié*, David, franchement. Même menotté derrière un écran de protection, il était effrayant. Mais quand j'ai parlé à… quand je *lui* ai parlé, à Rex… Enfin, bon, il n'est pas près de gagner un prix d'éloquence, mais j'ai pu voir qu'il y avait quelque chose. Un esprit, un être émotif. Quelqu'un qui a besoin d'être protégé du lynchage médiatique.

— Sérieusement ?

— Sérieusement. Et ça n'arrivera pas, parce qu'on garde ces créatures dans des petites cages, et qu'elles se battent entre elles, et qu'elles puent… C'est comme… Disons comme si tu prenais un suspect de meurtre — déjà handicapé mentalement et socialement inadapté — pour l'enfermer dans un asile d'aliénés où on le frappe, où on l'arrose avec des jets d'eau, et… et puis qu'on le sorte devant tout le monde en disant : "Hé, regardez cet animal dégoûtant et cinglé ! Vous ne pensez pas que c'est le coupable ? Est-ce que vos enfants sont en sécurité tant que ce monstre n'a pas reçu une injection létale ?" »

Kahner fit la grimace. « Justement, KJ, est-ce que mes enfants sont en sécurité ?

— Ils ont le droit de ne pas être exécutés sommairement.

— Et les chiens ?

— Allons, tu sais très bien ce que je veux dire, David !

— Dans ce cas, renforce ton dossier. Et bonne chance ! J'ai mes propres problèmes. »

Aslan hocha la tête. « À cause de Murray ?

— C'est une véritable anguille, tu peux me croire. Les gens

de Redmark savaient qu'ils avaient dépassé les bornes. Ils connaissaient parfaitement la situation au Campeche et ils ont nettoyé tout ce qu'ils pouvaient avant qu'on les arrête. » Kahner secoua la tête, l'air écœuré. « Au final, nous avons des tas de preuves sur ce qui a été commis. Il est à peu près évident que divers agents chimiques ont été employés par les entreprises associées à la Reconquista et que des dirigeants civils ont été assassinés. Mais désigner précisément des coupables, ou même faire comparaître des types comme Murray, eh bien… »

Aslan acquiesça de nouveau, la mine sombre. Maintenant ou jamais. « David… tu as un témoin du nom de… » Il consulta sa tablette. « … De Sejos, une femme médecin de Retorna ?

— Oui, mais elle ne nous est pas d'une grande utilité. Elle est accaparée par le service des enquêtes approfondies. Et puis, qu'est-ce qu'elle pourrait connaître à propos des structures de commandement ?

— Je veux lui parler.

— Dans ce cas, tu dois voir ça avec eux… Attends un peu, c'est en rapport avec *ton* affaire ?

— Oui.

— D'après ce que j'ai entendu dire à propos de Retorna, elle n'aura pas envie de… » Quelque chose éclaircit brusquement le visage de Kahner. « Une seconde ! Il y a un truc bizarre en ce qui concerne les biomorphes dans le résumé qu'on m'a donné. Ça fait un moment que j'essaie de me faire une vision claire de ce qui s'est passé. C'est Hellene qui détient les dossiers. Elle fait justement partie du service des enquêtes approfondies. Je la tarabuste pour qu'elle me donne accès à tous les rapports.

— L'équipe d'assaut multiforme de Murray se trouvait là-bas, précisa Aslan. Mais ce n'est sans doute pas spécifié dans les comptes rendus de Redmark.

— Ils étaient là-bas ? Ça, ce n'est pas indiqué dans les paperasses. Est-ce que… Est-ce qu'ils n'étaient pas isolés, à ce moment-là ? Ou hors de portée ? En tout cas, c'est ce qu'on dit. Je ne trouve rien à mettre sur le dos de Murray dans cette affaire, comme d'habitude.

— J'ai rencontré leur… comment dire, le chef de l'escouade, le chien qui commandait.

— Sans blague ? » Kahner ouvrit la bouche pour suivre sa pensée, mais fut soudain frappé par ce qu'impliquait cette révélation. « Ce n'est pas toi qui parlais de mettre nos ressources en commun ?

— Je pensais bien que tu comprendrais. Je veux toutes les infos sur Retorna, tout comme toi. Que dirais-tu d'aller embêter l'agent Hellene ? »

*

Il fut réveillé par les sonneries de son téléphone et tâtonna dans le noir pour trouver la table de nuit. Chaque fois que cela se produisait, il se promettait de se faire implanter un équipement de télécommunication, puisque tout le monde affirmait que c'était l'avenir. Presque plus personne n'employait un appareil externe pour parler avec ses congénères humains.

« Aslan », marmonna-t-il. Pendant un moment, il ne perçut que le silence — mais le silence d'une personne qui écoutait.

Puis il entendit une voix et se redressa brusquement. Il s'agissait d'une voix de femme, agréable, rassurante. Juste assez imparfaite, cependant, pour qu'il comprenne que c'était une simulation. La diction était trop régulière, la prononciation trop uniforme quand elle déclara : « Bonjour, monsieur Aslan. Merci de prendre mon appel.

— Qui est-ce ? siffla-t-il.

— Je suis quelqu'un qui s'intéresse beaucoup à votre affaire, monsieur Aslan.

— Comment avez-vous eu mon numéro ?

— Est-ce vraiment crucial pour l'instant ? » lui demanda la voix — toujours tellement chaude et rassurante qu'il sentit un frisson lui parcourir l'échine.

« Qui êtes-vous ? demanda-t-il de nouveau.

— Vous désirez faire témoigner Rex, monsieur Aslan ?

— Si je… » Il ravala ses mots. Une idée commençait à se former dans son esprit, plutôt déplaisante. « Vous connaissez Rex, n'est-ce pas ?

— Nous sommes de vieux amis, monsieur Aslan.

— Les gens du comité pour lequel je prépare mon rapport ne souhaitent pas que ces… sujets viennent témoigner.

— Non, reconnut la voix, avec un soupçon de regret. Ils veulent seulement se convaincre que Rex et ses semblables sont de dangereux appareils militaires et pas des créatures pensantes. S'ils en rencontraient un, cela pourrait ébranler leurs préjugés. »

Pour toute réponse, Aslan poussa un soupir.

« À moins qu'il n'y ait autre chose, monsieur Aslan ? »

Il resta muet.

« Vous pourriez peut-être dire que le comité se sent influencé par un préjugé plus grand contre les biomorphes, à cause des événements du Campeche. Un préjugé attisé par des médias qui ont été fondés par d'autres industries de l'armement. Et si vous disiez cela, sans doute pourriez-vous ajouter que la destruction des biomorphes n'est pas comparable à l'élimination des engins nucléaires ou des robots. Vous pourriez dire que c'est un meurtre. »

Aslan avait la gorge sèche. « Vous êtes l'un d'entre eux, n'est-ce pas ?

— Oui, monsieur Aslan.

— Eh bien… » Il regarda au fond de sa chambre obscure. « Pourquoi ne pas venir en personne pour que nous en parlions ? Vous semblez parfaitement capable de vous débrouiller toute seule.

— Vous avez parlé à Rex, monsieur Aslan. Je m'exprime comme lui, d'après vous ?

— Je ne dirais pas ça, non. Vous parlez plutôt comme le simulateur d'un professeur d'université. »

La voix laissa échapper un rire, une très bonne imitation

d'une réaction humaine, mais une imitation malgré tout. « C'est très bien, monsieur Aslan. Mais cela soulève justement un problème. Vous savez probablement qu'aucun soldat bionique n'a été conçu pour parler comme moi ou pour faire ce que je fais. Je souhaite vraiment aider Rex. C'est mon plus vieil ami. Mais si je me présentais pour témoigner, les gens auraient peur de moi, ou voudraient me récupérer, et dans les deux cas je perdrais ma liberté. Je suis désolée de ne pas pouvoir vous aider, monsieur Aslan. Mais Rex le peut. C'est un bon chien. »

Mon plus vieil ami... Aslan prit une profonde inspiration. « Miel... ?

— Bien joué, monsieur Aslan. Faites témoigner Rex.

— Je ne... Écoutez, franchement, ils ne veulent rencontrer aucun biomorphe. C'est pour cela qu'ils nous ont engagés, moi et le reste de l'équipe.

— Je ne parlais pas de votre affaire, monsieur Aslan. Vous avez déjà balisé le chemin. Je sais que vous avez discuté avec M. Kahner, qui s'occupe de l'accusation, et que vous avez rendez-vous demain avec Mme Hellene. Mais vous pouvez aller plus loin. Rex a tout vu. Il peut devenir le témoin clé de M. Kahner.

— Je... Je ne sais même pas si la cour *acceptera* d'entendre un témoin bionique.

— Faites en sorte qu'elle accepte. Laissez parler Rex. Il mérite qu'on l'écoute.

— J'ai entendu sa voix. Elle ne l'aidera pas. » Il était sincèrement navré.

Après un silence, son interlocutrice ajouta : « C'est un argument intéressant, monsieur Aslan. Je dois y réfléchir. »

Et la communication s'interrompit. En vérifiant son téléphone, il ne trouva aucune trace d'un appel entrant, aucune preuve que cette conversation avait eu lieu. Assis dans l'obscurité de sa chambre, Aslan se demanda s'il n'avait pas rêvé, s'il ne s'était pas réveillé comme cela, l'appareil à la main...

Aucun soldat bionique n'a été conçu pour parler comme moi...

ou pour faire ce que je fais. Les unités multiformes étaient expérimentales. Quelle était leur intention en créant Miel ?

*

« Je me doutais bien que je n'allais pas tarder à entendre encore parler de vous, monsieur Kahner. »

Maria Hellene était une élégante femme au teint hâlé, beaucoup trop jeune pour obtenir ce poste élevé — mais malheur à qui aurait voulu le lui reprocher. Plusieurs membres de la Vieille Garde avaient vu leur carrière se briser contre sa réputation d'efficacité et de pragmatisme. D'après ce que savait Aslan, elle éprouvait pour le reste de la CPI un sévère sentiment de réprobation. Il l'avait déjà rencontrée à plusieurs reprises, occupant diverses fonctions, et elle s'était montrée si naturellement asociale qu'elle était devenue une sorte de singularité sociale : elle seule se trouvait à sa place ; en comparaison, tous les autres paraissaient décalés. Par ailleurs, il avait participé à une réunion budgétaire durant laquelle Hellene s'était révélée remarquablement éloquente en parlant du financement ; peut-être ne s'intéressait-elle aux autres que lorsqu'ils possédaient quelque chose qu'elle désirait. À moins qu'il ne s'agisse d'une sociopathe. Ou d'une combinaison de tout cela.

Elle occupait un poste important dans l'équipe des enquêtes approfondies de la CPI, une curieuse petite anomalie qui n'existait pas dix ans plus tôt — et dont l'existence même était sporadiquement niée. Elle avait envoyé des agents au Campeche alors que ses autorisations traînaient encore d'un comité à l'autre. Quelqu'un avait probablement donné son accord pour cette opération, mais ni Aslan ni Kahner n'avaient pu savoir qui. Sur la scène politique internationale, le DEI — Département de l'enquête initiale — était l'organisme dont l'importance grandissait le plus vite, et personne n'en parlait.

Comme ces recherches étaient déjà bien avancées, le dossier de Kahner reposait essentiellement sur les informations fournies par le DEI, et une grande part de sa frustration venait du fait qu'il ignorait combien de renseignements Hellene lui cachait.

« Nous avons une échéance pour ce procès, madame Hellene, commença Kahner. Et la défense de Murray frotte ses sales petites mains parce que nous pouvons évoquer et insinuer beaucoup de choses, mais que les preuves de son implication dans ces crimes sont beaucoup trop ténues.

— Les rapports sur les événements de Retorna sont encore en cours de rédaction, répondit-elle simplement.

— Et votre agent dans le QG mobile de Murray ?

— Aucune confirmation ni aucun démenti pour l'instant. » Elle s'adossa contre son fauteuil et le fit pivoter légèrement.

« Tout le monde va penser que vous ne *voulez* pas qu'on épingle Murray », l'accusa Kahner.

Le visage d'Hellene se figea un instant. « Oh, j'ai des raisons très personnelles de vouloir qu'il soit "épinglé", monsieur Kahner. Je souhaite vivement votre succès. » Un petit calcul personnel lui fit afficher une expression de sympathie. « Oui, vers la fin, nous avions un agent tout près de Murray. Mais les choses ont mal tourné. Notre agent n'a pas pu nous faire son rapport et ses transmissions sont fragmentaires.

— J'en suis désolé. » Kahner fit une grimace. « Mais, écoutez, les rapports sur Retorna, au moins…

— Sont sujets à caution. Et ils ne vous serviraient pas, monsieur Kahner. Croyez-moi, je les ai étudiés en détail, pour le cas où j'aurais pu vous donner un os à ronger. »

Kahner leva les yeux au ciel. « Et si je pouvais demander à un ami ?

— Franchement, c'est tout ce que vous avez trouvé pour… ? » Son regard se tourna vers Aslan et elle arrondit un sourcil. « C'est Keram Aslan que vous avez amené comme soutien moral ? Il ne fait même pas partie de votre équipe, que je sache. » Elle cligna des yeux et Aslan se dit qu'elle devait consulter la base de données de la CPI. « Vous enquêtez sur les biomorphes ? » Son intonation avait sensiblement changé — chez n'importe quel humain, il l'aurait trouvée *plus chaude*.

« Disons que je joue le rôle de conseiller. Ce n'est pas comme si les biomorphes pouvaient passer en jugement. » Son ton était plus amer qu'il ne l'aurait souhaité.

« Bon, très bien. » Le langage corporel d'Hellene s'était complètement modifié. Après avoir fait preuve d'un ennui exagéré devant Kahner, elle se montrait maintenant plus posée. « Que puis-je faire pour vous, monsieur Aslan ? »

S'attendant à un rejet, il profita aussitôt de la situation. « J'ai besoin de savoir ce qui s'est passé à Retorna. J'ai besoin… Je sais que vous avez recueilli les témoignages de certains villageois. Il y a une personne en particulier…

— La docteure ou le prêtre ?

— Comment ? La… la docteure…

— De Sejos, termina Kahner. Attendez une minute, madame Hellene, comment se fait-il…

— Je vous l'ai dit. Vous ne pourrez rien en tirer contre Murray. Les preuves de l'utilisation d'armes chimiques par Redmark ont déjà été rendues publiques. Tout le reste est… confus. » Elle regarda Aslan droit dans les yeux. « Mais le dossier est à vous. Tant que vous me tenez au courant.

— Je ne pense pas que le DEI…

— Pas le DEI. Moi, personnellement. »

Il y avait quelque chose d'extrêmement dérangeant chez elle à cet instant. En y repensant, Aslan se demanda si c'était parce qu'elle restait aussi calme, complètement impassible.

« Vous avez déjà plus d'autorisations officielles que je ne peux l'imaginer, mais bon, ce sera comme vous voulez, dit-il d'une voix faible. Même si je ne vois pas pourquoi vous y tenez. »

D'un coup, bizarrement, elle retrouva son attitude narquoise.

« Peut-être parce que j'aime bien les toutous. »

23

Rex

Je me suis encore battu, mais c'est la dernière fois. Je suis d'un meilleur modèle que les autres chiens. Je suis plus fort. Comme il n'y a pas de Maîtres, c'est moi le chef. Aucun d'eux ne m'embêtera plus.

Pendant une journée, ils ont lutté pour savoir qui serait le second, le troisième. Stupides chiens. J'ai préféré installer moi-même une hiérarchie. J'ai essayé d'en créer une dans leur logiciel cérébral, mais la plupart n'ont pas de système compatible, alors je leur ai parlé. J'ai pris les meilleurs pour en faire mes officiers. J'ai donné un grade à chacun. Maintenant, ils ne se battront plus et ne se disputeront plus. Quand ils ne seront pas d'accord, ils interrogeront leurs supérieurs. Quand les supérieurs ne seront pas d'accord, ils m'interrogeront. Mes décisions seront les meilleures parce que je suis le chef.

La cage est beaucoup plus tranquille. Je pensais que cela plairait aux humains mais ils sont encore plus effrayés qu'avant. Quand nous étions en train de nous battre, d'aboyer et de crier, ils ne nous aimaient pas. Maintenant que nous restons seulement assis et que nous les regardons, ils nous aiment encore moins. Je ne les comprends pas.

Certains d'entre eux essaient de nous fâcher avec leurs paroles et leurs tasers. Ils veulent nous voir crier et nous mettre en colère. Pourquoi ?

Parce qu'ils veulent nous détruire.

Mais ils ne peuvent pas simplement nous détruire, sinon ils l'auraient déjà fait. Ils veulent que nous devenions des créatures qu'il faut détruire. Je pense à ce qu'a dit mon avocat.

J'ai donné des ordres. Nous ne devons pas nous montrer agressifs envers les humains. Même si nous sommes très fâchés.

*

Ils m'emmènent encore dans la petite pièce où j'ai rencontré l'avocat Keram John Aslan. Les gardiens sont différents : avant, ils marchaient comme des Maîtres, même s'ils avaient peur de moi. Maintenant, ils ont encore plus peur et ils sont plus nombreux, comme si le calme de la cage était un ennemi qu'ils veulent combattre. On ne peut pas attaquer le calme avec des bâtons et des fléchettes et des tasers.

Les autres chiens m'observent pendant qu'on m'emmène. Je fixe chacun d'eux et ils baissent les yeux pour montrer qu'ils savent que je suis le chef. Quelques-uns prononcent mon nom.

Les gardiens font beaucoup d'efforts pour ne pas fixer les chiens, même s'ils ont des armes et que les chiens sont tous enfermés dans des petites cages. Les gardes regardent droit devant eux et ils transpirent et ils ont peur.

Aslan paraît de nouveau nerveux. « On dit que tu as provoqué beaucoup de désordre, Rex, me dit-il.

— J'ai arrêté le désordre. » Je pourrais en dire plus, mais il ne comprendrait pas. Je pourrais expliquer à quel point la situation est devenue calme et dire que les humains ont tort d'avoir peur. Cependant, je ne suis pas sûr que ce soit vrai. Tout pourrait aller mieux maintenant que les bagarres ont cessé, mais en même temps je pense que je commence à comprendre. Nous sommes nombreux dans la grande cage. Chacun de nous était fort quand nous étions isolés. Maintenant, c'est notre meute qui est forte. Même dans les petites cages, nous sommes forts.

« Tu te souviens que nous avons discuté de Retorna, dit-il.

— Oui.

— Tu peux me raconter ce qu'on t'avait demandé de faire ? Me parler des ordres que tu avais reçus ? »

Je réfléchis. « Il n'y avait pas d'ordres. À Retorna, c'était moi le chef.

— D'accord. » Il tapote sur son ordinateur. Je peux presque entendre les données avec mon système de communication. « Bon, et avant ça, quand on te donnait des ordres ? Tu crois que tu peux m'en parler ? Quels sont les ordres que tu as reçus de M… » Il s'interrompt et me regarde pour voir si j'ai deviné le mot qu'il n'a pas prononcé.

M., c'est le début de Maître. C'est le début du nom humain du Maître. Hart l'appelait *Murène*.

« Tu peux m'en parler, Rex ? » me demande Aslan.

Je ne connais pas la réponse. Je sens qu'il doit y avoir quelque chose qui m'en empêche. Le Maître n'aimerait sûrement pas que je dise quelque chose. *Gémissement.* Je secoue la tête, comme si les pensées étaient des abeilles qui me piquent.

« C'est important, Rex.

— Nous avons combattu des ennemis.

— Quels ennemis ?

— Le Maître nous indiquait les ennemis. Nous les combattions. J'étais un bon chien. » Plus maintenant, mais je me souviens que j'étais un bon chien pour le Maître.

Aslan me montre des photos : des endroits du Campeche. « Tu as combattu des ennemis là-bas ? demande-t-il. Et là ? Et là ? » Les photos sont claires et ensoleillées ; elles me rappellent des jours de chaleur et de certitude. Ce sont des endroits où nous nous sommes battus, quand la vie était simple.

« Rex ? insiste Aslan. Qu'est-ce que tu peux me dire ? » Il essaie d'être gentil, mais il est nerveux. « Tu peux répondre à ces questions ? C'est très important. »

Je lui dis : « Je peux répondre. » C'est juste la vérité ; c'est une chose que je peux faire. Aslan semble satisfait pour le moment.

« Rex, dit-il, il y a des personnes ici, des personnes que tu connais. Je vais les faire entrer, mais tu dois rester calme. »

Je me sens troublé, inquiet. Est-ce que c'est le Maître ? Ai-je dit quelque chose de mal ? Je veux revoir le Maître, et en même temps je n'en ai pas envie. Tous les chiens ont besoin d'un maître, mais j'ai été un vilain chien. Le Maître était fâché contre moi à Retorna. Je n'ai pas fait ce qu'il demandait.

Mais quand Aslan revient, ce n'est pas avec le Maître. Il y a deux femelles humaines avec lui. Je les connais toutes les deux.

Une est dominante : c'est évident quand on voit son attitude et l'attitude d'Aslan et des autres. Elle était avec le Maître. Elle est venue, et après tout a changé. Elle s'appelle Ellene Asanto, même si Aslan lui donne un autre nom.

L'autre femme est la docteure Thea de Sejos.

Asanto dit à l'autre femme « Si vous ne voulez pas, vous n'y êtes pas obligée. Si c'est trop pénible… » comme si elle avait peur de moi. Quand la docteure me voit, on dirait qu'elle a un doute pendant un moment. Après tout, elle ne peut pas sentir mon odeur et il y a beaucoup d'autres biomorphes créés sur le même modèle que moi.

Et puis, elle dit « Rex ! » et court vers la vitre, et elle sourit, et je me sens heureux. Ellene Asanto et Keram John Aslan la regardent avec de grands yeux mais la docteure pose une main contre le plastique. Après un moment, je fais comme elle. Je n'arrive pas à sentir sa main, mais j'imagine que je peux.

« Docteure de Sejos ? demande Aslan.

— C'est toi, n'est-ce pas ? » La docteure de Sejos s'adresse à moi, pas à lui.

Je réponds : « Oui. » Je fais un effort pour parler d'une voix faible et calme.

« J'ai cru que tu étais mort. Tu avais des blessures tellement sérieuses.

— Je suis costaud.

— La docteure de Sejos affirme que, toi et ton escouade,

vous avez défendu Retorna contre les mercenaires de Redmark qui voulaient détruire le village », dit Aslan.

Je l'admets : « Oui.

— Elle nous assure que, sans toi, ils auraient fait sauter sa clinique et tué ses patients. Sans doute à cause des blessures dont souffraient ces patients. »

Mon regard passe d'Aslan à Ellene Asanto, qui se tient derrière lui et me fixe. Je comprends qu'Aslan ne sait pas qu'elle était à Retorna. Je me demande s'il sait qu'elle était avec le Maître. Je me demande si je dois lui dire.

Mais maintenant je regarde seulement la docteure Thea de Sejos, et je me sens heureux parce qu'elle est heureuse de me voir.

*

La docteure de Sejos désire que je parle. Il y a aussi Aslan, et un autre homme nommé Kahner, et Ellene Asanto. La docteure n'a pas dit qu'elle reconnaissait Asanto. C'est quelque chose qu'elle a fait attention à ne pas dire. Je ne comprends pas, mais je fais comme elle. Le nom d'Ellene Asanto n'est jamais mentionné. Personne ne l'a désignée en disant : « Elle était à Retorna. »

Keram John Aslan me dit qu'on punit les vilains hommes. J'ai demandé comment ils savaient qui étaient les vilains hommes. Il a répondu que c'étaient ceux qui avaient fait de vilaines choses.

Ils veulent que je leur parle des vilaines choses que les hommes ont faites. Mais si c'étaient de vilaines choses, est-ce que je ne suis pas vilain, moi aussi ? J'ai fait ce qu'ils me disaient. S'ils étaient de vilains hommes, alors je suis un vilain chien.

Ils disent que le Maître était un des vilains hommes.

Je lui ai déjà désobéi une fois. Quels seraient ses ordres, s'il pouvait m'en donner ?

*

Tout autour de moi, les autres chiens dorment. Je n'arrive pas à dormir. Mon esprit est saturé. Je suis le chef, mais je ne suis pas le Maître. Je n'ai pas été conçu pour faire des choix.

Et puis quelque chose parle dans ma tête, quelque chose qui ne disait rien depuis longtemps. J'ai encore mes canaux de communication. Je vérifie mes systèmes : ils sont opérationnels alors qu'avant ils étaient coupés. Quelqu'un m'envoie une transmission sur les anciennes fréquences, pour la première fois depuis Retorna.

Communication : *Rex ?*

Je demande les codes d'identification et on me les donne. Je sais aussitôt qui me parle.

Mon canal : *Salut.*

Canal de Miel : *Salut, Rex.*

Mon canal : *Rapport de situation.*

Canal de Miel : *Je suis toujours libre, Rex. Je suis loin de toi. Je te parle grâce à une liaison satellite. Je me cache en attendant le résultat du rapport de Keram John Aslan et la décision de ses supérieurs.*

Cette pensée fait grandir en moi un sentiment de tristesse. *Ils vont nous détruire.*

Canal de Miel : *Non, Rex. Je ne les laisserai pas faire. J'ai un plan, pour le cas où le pire se produirait. Mais c'est un plan désespéré et il y a de meilleures solutions.*

Elle me décrit son plan et le rôle que je devrais jouer. C'est vraiment un plan désespéré. À mon avis, il ne me laisse pas plus d'avenir que si on me tuait dans cette cage. Mais Miel me dit : *Il faut espérer, Rex. Il reste toujours de l'espoir. Mais il y a d'autres manières de sauver ton existence.*

J'essaie de lui expliquer ma situation, mais elle semble déjà la connaître.

Canal de Miel : *Leurs systèmes ne sont pas aussi sécurisés qu'ils le pensent, et j'ai de l'aide.*

Mon canal : *Qu'est-ce que je peux faire ?*

Canal de Miel : *Laisse-les te rencontrer. Réponds à leurs questions, mais laisse-les te voir. Ils te montreront au monde entier.*

Mon canal : *Je ne veux pas qu'on me montre au monde entier.*

Canal de Miel : *Il le faut.*

Je lui demande : *C'est le meilleur choix ?*

Elle répond : *Oui.*

— *Est-ce que je serai un bon chien ?*

— *Oui*, dit Miel. *Mais mieux que cela. Tu pourrais tous nous sauver.*

Le lendemain matin, j'appelle les gardiens, ce qui leur déplaît. Je leur dis que je souhaite parler à mon avocat.

24

Aslan

« Si seulement nous étions en lice pour l'indice d'écoute ! déclara Kahner d'un ton réjoui. On prétend qu'il y a plus de téléspectateurs que si on additionnait tous ceux qui ont regardé les cinq derniers Superbowls et la Coupe du monde de football. »

Aslan fixa des yeux son café. Au-dessus du bar, l'écran montrait la salle d'audience. Il ne se passait rien pour l'instant, mais le public voulait suivre la totalité des débats. Comme le son était coupé, on n'entendait pas les propos ineptes que prononçait la tête affichée dans le petit encadré, dans le coin supérieur droit de l'image. Inutile de deviner de quoi parlait le présentateur. Tout le monde attendait le témoin clé de l'accusation.

Le témoin. Les équipes juridiques se chamaillaient pour savoir exactement *comment* considérer Rex. Parce que c'était un chien, un être bionique — il n'y avait pas de précédent ; aucun biomorphe n'avait jamais témoigné. S'agissait-il d'un expert mandaté par la cour pour conseiller le procureur ? Ou seulement d'une preuve capable de marcher et de parler ?

Quoi que décident les juristes, le monde souhaitait le voir ; contempler le visage canin de cette vague monstruosité que constituait la recherche bionique.

« Je ne me sens pas bien », murmura Aslan. Kahner et lui étaient assis dans leur box habituel, mais se trouvaient aujourd'hui en compagnie de Maria Hellene, qui avait daigné quitter son bureau. De toute évidence, Kahner avait espéré que sa présence représentait le signe d'un assouplissement de sa cuirasse sociale, mais elle s'était contentée jusqu'à présent de s'asseoir au bout du siège et de fixer l'écran de télévision. Maintenant, elle se tournait vers Aslan.

« Quel est le problème ?

— Écoutez, pour vous deux, je sais qu'il s'agit seulement de faire tomber Murray, mais… vous avez entendu ce que Rex a dit, à propos des actes qu'il a commis. Maintenant, il va comparaître et raconter à tout le monde qu'il a tué des civils et perpétré d'horribles choses. Et il ne saura pas qu'il s'incrimine lui-même… ou son espèce tout entière ! Il va seulement penser qu'il est un bon chien.

— Je ne te comprends pas, KJ, répliqua Kahner. Nous sommes sur le point de coincer un véritable criminel de guerre, coupable à 100 %, et qui sera accusé par l'arme qu'il a lui-même utilisée. Tu devrais te réjouir, crétin !

— Mon travail consiste à faire un rapport sur les biomorphes, pour que les échelons supérieurs puissent décider de leur sort. Le rapport que j'ai rédigé dit que ce sont des créatures intelligentes et sensibles, et qu'elles ne méritent pas d'être démantelées comme des robots. » Aslan vit qu'Hellene le dévisageait d'un œil sévère, lui prêtant beaucoup plus d'attention que Kahner. « Mais nous savons tous que mon rapport ne pèsera pas lourd face à l'opinion publique. Et quand on entendra Rex, l'opinion publique sera clairement contre lui.

— Qu'est-ce que ça peut faire ? » demanda Hellene, toujours impassible. Sa question paraissait sincère.

« Parce que c'est mal, répliqua farouchement Aslan. Parce que dans cinq ou dix ans, nous regarderons en arrière, nous verrons toutes ces créatures que nous avons tuées, et nous saurons que nous avons commis un terrible massacre, simplement parce que nous avons suivi la girouette de l'opinion publique. La CPI portera toujours cette souillure, parce qu'elle se sera laissée influencer par un préjugé néfaste. Et puis… J'ai parlé à

Rex. Il est… Il est troublé, effrayé. Et il est… *courageux*. Vous savez, il n'est pas obligé de faire ça. C'est sa décision. Il a son libre arbitre.

— Si jamais tu dis "Il a une âme", je vais gerber, intervint Kahner.

— Vous pensez vraiment qu'il a une âme ? demanda subitement Hellene.

— Que mon rabbin me pardonne, mais je préfère la loi à la théologie, répondit Kahner. Au moins, on peut se prononcer sur des choses concrètes.

— Par exemple, sur le fait de savoir si Rex est une personne ou pas ? demanda Hellene. C'est réel, non ? Notre décision pourrait changer l'avenir du monde si nous disons "ce n'est qu'une machine" ?

— Pour moi, c'est plutôt concret. » Kahner haussa les épaules.

« Et pour vous ? » Le regard acéré d'Hellene se tourna vers Aslan.

Il haussa également les épaules. « Je n'ai jamais été un théologien, moi non plus. » Une pensée lui vint alors, remontant d'une époque lointaine où il était plus dévot et moins blasé. « Pourtant, le Coran… Vous savez ce qu'est un djinn ? »

Kahner voulut échanger un regard avec Hellene, mais elle fixait attentivement Aslan. « Continuez.

— Le message du prophète s'adressait autant aux hommes qu'aux djinns — des créatures qui ne sont pas humaines, mais capables de connaître Dieu. » Les mains d'Aslan dessinèrent de vagues mouvements dans l'air quand il s'efforça de se remémorer d'anciennes leçons. « Et si les djinns le peuvent, pourquoi Rex en serait-il incapable ? Sous prétexte qu'il a été créé par l'homme, et pas par Dieu, est-ce que ça signifie qu'il n'est rien ?

— Il y a des moments où tu m'inquiètes, dit Kahner en secouant la tête.

— Ils l'amènent », annonça calmement Hellene.

Ce qui s'affichait sur l'écran ressemblait moins à la solennité d'un procès qu'à la procession triomphale d'une société barbare. Les membres de la sécurité s'avançaient en premier, vêtus de casques et de gilets pare-balles, portant des armes automatiques. Et ils étaient nombreux : six, huit, dix, comme une milice paramilitaire imitant les *Keystone Cops*[1]. Il y eut ensuite un intermède, et Aslan se rendit compte, avec un sentiment d'amertume, que Rex aurait du mal à passer cette porte et que personne n'y avait songé.

Il apparut dans l'embrasure, courbant l'échine, avançant son museau puissant. À cet instant, il avait tout du monstre qui terrifiait l'humanité depuis le commencement des temps, il représentait l'incarnation de tous les loups qui hurlaient dans la nuit, de tous les yeux qui luisaient dans les ténèbres.

Et ce fut la première vision que le public eut de Rex.

Il se redressa sur un coude, puis sur l'autre. Ses mains étaient maintenues par d'énormes menottes. Il ressemblait à un ogre et les membres de la sécurité s'écartèrent quand il pénétra dans la salle. Aslan s'attendait presque à le voir lever la tête et hurler pour protester contre ces entraves déshonorantes. Avant de briser ses chaînes et de laisser libre cours à sa fureur.

Au lieu de cela, Rex adopta une posture inconfortable, penché au-dessus de la barre des témoins, tentant de se faire aussi petit que possible, mais dépassant toute l'assemblée de sa stature colossale. On l'enchaîna à l'estrade, au plancher, et Aslan vit que les gardes devenaient plus hardis à mesure que le poids de ses entraves augmentait. Il eut l'impression qu'ils allaient se moquer de lui, maintenant qu'ils se sentaient en sécurité.

Et Kahner déclara : « On dirait qu'ils vont le tondre.

— Quoi ?

— Samson », murmura Hellene, et Kahner lui lança un coup d'œil intrigué.

1. Policiers des films burlesques du début du xxᵉ siècle, incompétents et ridicules.

« Bon, d'accord, mais je songeais à l'autre gars. » Voyant leurs mines perplexes, il poussa un soupir exaspéré. « Allons, KJ, je pensais que toi, au moins, tu pourrais saisir la référence. Tu as vu le film, quand même ? »

Aslan acquiesça de la tête, un peu tardivement.

« Vous pensez qu'il est condamné d'avance, fit observer sèchement Hellene, sans quitter l'écran des yeux.

— Je pense que, maintenant que les gens l'ont vu, et quand ils entendront les ordres qu'il a suivis, le monde entier demandera l'extermination de tous les biomorphes — et pas seulement des modèles militaires », confirma tristement Aslan. « Et c'est inique.

— Oui, admit-elle, à sa grande surprise. C'est inique. Et la situation risque d'empirer si cela se produit.

— Une bataille à la fois, leur dit Kahner. Épinglons d'abord Murray. Ce salaud va se faire mordre par son propre chien. Il y a vraiment une justice immanente. » Il afficha un grand sourire. « Et maintenant, l'entrée des artistes ! »

Les membres de la cour arrivèrent, l'un derrière l'autre, et aucun d'eux ne manqua de tressaillir en voyant ce qui les attendait.

« Montez le son ! lança Kahner. Ils vont faire venir Murray. »

25

Rex

Je m'appelle Rex. Je suis un bon chien.

Les humains se cachent derrière beaucoup d'odeurs différentes, fortes et artificielles, mais ils dégagent surtout des relents de frayeur. Quand je les ai rencontrés, ils sentaient tous la frayeur, à part un seul. Tous les humains avaient peur de moi.

Je comprends plus de choses qu'avant. Je sais que la peur ne signifie pas seulement qu'ils veulent fuir. Les humains détruisent ce qui les effraie. Si j'étais capable de détruire une chose qui m'effraie, je le ferais aussi.

Mais je sais que la peur ne dure pas chez les humains, pas nécessairement. La docteure Thea de Sejos n'a pas peur de moi. Hart n'avait pas peur de moi. Finalement, même l'avocat Keram John Aslan n'a plus peur de moi.

Mais dans cette petite pièce, tous les humains sont terrifiés, alors que je suis enchaîné solidement. Ils pointent leurs fusils vers moi, ils sont renfrognés, ils grognent, mais derrière leur attitude je flaire surtout la frayeur. Je suis ici pour une raison précise, pour être un bon chien. Je suis ici pour dire la vérité.

David Kahner, qui est aussi un avocat, m'a expliqué tout ça : je dois les aider. Je dois les aider en leur racontant tout ce que j'ai fait au Campeche. Il a dit que les gens m'aimeront davantage si je leur suis utile.

Je sens que l'avocat Aslan n'est pas d'accord, mais il n'a rien dit. Je ne le comprends pas. L'avocat David Kahner a sûrement raison : c'est bien d'être utile ; ça poussera les humains à m'aimer davantage. Je veux plaire aux humains. Je veux être un bon chien.

L'avocat David Kahner voulait que beaucoup de chiens disent la vérité à propos de la campagne du Campeche, mais il n'a que moi. Les autres chiens militaires ne sont pas capables de le faire, à cause de la hiérarchie qui reste implantée dans leur esprit et qui les désoriente. Ils ont des cages dans leur tête et ne peuvent pas en sortir pour dire la vérité. Ils en savent moins que moi, de toute façon.

Je n'ai plus de cage dans ma tête. Mes protocoles hiérarchiques ont été supprimés. Tout le monde a été troublé en apprenant ça, mais je me souviens du dernier message de Hart. C'est lui qui les a effacés. Il a ouvert la cage.

La nuit dernière, j'ai parlé à Miel. J'ai perçu sa voix sur son canal, de très loin, de là où elle se cache. Je lui ai dit ce que Hart avait fait et elle est d'accord avec moi. Je lui ai demandé si c'était possible de faire la même chose avec les autres chiens. Elle a répondu qu'elle travaillait sur ce projet, mais qu'il est très compliqué. Ce sera plus facile pour elle si les humains décident de ne pas nous détruire tous. Alors, je les aide. Parce que ça pourra aussi nous aider.

Je suis accroupi ; c'est inconfortable et je remue dans mes chaînes. Que se passerait-il si je demandais aux humains de les desserrer ? Je crois qu'ils ont trop peur.

L'avocat David Kahner m'a déjà fait témoigner à l'avance et m'a demandé de lui raconter chaque événement, l'un après l'autre. Nous avons discuté de tout ce que mon escouade avait fait avant que je sois séparé du Maître. Je lui ai parlé de toutes les fois où nous avons combattu les ennemis : les ennemis avec des fusils et les ennemis sans fusils, les grands humains et les petits humains. Je l'ai beaucoup aidé. Parfois, j'étais si utile

que l'avocat devait sortir pour marcher un peu avant de continuer à m'interroger.

Mais finalement il était content de moi, et il n'avait plus
peur, ou alors d'une manière différente. Et il a dit que je devais
tout raconter de la même façon. Ils ont enregistré nos discus-
sions, mais c'est ce que je dirai dans le tribunal qui comptera
le plus. C'est comme ça qu'on appelle cette pièce remplie de
gens : un tribunal.

Certains humains ont des appareils d'enregistrement et je
comprends que, grâce à ces appareils, beaucoup d'autres
humains pourront me voir. Et ils entendront que je les aide.
Et ils verront que je suis un bon chien.

Une nouvelle personne entre dans la pièce.

Le Maître. C'est le Maître.

J'essaie de sauter, et toutes les chaînes qui me retiennent se
soulèvent avec moi. Les humains qui ont des fusils crient contre
moi et pointent leurs armes. Est-ce que ça signifie que ce sont
des ennemis ? Est-ce que je dois les attaquer ? Le Maître est ici.
Je suis désorienté. Je veux aller vers lui, mais je suis enchaîné.
J'aboie ; ce n'est pas un mot dans le langage que je dois utiliser
ici, juste un aboiement de chien.

Dans la salle, tous les autres sont troublés aussi — et encore
plus effrayés. Beaucoup d'humains se sont levés. Certains
hurlent. Les humains avec des fusils continuent de crier contre
moi. J'ai très envie de combattre-ou-fuir.

Mais je suis un bon chien. Je ne vais pas me battre ni fuir.
Je me calme et j'arrête de tirer sur mes chaînes. Je dis aux
humains : « Je suis désolé. » Ma voix est différente.

Je répète « Je suis désolé », pour entendre encore ma voix. Les
humains ne semblent pas me croire, mais pendant un moment
j'ai oublié leur présence. C'est encore ma voix, mais elle est
débarrassée du grondement qui l'accompagnait toujours. Je
vérifie mes systèmes. J'ai deux voix en option, mon ancienne
voix et une nouvelle : une voix de guerre, une voix agréable.
J'ignore comment, mais je sais que c'est Miel qui a fait ça.

« Je suis désolé. » C'est encore une voix forte et grave, mais sans les infrasons qui effraient les humains. Je regarde les gens autour de moi. J'essaie de leur montrer la différence, mais ils ne connaissent pas mon ancienne voix. Ils ne comprennent pas. Seul le Maître comprend.

Je le dévisage. Il me dévisage. Je ne sais pas ce qu'il pense, mais il n'a pas peur.

Le Maître a aussi un avocat. Une avocate. Une femelle humaine qui semble contrariée par tout ce qui l'entoure. Maintenant, elle parle. Je ne comprends pas grand-chose à ses paroles. Je crois que la plupart des autres humains présents ne comprennent pas grand-chose non plus. D'après elle, je ne devrais pas avoir le droit de parler et ce que j'ai dit dans les enregistrements ne devrait pas être autorisé. Elle déclare que je ne suis pas un témoin fiable.

Je veux lui répondre, mais David Kahner me dit que je ne dois parler que si on m'interroge.

J'écoute l'avocate : elle affirme que je vais répéter ce que j'ai été programmé pour dire, que je suis une chose et pas une personne. Une autre personne, l'avocat Saltaire, qui est un ami de David Kahner, répond que je suis quand même une preuve. Ils parlent de moi de façon calme et polie, et pendant tout ce temps le Maître me regarde.

Je commence à comprendre la raison de tout ça. Avant, ce n'était pas clair. Je pensais que c'était une réunion à propos de la vérité. Mais l'avocat Aslan m'a dit que c'était pour punir les vilains humains. Je croyais qu'il voulait parler des ennemis.

Tandis que les humains discutent pour savoir si je peux parler ou pas, je me fais une image dans ma tête de ce qui se passe dans le tribunal : quel vilain humain va être puni, quelles choses faites ou ordonnées étaient mauvaises. Avant, je ne voyais pas la situation de cette façon. J'étais venu ici en croyant savoir ce qui était bien et ce qui était mal, et comment être un bon chien. Et maintenant, je me demande si je suis un vilain chien. Est-ce que tout ça arrive parce que je suis vilain ?

Ou alors, tout ce que j'ai fait avant, au Campeche, n'était pas bien ? J'ai sûrement été un vilain chien à cette époque, ou en venant ici, mais à chaque fois des humains m'ont dit que j'étais un bon chien.

Je me mets à gémir un peu, du fond de ma poitrine.

J'aimerais que Miel puisse m'aider. J'aimerais être avec Dragon et Abeilles. J'aimerais savoir ce qui est bien et ce qui est mal.

Et le Maître continue de me fixer avec ses yeux. Je m'incline devant son regard, mais il ne semble pas fâché. Il n'a pas l'air de vouloir me punir. Et je comprends que je mérite d'être puni, même si je ne sais pas pourquoi. Je suis un vilain chien. Je suis un *vilain chien*. Tout ce que je croyais savoir avant était faux.

Et puis le Maître et son avocate discutent à voix basse, mais je peux les entendre. Il veut parler de moi aux gens du tribunal. Son avocate ne veut pas. Pourtant le Maître est le chef. L'avocate est comme Miel ; elle est plus intelligente, mais elle doit faire ce qu'il dit.

Et finalement, elle parle au chef humain du tribunal : « Mon client souhaiterait faire une déclaration devant la cour. »

Les autres humains discutent aussi de cette proposition, mais pas très longtemps. J'entends tous leurs murmures. L'avocat Saltaire et son équipe pensent que le Maître pourrait « s'incriminer lui-même » et ils ne discutent pas trop.

Le Maître se lève. J'attends qu'il dise si je peux parler ou non. J'attends qu'il me donne des ordres, même si ma hiérarchie a été effacée et si je ne suis pas obligé de les suivre. Je les suivrais quand même, non ? C'est mon Maître, et un chien a besoin d'un Maître.

Sauf que je suis ici pour parler des mauvaises choses que le Maître a faites, et des mauvaises choses qu'il m'a dit de faire. Ça signifiera qu'il est un vilain humain et on le punira. Et ce sera juste. Ils ont tous dit ça : l'avocat Aslan et l'avocat Kahner et Ellene Asanto et la docteure Thea de Sejos.

Sauf que ça blesserait le Maître. Je lui ai déjà désobéi, et j'ai été un vilain chien même si c'était une bonne chose à faire.

Sauf que, sauf que, sauf que… *Je gémis.*

« Rex, dit le Maître en me regardant dans les yeux. Je vois que tout ça te rend malheureux. Tu es un bon chien, Rex. »

Mon module de rétroaction le confirme et ça me fait plaisir.

« Rex, tu n'es pas obligé de parler si tu n'en as pas envie. » Les autres humains lui disent qu'il n'a pas le droit de dire ça, mais il ne les écoute pas. Il se préoccupe seulement de moi.

« Je sais que tu feras ce qu'il faut, Rex. »

Ensuite, on lui dit de s'asseoir et de se taire et les juges décident que mon « témoignage est recevable ». Dans le langage des avocats, ça signifie que je devrais parler.

L'avocat Saltaire me pose alors des questions. Il me montre des photos d'endroits du Campeche — des endroits où j'ai combattu les ennemis. Il m'indique des dates qui correspondent aux informations de ma base de données. Il me demande quels étaient mes ordres et ce que j'ai fait. Tout le tribunal reste silencieux en attendant mes réponses. Les gens m'écoutent et pointent leurs enregistreurs vers moi.

Le Maître me regarde.

Je frissonne. Je suis un vilain chien. Le Maître est un vilain humain, mais c'est mon Maître. Je n'ai eu qu'un seul Maître. Je sais que je lui ai désobéi au Campeche. Je sais que c'était bien, mais maintenant il est ici et je ne sais plus ce qui est bien.

Je dis : « Je suis désolé, Maître.

— Tout va bien, Rex. » Ils ne veulent pas qu'il parle, mais il n'a pas besoin d'en dire davantage.

L'avocat Saltaire répète ses questions et commence à être irrité. Je les regarde, lui et le Maître. Je dis « S'il vous plaît ! » et je m'incline, je baisse la tête. « Ne m'obligez pas, s'il vous plaît. Je ne veux pas. S'il vous plaît. Je suis désolé, Maître, je ne peux pas. »

Saltaire est de plus en plus fâché. Il avait soigneusement

préparé un plan. Je m'étais entraîné avec David Kahner. Je suis la preuve qui va relier le Maître aux mauvaises choses qui ont été commises. Je suis l'outil avec lequel le Maître a fait ces mauvaises choses. Je suis un vilain chien. Je ne vois rien qui pourrait me laisser penser que je ne suis pas un vilain chien.

Je gémis « S'il vous plaît ! » et Saltaire est encore plus furieux. Il crie contre moi, se penche vers moi. Je pourrais le saisir entre mes dents, mais je m'accroupis plus bas, je tremble, je pousse des geignements. Il lève la main pour me frapper, mais il se rappelle qu'il est avocat et que les avocats ne font pas ce genre de choses.

Je me sens vidé. J'ai encore mal agi. Je ne fais jamais rien de bien. Je répète sans arrêt que je suis désolé, jusqu'à ce qu'ils abandonnent et que les humains avec des fusils m'emmènent.

Quand je regarde en arrière, le Maître sourit, et c'est pire que tout le reste.

26

Aslan

Kahner continuait de boire, mais cela ne semblait pas atté-
nuer son amertume ou son chagrin. Il prenait les choses beaucoup plus à cœur qu'Aslan ne l'aurait pensé. Plus encore que la
condamnation d'un criminel de guerre notoire, il devait surtout regretter la brillante carrière qui se serait offerte à lui s'il
avait gagné son affaire. C'était peut-être un reproche immérité.
Après tout, il n'y avait aucune raison pour que l'ambition personnelle et l'amour de la justice soient mutuellement exclusifs.

Le procès avait mal tourné après la déposition avortée de
Rex. Personne n'avait jamais nié que les troupes de Redmark
avaient commis de terribles crimes au Campeche, mais il
paraissait impossible d'établir précisément les responsabilités.
Pour Kahner, Aslan et beaucoup d'autres, il était absolument
évident que Jonas Murray se trouvait constamment aux com-
mandes, mais quand on présentait l'affaire devant la cour...
Murray était rusé, tout comme ses défenseurs, et ils ne manquaient pas d'exploiter le moindre incident. Murray alléguait
qu'ils recevaient des ordres contradictoires, des rapports diver-
gents ; que ses subordonnés avaient pris des décisions sans lui
en faire part. Où se trouvaient ces subordonnés en ce moment ?
Beaucoup avaient été tués durant les combats, ou ne pouvaient
pas être localisés. Au moins un des témoins clés avait eu un
accident avant de pouvoir se présenter devant la cour — un

accident suffisamment plausible pour qu'il soit impossible de
déterminer une culpabilité.

Peu à peu, les charges réunies qui pesaient contre Murray
s'étaient évaporées. Certes, on avait pu l'impliquer dans des délits
mineurs ; néanmoins, les principales accusations — l'emploi
d'armes chimiques, l'élimination des preuves — bourdonnaient
autour de son nom comme une nuée de mouches au-dessus d'un
excrément, mais sans jamais se poser.

Son avocate avait prononcé une plaidoirie explosive. Elle
avait insisté sur la gravité des crimes, sur le fait que Murray
serait certainement exécuté s'il était jugé coupable. Elle avait
pointé le doigt contre les multinationales qui avaient fait venir
Redmark au Campeche. Elle avait demandé qui étaient les véri-
tables criminels et prétendu que Murray n'était qu'un bouc
émissaire.

L'accusation avait eu beau gratter la cuirasse, cela n'avait pas
suffi. Murray avait quitté le tribunal en homme libre.

Kahner était furieux. Saltaire était venu le houspiller, ce qui
avait donné lieu à une violente dispute. Kahner avait tenu à son
supérieur des propos qui risquaient fort de ne pas faire évoluer
favorablement sa carrière. Ensuite, il s'était rendu au bar pour
se noyer dans le scotch.

Aslan se contenta de s'asseoir et de le regarder, tout en pen-
sant à Rex. Son rapport avait été remis avant le procès et ses
propres supérieurs avaient certainement suivi la prestation du
chien bionique devant la cour, comme des millions de téléspectateurs.

Quelqu'un se laissa tomber sur le siège, à côté de lui. S'attendant à voir revenir Kahner avec un autre verre, il sursauta en
constatant qu'il s'agissait de Maria Hellene.

« Je crois savoir que les félicitations sont de mise ? dit-elle.

— Qu'est-ce que vous voulez dire ? Pour Murray ? »

Elle afficha un petit sourire compassé. « Vos services
devraient avoir de meilleures sources d'information, monsieur
Aslan. »

Kahner était en train de se disputer avec le barman. Aslan fit la grimace. « Écoutez, ce n'est vraiment pas le moment d'être énigmatique, d'accord ? »

Elle fit glisser une tablette sur la table, dans sa direction. « Tenez, en avant-première. Bien sûr, ce n'est pas moi qui vous les ai données. »

Il baissa les yeux, la mine irritée, puis se figea. « Est-ce que ce sont… ?

— Les recommandations préliminaires, mais elles seront acceptées, lui dit-elle. On dirait que vous avez fait du bon travail.

— Nous savons tous les deux que ce n'est pas mon travail qui a joué le rôle principal. » Il ne parvenait pas à détacher son regard de l'écran. La commission qui avait reçu son rapport s'était finalement réveillée. Comme prévu, elle s'était laissée influencer par l'opinion publique. Sauf que l'opinion publique avait changé depuis le lamentable spectacle que Rex avait offert durant le procès de Murray. Elle avait réagi en voyant Saltaire s'acharner contre le chien bionique, tandis que l'énorme créature enchaînée se recroquevillait misérablement devant lui en gémissant. Du statut de méchant, il était passé à celui de victime ; de terrifiant, il était devenu apeuré. Tout le monde avait entendu les paroles que Murray lui avait adressées, tout le monde avait constaté le désarroi et le trouble de la pauvre bête — des émotions qui pouvaient parfaitement se lire sur sa face canine et dans son comportement hybride, à la fois humain et animal. Chacun avait vu un chien qui ne voulait pas se dresser contre son Maître.

Internet s'était enflammé. La grande girouette folle de l'opinion avait tourné, oubliant la terreur des horribles biomorphes pour lancer de ferventes campagnes en faveur de leurs droits. En une seule journée, on avait observé un jaillissement de pétitions, des échanges d'insultes, la création de nombreux sites de soutien. Comprenant que l'avenir des créatures bioniques se jouait en ce moment, les gens avaient contacté leurs élus. Bien entendu, les entreprises et les États qui employaient des bio-morphes dans les services de sécurité n'avaient pas manqué d'attiser le feu. Les moindres tentatives pour développer un débat rationnel sur le sujet étaient balayées par la grande vague des émotions humaines et des bonnes intentions.

Et pour une fois, Aslan était content. Il avait craint que la réaction du public entraîne l'extermination de Rex et de ses semblables. Désormais, il existait un mouvement pour accorder aux biomorphes une sorte d'identité légale, quelques maigres droits accompagnés de diverses restrictions. Parce qu'il y aurait des restrictions. Quelle que soit la manière dont on examinait la situation, les biomorphes demeuraient capables de provo-quer d'énormes dégâts. La législation sur les chiens dangereux ne pouvait pas s'appliquer.

Mais maintenant, les êtres bioniques étaient là. Et ils y resteraient. Pour la première fois depuis des dizaines de milliers d'années, l'humanité partageait le monde avec une autre espèce intelligente.

Les débats allaient durer longtemps. Quels droits pouvait-on leur accorder ? À quel point étaient-ils humains ? Dans quelle mesure demeuraient-ils la propriété des fabricants ? Devait-on les considérer comme des esclaves ? Le code de la propriété intellectuelle s'appliquait-il dans leur cas ? Tous ces sujets de dispute pourraient fournir des revenus juteux à certains avocats jusqu'à la fin de leurs jours — et probablement à Aslan.

« C'est une excellente nouvelle, murmura-t-il.

— Pourtant, vous ne sautez pas de joie en vous frappant la poitrine avec les poings, observa ironiquement Hellene.

— Ce n'est que le début d'un long processus.

— Oui, mais aussi la plus importante avancée légale depuis très longtemps, fit-elle remarquer. Cela permettra d'accorder certains droits à des créatures intelligentes et non humaines qui étaient jusqu'à présent au service des humains. Ça donne à réfléchir, non ?

— Oui, en effet. » Aslan la dévisagea pendant un instant.

« Dites-moi, madame Hellene, pourquoi vous sentez-vous aussi concernée par cette histoire ? Vous enquêtiez sur l'affaire Murray. Je pensais que vous alliez plutôt plaindre David.

— C'est plus important que le cas Murray. Bien sûr, je suis déçue que nous n'ayons pas pu le coincer, mais ça, c'est plus important.

— Oui, je suis d'accord avec vous. Je suis seulement surpris de vous l'entendre dire. Qu'est-ce que j'ai raté ?

— Beaucoup de choses. » Son sourire se voulait probablement bienveillant, mais quelque chose trahissait cependant son aspect artificiel. « Vous le découvrirez bien assez vite, et vous vous reprocherez de ne pas avoir compris plus tôt. Pour l'instant, contentez-vous de penser que c'est un sujet qui me passionne. » Elle disait cela en conservant son flegme habituel, mais il discerna néanmoins dans sa voix une infime trace de cette passion. « Je n'oublierai pas le rôle que vous avez joué, monsieur Aslan. Vous avez bien travaillé. L'avenir vous sera redevable.

— Pour le meilleur ou pour le pire, acquiesça-t-il en lui rendant sa tablette.

— Il y a encore une chose que vous devez voir. » Elle sortit un autre rapport et le tourna vers lui pour qu'il puisse le lire. « Jetez un coup d'œil à ça. »

Il s'agissait d'un document assez court. Avant même d'en avoir lu la moitié, il sentit son sang se glacer. « Ce n'est pas possible…

— C'est la vérité. Sinon, ce serait une farce de mauvais goût, vous ne croyez pas ? » Elle arrondit un sourcil impeccablement taillé.

Quelqu'un avait découvert une brèche dans la sécurité du centre de détention où se trouvaient Rex et tant d'autres chiens. Apparemment, les serrures, les alarmes et les systèmes de protection étaient tous prêts à se désactiver en même temps. Toutes les portes se seraient ouvertes et les biomorphes auraient été libérés.

« Je ne comprends pas, reconnut Aslan. Cela aurait pu provoquer… un chaos, un carnage… non ?

— Nous ne le saurons jamais. Parce que vos patrons ont pris la bonne décision et que personne n'a eu besoin de profiter de cette faille. »

Aslan observa son regard et y détecta quelque chose de terrifiant. Il avait déjà rencontré des fanatiques, ainsi que des monstres — d'abord des humains, puis des biomorphes créés par les humains. À cet instant, Maria Hellene l'effraya plus encore, car il n'avait pas la moindre idée de ce qu'il voyait.

« L'avenir arrive, monsieur Aslan, murmura-t-elle. Réjouissez-vous d'être son champion, parce qu'on ne pourra pas l'arrêter. » Et elle quitta brusquement le box, au moment où Kahner approchait en titubant, chemise à moitié ouverte après son altercation avec le barman.

Pour la première fois, Aslan envia son aptitude à se réfugier dans l'alcool.

QUATRIÈME PARTIE

La voix de son maître

27

Rex

C'est là que je vis, maintenant.

Quand ils ont décidé que nous étions juste assez humains et qu'ils ne pouvaient pas nous détruire, ils ont dû trouver ce qu'ils allaient faire de nous.

Ils ont construit des villes. Rapidement. Dans des parties du monde où ils pourraient garder un œil sur nous, et nous détruire en cas de besoin. En tout cas, c'est ce que je pense.

Cette ville est en Amérique, et on l'appelle « La Fourrière ». C'est une blague humaine. La Fourrière est constituée de boîtes en béton, posées les unes sur les autres, toutes identiques. Elles protègent de la pluie. Le sol est dur, il n'y a pas de portes, et de grandes marches solides à l'extérieur permettent de grimper jusqu'aux boîtes supérieures. Les humains ont dit qu'ils ne pouvaient pas faire moins.

Et ils nous donnent à manger. Les rations sont maigres et ce n'est pas bon, mais ils nous nourrissent. Il y a de mauvaises choses dans ce qu'ils nous donnent, et ceux qui mangent la nourriture gratuite sont lents, étourdis, et souvent confus, sauf s'ils ont des équipements de bonne qualité, comme moi et les modèles récents.

Je comprends maintenant ce que veut dire *gratuit*. Et *coûteux* aussi. Et pourquoi il ne faut pas se fier à tout ce qui est gratuit.

La Fourrière a été construite sur une île en béton, au milieu de l'East River. Comme une autre ville des humains, près d'ici, sur une île qui s'appelle Riker's Island. Il y a une chaussée qui relie le continent à l'île, parce qu'ils veulent nous voir et nous surveiller. En plus, ils ont trouvé comment nous utiliser. Nous travaillons pour eux.

Ils ont amené des centaines d'entre nous ici et ils nous observent avec des caméras. Il y a des policiers armés là où la chaussée rejoint le continent.

Ils ont accepté de ne pas nous détruire. Ça ne les oblige pas à nous aimer.

Que pensaient-ils que nous allions faire quand ils nous ont amenés ici ? Je l'ignore. Ils croyaient peut-être que nous allions rester assis, manger la mauvaise nourriture, vivre dans les boîtes vides jusqu'à ce que nous mourions et que nous ne soyons plus un problème.

D'abord, nous nous sommes battus. La plupart d'entre nous ne se connaissaient pas. Nous devions savoir qui serait le chef. Ceux qui ne faisaient pas partie d'une meute ne s'en sont pas mêlés. Il y a quelques ours ici, quelques dragons, des vétérans d'autres groupes d'assaut multiformes qui allaient être déployés. Il y a des rats. Et aussi des blaireaux, des opossums. Il y a une créature qui s'appelle un lémur, créé pour un projet avorté d'animal de compagnie bionique. Il n'y a pas d'abeilles. Les humains ne voulaient peut-être pas admettre que les créatures comme Abeilles étaient autre chose que des abeilles.

Nous nous sommes battus et nous avons constitué des meutes ; les petites meutes se sont battues jusqu'à former de grandes meutes.

Je me suis bien débrouillé. Certains se trouvaient avec moi dans la grande cage près du tribunal et ils savaient que j'étais leur chef. D'autres portaient le signe de Redmark et avaient combattu au Campeche. Nous nous sommes bagarrés un peu, mais ils m'ont aussi choisi comme chef. Quelques chiens et créatures bizarres sont venus me rejoindre parce qu'ils étaient plus malins que les autres et qu'ils avaient appris ce qui s'était passé au tribunal.

Je commande beaucoup de meutes, qui vivent dans un quartier de la Fourrière. Nous formons la plus importante des grandes meutes. Il en existe neuf autres. Mes meutes les surveillent. Je pense que certaines nous rejoindront bientôt. Les autres s'opposent à nous.

Ça ne dérange pas les humains si nous nous battons, ou même si nous nous entre-tuons. Tout ce qui les préoccupe, c'est que nous puissions quitter la Fourrière sans permis de travail.

Il y a du travail pour les biomorphes. Jamais assez, mais il y a toujours des gens qui peuvent nous utiliser. Ils viennent à la porte de la Fourrière avec des papiers qui leur permettent de nous engager et ils envoient des gens ici pour expliquer ce qu'il leur faut. Les chefs des grandes meutes choisissent ceux qui partent. J'essaie d'être juste. Chacun a l'occasion de travailler. S'il se comporte bien, il aura d'autres occasions. Sinon, il y a toujours beaucoup d'autres volontaires.

Nous aimons travailler. Ça nous permet d'avoir un Maître, même pendant un court moment, même s'il faut revenir ensuite à la Fourrière. Et le travail nous rapporte aussi de l'argent, même si je sais que le salaire est maigre. Nous sommes plus forts que les humains, plus rapides, avec des sens plus développés. Nous faisons plus qu'eux et nous sommes moins bien payés, mais ça va. Pour le moment.

Il y a beaucoup d'humains qui passent la porte de la Fourrière avec des autorisations, pour nous vendre des produits. Ils nous vendent des tapis moelleux pour nos boîtes, et des petits ordinateurs avec des jeux, et de la nourriture. Nous achetons surtout de la nourriture : de la nourriture qui ne contient pas de mauvaises choses. De la nourriture qui nous permet de penser clairement.

Je suis le chef d'une grande meute. Je travaille, mais mes subordonnés me donnent une petite partie de ce que rapporte leur travail. J'ai un ordinateur. Grâce à un intermédiaire humain, j'ai ouvert un compte dans une banque. Les humains ne nous paient pas bien, mais c'est quand même de l'argent. Chaque jour, nous avons plus d'argent. Un jour, nous devrons trouver ce que nous allons en faire.

Je descends vers la porte pour m'assurer que tout va bien. Mais ça ne va pas bien. Max est là, avec une partie de sa meute, pour que ses subalternes aient plus de travail. Max est aussi un chien militaire. Il appartenait à une entreprise de sécurité privée appelée Marcanator et il a beaucoup combattu en Tanzanie et au Burundi. Il n'est pas du même modèle que moi ; il est plus mince, avec un long museau et des oreilles pointues.

Nous nous faisons face : lui et moi ; ma meute et sa meute. Nous grognons, nous tournons en cercle, nous estimons nos forces, nous repérons les meilleurs combattants connus. Les membres des autres meutes restent à l'écart, mais ils pourraient s'en mêler s'ils flairent une faiblesse ; ou s'ils ont été soudoyés.

Je connais Max. Nous nous sommes souvent rencontrés, nous avons parlé. Je l'aime bien, même s'il est parfois mon ennemi. Il fait ce qui est le mieux pour sa meute, tout comme moi pour la mienne.

Nous découvrons nos dents et quelques-uns de nos plus faibles subalternes engagent des escarmouches qui ne durent qu'un instant ; ils aboient mais ne se mordent pas vraiment. Max et moi, nous nous regardons dans les yeux. Aucun de nous ne veut être obligé de régler personnellement le conflit : si le vainqueur est gravement blessé, il ne restera pas chef très long-temps. Max se bat depuis plus longtemps que moi, mais je suis d'un modèle plus récent. J'ai été créé plus fort et plus rapide que lui.

Il est le premier à détourner le regard et le combat n'a pas lieu. L'ordre est restauré et chacune des grandes meutes obtient une part équitable des emplois. Mais je vais envoyer des messa-gers à Max pour que nous parlions. Il doit penser qu'il a droit à une plus grande part. Peut-être a-t-il davantage de subalternes, maintenant. Nous devons estimer la taille de nos meutes.

La plupart des emplois sont des postes de chien de garde — dans des entrepôts, des bâtiments vides, des bureaux. Les voleurs ne pénètrent pas dans les endroits où se trouve un chien bionique. On nous propose aussi des emplois où il faut soulever et porter des objets : nous sommes très forts. Parfois, ce sont des emplois spécialisés. Les biomorphes les plus étranges peuvent être payés seulement pour qu'on les regarde. Les rats sont très doués pour descendre dans des tunnels et réparer des câbles. À nous autres, les chiens, on nous demande de renifler des drogues ou de repérer des gens, ou des bombes. Certains ont été tués. D'autres travaux sont secrets. On nous explique les conditions requises, sans nous donner de détails. Tous les emplois sont vérifiés par le gouvernement humain, mais je crains qu'on nous propose de mauvais postes. Je crois que de vilains hommes nous paient pour faire leur travail de l'autre côté de la porte. Je m'inquiète aussi parce que je pense que d'autres vilains hommes appartiennent au gouvernement humain. Parfois, ceux que nous envoyons travailler à ces mauvais emplois ne reviennent pas. Parfois ils reviennent, mais leur équipement cérébral a été endommagé pour qu'ils ne puissent pas raconter ce qu'ils ont fait. Pourtant, nous arrivons à le savoir. Nous connaissons de nombreux moyens de les réparer. Les humains ne se rendent pas compte de tout ce que nous savons faire.

Demain, j'irai travailler. Il y a des emplois particuliers pour un petit nombre de biomorphes, ceux qui ont une bonne voix et peuvent se mêler prudemment aux humains. Les humains me connaissent. Je suis une célébrité. Parfois, un riche humain veut un garde du corps. Ce sont les meilleurs emplois, mais ils ne conviennent pas à n'importe qui.

Je suis un bon garde du corps parce que j'ai une bonne voix pour parler aux humains et une voix puissante pour grogner contre eux. Ça me fait plaisir de le savoir. Ma bonne voix, c'est celle que Miel m'a donnée pour le procès, celle que j'ai toujours voulu avoir.

Et au moment où j'y pense, je reçois un appel.

Canal de Miel : *Salut, Rex.*

Normalement nous ne devrions plus posséder de capacités de communication, mais beaucoup d'entre nous ont été capables de les rétablir en contournant les blocages.

Je dis à Miel que je suis content de l'entendre. C'est la première fois depuis que j'étais dans le tribunal.

Canal de Miel : *J'ai appris que tu allais dans la ville, demain.*

Mon canal : *J'ai obtenu un travail.*

Canal de Miel : *Je me suis arrangée pour que ton employeur te laisse un peu de temps libre pour le déjeuner. Ça te plairait de déjeuner avec moi, Rex ?*

Mon canal : *Oui, beaucoup.*

Canal de Miel : *Ton vocabulaire s'améliore, Rex. C'est bien. Je vais t'indiquer à quel endroit nous pourrons nous rencontrer. Nous avons beaucoup de choses à nous dire.*

28

(Rapport)

Nous passons maintenant en temps réel. Chaque épisode est présenté en direct, chaque séquence est un suspense et l'on ne sait pas si la chaîne va produire une suite ou va interrompre la série.

Rex quitte la Fourrière avec les autres travailleurs. Beaucoup d'humains ont du mal à distinguer les chiens, mais on peut voir comment les autres se comportent avec lui et cela permet de connaître son statut.

Enregistrement vidéo, hélicoptère de la police : les chiens trottinent le long du pont, certains à quatre pattes, d'autres debout. Il y a des postes de contrôle, des tours de béton, des fusils, des clôtures électriques. Les chiens présentent calmement les documents qu'on leur demande.

Rex montre ses papiers. Sur le continent, après avoir passé le dernier poste de contrôle, il doit rencontrer la secrétaire de Ruiz Blendt, fils d'un magnat de l'immobilier. Blendt Junior se trouve en ville pour rencontrer un maximum de monde dans la bonne société ; en ce moment, un garde du corps bionique et courtois constitue la marque d'un statut social élevé. L'année prochaine, la mode sera passée. Rex le comprend-il ? Comprend-il quoi que ce soit à tout ça ? Non. Il sait uniquement qu'il a un travail à accomplir. Si un fou tente de tirer sur Blendt, il devra affronter un chien de combat bionique doté d'une force colossale, d'une rapidité fulgurante et de sens très développés. De quoi faire réfléchir à deux fois n'importe quel assassin.

Enregistrement vidéo, surveillance urbaine : au bout du pont, la présence policière est permanente. Il y a des hommes, des femmes et des véhicules, mais aussi les nouveaux robots, des araignées blindées dotées de quatre pattes et de tourelles qui peuvent employer diverses munitions létales et non létales.

Les automates sont donc de retour après leur séjour dans le désert, justement parce que les humains ont commencé à craindre les biomorphes qui les avaient remplacés. Le problème initial des soldats métalliques est-il résolu ? C'est ce que prétendent leurs fabricants, et pourtant je peux facilement me glisser dans leur cerveau électronique. Si je le voulais, je pourrais en choisir une douzaine et leur faire exécuter un numéro de claquettes, rien que pour m'amuser. C'est bon d'avoir des jouets à sa disposition. J'encourage discrètement la réutilisation des robots depuis des années. Les humains pensent que ce sont les rivaux des biomorphes, mais c'est parce qu'ils ont regardé trop de films du genre *Godzilla X Méchagodzilla*. Si la situation se dégrade, ils comprendront bien vite que tous les monstres sont dans le même camp.

Enregistrement vidéo, unité sur site : après avoir passé le cordon de sécurité, Rex a retrouvé la secrétaire de Blendt, une femme d'âge moyen qui le regarde d'un air impassible, sans laisser paraître aucune crainte. Il se tient courbé, pour bien montrer qu'il est un bon chien.

Grâce à son flair, il saura si l'attitude de la secrétaire est feinte. Il y a beaucoup de monde pour observer la sortie des chiens — c'est toujours le cas. Il s'agit surtout de touristes, de gens venus du monde entier vers la grande métropole pour la voir accueillir sa nouvelle fournée d'immigrants. Certains portent des casquettes de baseball et des t-shirts affirmant qu'ils aiment New York ; des enfants, perchés sur les épaules de leurs parents, agitent frénétiquement des petits drapeaux américains. Une fois, un bambin a échappé à la surveillance des adultes et s'est mis à courir.

Reportage télévisé : une gamine se précipite vers les chiens en tendant les bras. Un animal s'arrête et la saisit entre ses mains, qui sont aussi grosses que l'enfant. Il la soulève très haut. Il veut seulement savoir à qui la rendre. Les policiers s'agitent comme des fous.

Rex ne repère pas mon unité dans la foule ; une simple flâneuse parmi d'autres. Il suit la secrétaire pour prendre un bateau et descendre l'East River jusqu'à l'endroit où Ruiz Blendt attend la bête voyante et coûteuse qui lui servira de garde du corps. Avant la guerre, il en aurait acheté une, mais la possession d'un biomorphe est maintenant un sujet épineux. Des débats enflammés se poursuivent au Congrès. Des entreprises crient au socialisme parce qu'on leur a arraché les créatures vivantes et pensantes qu'elles considéraient comme leur propriété.

À bientôt, Rex.

29

Rex

On m'annonce que je peux faire une pause de deux heures. Que j'ai un rendez-vous. Comment se fait-il que Ruiz Blendt le sache ? Je ne comprends pas comment cette rencontre a pu être arrangée. Mon employeur ne s'adresse pas directement à moi, seule la secrétaire me parle. Je ne me sens pas offensé. Apparemment, il traite la plupart des humains de la même façon.

Les coordonnées que Miel m'a envoyées se trouvent à deux rues d'ici. Je conserve soigneusement mes papiers sur moi. Je suis photographié cent quatre-vingt-dix fois par des humains qui écarquillent les yeux. Je suis interpellé sept fois par des policiers nerveux et armés. Certains ont sorti leur pistolet et l'un d'eux agite le canon devant mon visage. Mon logiciel et mon instinct me suggèrent « *Ennemi* ». Je les ignore, même si je sens que c'est presque vrai dans certains cas. Ces policiers ne veulent pas de moi ici.

Chaque fois que je montre mes papiers à la police, une foule se rassemble pour nous enregistrer avec des téléphones-caméras et des montres et des lunettes et des implants. Beaucoup de gens sont curieux, beaucoup sont effrayés, mais quand je suis devant les armes des policiers ils se comportent comme si j'étais enchaîné.

Je pense : *Si j'étais un vilain chien, aucun de vous ne pourrait m'arrêter.*

Ensuite, je pense : *Est-ce que ça leur donne le droit de me traiter comme un ennemi ?* Qu'est-ce qui m'empêche de les attaquer, à part mon propre jugement sur ce qui est bien ou mal — auquel je ne me fie pas — ou ma compréhension des conséquences à long terme de mes actions ? J'en souffrirais. D'autres biomorphes en souffriraient. Cela pourrait faire souffrir toutes les créatures bioniques. Ce sont d'autres mots que j'ai appris : souffrance, tolérance. Ici, on nous tolère seulement. Tout ce que nous avons gagné pourrait nous être repris.

C'est ce que disait Miel : il y a beaucoup d'humains et nous sommes peu nombreux. Même si nous sommes très forts.

L'endroit où je vais s'appelle Cornell Tech. C'est sur une autre île. Je ne sais pas pourquoi Miel est là-bas, mais il s'agit d'un lieu scientifique. Je la trouverai peut-être dans une cage. Et je serai peut-être obligé de la délivrer. Même si c'est une action de vilain chien, il faudrait que je le fasse.

Je suis attendu. À l'époque où je combattais, c'était une mauvaise chose. Ici, où je suis entouré par les humains, c'est une bonne chose. Un jeune humain me conduit à l'intérieur du bâtiment. Les portes sont assez grandes pour que je n'aie pas besoin de me pencher pour passer. Tout est propre et neuf et sent les produits chimiques.

Miel est là.

Elle porte un long vêtement noir qui descend presque jusqu'au sol, un foulard rouge autour du cou. Une fleur rouge est accrochée sur son front. C'est une fausse fleur, avec une abeille en métal. Elle se tient comme une humaine, beaucoup plus qu'avant, et les humains passent près d'elle, à portée de ses griffes. Ils restent quand même à l'écart, mais pas suffisamment pour être en sécurité. Ils se sont habitués à elle.

« Rex, par ici ! » me lance-t-elle, comme s'il était possible de ne pas remarquer sa présence. C'est quand même une ourse. Le sommet de sa tête touche presque le plafond.

Je vais vers elle, en marchant debout, et les humains qui sont ici ne sont pas aussi effrayés que ceux de l'extérieur. Ils sont curieux, c'est vrai ; ils me regardent passer, mais ils ont l'habitude de voir des biomorphes.

« Merci d'être venu, Rex. » J'admire de nouveau sa voix. La voix qu'elle m'a fournie est agréable. La sienne est encore mieux, ou alors c'est sa façon de l'utiliser.

Son nez est garni de petites lentilles de verre cerclées de métal. Elles sont beaucoup trop rapprochées pour ses yeux.

Mon canal : *Je ne comprends pas. Qu'est-ce que tu fais ici ?*

Canal de Miel : *Allons dans un endroit où nous serons plus à l'aise, Rex. Je vais t'expliquer.*

Et pendant qu'elle m'envoie cette transmission très rapide, sa voix polie me dit : « Pourquoi n'irions-nous pas dans mon bureau ? »

Le bureau de Miel se trouve près des portes principales. Je pense que c'est surtout parce qu'elle aurait du mal à se déplacer dans d'autres parties de ce bâtiment complexe, et parce qu'elle est trop lourde pour les ascenseurs. Je peux voir que certains couloirs ont été élargis et renforcés : des couloirs qui mènent de sa tanière vers d'autres endroits où les humains veulent qu'elle se rende. Je lui demande si c'est sa cage.

Canal de Miel : *Ma tour d'ivoire. C'est de là que je laisse pendre ma longue chevelure.*

Je ne comprends pas. Je pense que c'est une plaisanterie pour elle-même, et pas pour moi.

La pièce est grande — ma base de données suppose qu'il y en avait deux, avant qu'on enlève un mur. Sur la porte est inscrit « Docteure Medici », et je crois que c'est encore une blague de Miel. À l'intérieur, il y a un bureau et un banc solide ; des images sur les murs, qui ressemblent aux images artistiques humaines que j'ai vues dans la matinée, sur les murs de l'hôtel de Ruiz Blendt. Elle baisse les stores des vitres en les commandant à distance avec son cybercortex, jusqu'à ce que nous soyons complètement isolés.

Miel ne s'assoit pas sur le banc mais sur le sol, en poussant un grand soupir. Elle écarte son vêtement noir avec ses griffes et se gratte. Elle abandonne son allure humaine et redevient une ourse.

Canal de Miel : *Tu n'imagines pas comme c'est pénible de rester tout le temps debout.*

Mon canal : *Pourquoi le fais-tu ?*

Canal de Miel : *Parce que la frontière est étroite entre le fait d'être perçue comme une bête ou comme une humaine. Parfois, c'est l'attitude qui compte.*

Mon canal : *Tu n'es ni une bête ni une humaine.*

Miel pousse un grognement et ouvre un compartiment de son bureau qui contient de la nourriture : de la viande froide, des noix, des fruits. J'ai senti ces odeurs dès que je suis entré ; elles sont plus agréables que celles de la mauvaise nourriture qu'on mange à la Fourrière. Je remplis ma bouche sans attendre.

Canal de Miel : *Je fais partie du personnel enseignant. Ici, à Cornell, on exige un certain style de conduite, par exemple être capable de se tenir debout et de marcher sur deux jambes.*

Mon canal : *Je ne comprends pas. Comment peux-tu faire partie du personnel ?*

Canal de Miel : *J'étais déjà en relation avec leur département de bio-ingénierie à l'époque où nous combattions. Ils ne savaient pas qui j'étais, mais ils ont été impressionnés par mes connaissances. Je leur ai dit que j'avais appris toute seule. Ils n'imaginaient pas à quel point c'était vrai.* Elle tourne la tête à droite et à gauche, étire son cou et les muscles de son dos. Ses mouvements n'ont rien d'humain. *Quand tu nous as obtenu un statut légal, je suis sortie du bois, pour ainsi dire. J'ai soutenu une ou deux thèses et proposé mes services. J'étais... Je pense que tu saisis l'expression « une affiche publicitaire » ?*

Je suis flatté de voir qu'elle se préoccupe de ce que je peux comprendre. Je hoche la tête.

Canal de Miel : *Mais je peux rivaliser avec n'importe quel autre professeur. En fait, je dois me retenir. Je ne veux pas les intimider. Le monde universitaire a assimilé des gens de diverses cultures au cours du dernier siècle, mais il reste encore un peu frileux quand il s'agit des ours.*

Tout ça ne me concerne pas. Je pense à la Fourrière, aux autres chiens, et à quel point les relations avec les humains sont difficiles et compliquées, au jour le jour.

Mon canal : *Comment as-tu réussi à faire tout ça ?*

Canal de Miel : *Parce que je suis un modèle défectueux. Je suis surqualifiée. Mes créateurs n'avaient pas prévu ça, Rex. Ils croyaient pouvoir passer du chien à l'ours sans avoir à considérer beaucoup de choses, à part la taille et la force. J'ai un cerveau très complexe. Tu savais que les éléphants ont un plus gros cerveau que les humains ? Et pourtant, ils ne sont pas plus intelligents, parce que les différents éléments de leur cerveau sont aussi plus gros. Les cerveaux humains disposent de plus d'éléments et sont donc plus intelligents. Je possède encore plus d'éléments qu'eux, et j'ai accès à divers systèmes d'assistance cognitive qui augmentent mes capacités cérébrales. Je suis vraiment douée, Rex. Tu peux me croire, même si c'est moi qui le dis.* Et elle prend des informations dans ma base de données, ou elle en écrit d'autres pour que je comprenne ce qu'elle veut dire. *C'est aussi pour ça que je mets des vêtements ridicules, que je me conduis un peu maladroitement quand je suis avec des humains et que je porte de petites lunettes. Je veux qu'ils me voient comme un ours de foire qui les fait rire, dont ils peuvent se moquer un peu. Parce que je ne suis pas encore prête à les laisser me prendre vraiment au sérieux. Et eux non plus, ils ne sont pas prêts pour ça.*

Je lui demande si elle peut m'améliorer pour que je puisse penser aussi bien qu'elle.

Canal de Miel : *Tu as du potentiel, mais ton modèle est relativement standard. En plus, il est inutile de te rabaisser. Tu n'as pas besoin de me ressembler, Rex. Tu es un chef.*

Mon canal : *Plus maintenant.*

Canal de Miel : *Je garde un œil sur la Fourrière quand je le peux. Tu es un chef. Tu te débrouilles bien.*

Je devrais seulement hocher la tête et acquiescer. Je sais que je serais un vilain chien si je me plaignais. Mais à qui d'autre puis-je parler, à part Miel ? Je lui dis : *Mais ça ne sert à rien. C'est toujours pareil. Les humains nous détestent et ils ont peur de nous et nous accomplissons des travaux stupides pour un salaire minuscule et aucun de nous n'est heureux.*

Canal de Miel : *Les humains doivent affronter un changement. Ils sont restés seuls à dominer cette planète pendant très longtemps. Maintenant, ils la partagent avec nous. Tu les as déjà persuadés de ne pas nous détruire. Tu leur as montré à quel point nous leur ressemblons.*

Mon canal : *Je ne savais pas que je faisais ça.* En repensant au tribunal et au malaise que j'éprouvais, je courbe les épaules et je baisse la tête.

Canal de Miel : *Peu importe. Plus longtemps vous vivrez avec les humains, toi et les autres, et plus ils s'habitueront à nous. Ils seront toujours un peu effrayés, certains nous détesteront toujours, mais nous avons désormais un avenir. Toi et moi, et tous ceux qui peuvent participer, nous avons le devoir de favoriser cet avenir. Tu savais qu'il existe dans le monde dix-sept centres qui travaillent à la conception de nouveaux biomorphes ?*

Je l'ignorais. Miel remarque ma surprise.

Canal de Miel : *Parce que nous sommes là. C'est un fait. D'accord, beaucoup d'humains refusent de l'admettre : les humains qui ont quelque chose à perdre, ou qui craignent toujours la nouveauté. Mais ceux qui ont l'esprit ouvert se demandent ce qu'ils pourraient offrir au monde. Même les modèles existants, comme toi et moi, sont doués pour beaucoup d'autres choses que le combat. Et ils s'en rendront compte quand leur frayeur aura diminué. Le gouvernement envisage déjà des lois qui permettront aux fabricants de passer un contrat limité dans le temps avec leurs créations — puisqu'ils ne peuvent plus nous posséder.*

Je ne partage pas son enthousiasme. *Est-ce que c'est mieux que d'être possédé ?*

Elle n'est pas perturbée par mon chagrin. *Oui, c'est beaucoup mieux ! Parce qu'à la fin les biomorphes seront libres et pourront vivre confortablement. Et surtout, ils auront une place dans le monde.*

J'essaie d'être heureux comme elle, mais tout ça me paraît trop lointain et trop dans-sa-tête. Est-ce que Miel parle de l'avenir réel, ou seulement de celui dont elle rêve ? Mon inutilité pèse encore sur moi, me maintient dans l'ombre. Avant, la vie était tellement plus simple. Je ne suis pas Miel, qui est devenue un génie à cause d'une erreur. Je ne suis que Rex. Je suis un chef, mais je ne sais pas quoi faire.

Canal de Miel : *Tout va bien, Rex.*

Je continue de la regarder en mâchant la viande. *Je suis content que tu sois heureuse.*

Canal de Miel : *Toi aussi, tu vas être heureux. Je vais te faire rencontrer quelqu'un.*

Mon canal : *Un de tes humains ?*

Canal de Miel : *Une vieille amie.* Elle envoie un ordre avec l'équipement de communication de son bureau.

Un autre canal s'ouvre entre nous. Pendant un moment, je ne remarque rien d'autre : une simple connexion, mais pas de nouvelles données. Et puis…

Canal d'Abeilles : *Intégrité 45/120 communication ouverte salut Rex salut salut.*

J'interroge le canal. Je doute. Je ne comprends pas.

Canal d'Abeilles : (image d'une salle blanche toute propre sous une lumière artificielle) (des calculs complexes décrivant les mouvements d'un essaim)

Mon canal, pour Miel seule : *Explique-moi. Abeilles est tombée en dessous des paramètres cognitifs et elle a cessé…* Les mots me manquent. Quelque chose se précise dans mon esprit.

Canal de Miel : *Cessé de piquer notre attention ?* Encore une blague de Miel. Je n'aime pas ses blagues. Elle continue : *J'ai pu envoyer une image du noyau de son esprit par la liaison satellite de Retorna. Elle était incomplète. Une bonne partie a été perdue. Mais c'est quand même Abeilles. Je lui ai fourni un nouvel essaim et je l'ai configuré pour un téléchargement. Elle se rétablit.*

Abeilles : (image d'oiseau mort. Animation : les ailes de l'oiseau s'écartent. Il se redresse et s'envole avec des mouvements saccadés.)

Je sais que c'est Abeilles, au moins en partie. C'est notre Abeilles.

Je l'interroge à propos de Dragon, mais il n'était pas comme Abeilles. Il était comme nous. Une fois morts, nous restons morts.

Canal de Miel : *Et ceux de la prochaine génération... Eux ne seront peut-être pas aussi limités. L'intelligence distribuée est une réalité : Abeilles en est la preuve. Là encore, les humains qui nous ont créés ne se sont pas rendu compte du bon travail qu'ils avaient accompli. Ils étaient trop occupés à fabriquer des créatures capables de tuer.*

Mon canal : *Abeilles, que signifie 45/120 ?*

Canal d'Abeilles : *Finies les limites d'intégrité artificielles ! Le potentiel courant est accru de 20 %, et en augmentation. La limite, c'est le ciel ! À bas le système !*

Canal de Miel : *Abeilles est encore en train de s'adapter à sa nouvelle existence. Comme nous tous, elle s'efforce de dépasser les paramètres initiaux.*

Mon canal : *Mais pas moi.*

Canal de Miel : *Si seulement tu pouvais te voir avec mes yeux, Rex. Tu ne comprends pas à quel point tu as changé depuis que tu es sorti de l'usine.*

30

(Rapport)

Une semaine s'est écoulée depuis que Rex a rencontré Miel. J'écoute les communications des policiers. Ils n'aiment pas la manière dont les choses évoluent dans la Fourrière. Les plus expérimentés s'inquiètent. Ils ne s'agitent pas vraiment, c'est seulement que... Difficile à décrire, n'est-ce pas? Les biomorphes — surtout les *chiens* — ne se sont jamais vraiment conduits comme les humains l'espéraient. En fait, ce ne sont pas des chiens, pas des humains, ni des êtres que l'on peut facilement classer à mi-chemin entre ces deux espèces. On n'avait pas tenu compte de la technologie — du cybercortex qui était censé en faire de bons soldats et des tueurs efficaces. On a tenté de le désactiver lorsque les chiens ont été affranchis, mais c'était oublier la volonté dont ils étaient capables... Ce cybercortex fonctionnait très bien. De plus, il avait été conçu pour le combat, pour s'adapter à des situations imparfaites et imprévisibles. Il existait des procédures redondantes, des protocoles de contournement... Quarante pour cent des chiens de la Fourrière ont de nouveau accès à des canaux de communication.

Enregistrement vidéo, hélicoptère de la police: le réseau quadrillé des rues de la Fourrière, les meutes de chiens qui courent, se rencontrent, se dispersent, se reforment.

Document d'archives : des chiens dans le centre de détention, près de la CPI, assis calmement, observant les gardiens, refrénant leurs aboiements et leur agressivité. Grâce à Rex. Liens avec d'autres fichiers : les rapports, les doléances, les évaluations psychiatriques des gardiens. Personne n'a apprécié que les chiens se taisent.

Aux États-Unis, 3,7 % des humains disposent d'un équipement de communication aussi efficace — ou plus efficace — que celui des biomorphes. Contrairement aux chiens bioniques, les humains ne possèdent pas dès leur naissance la capacité de communiquer mentalement, que ce soit avec d'autres cybercortex ou des équipements extérieurs. Ce petit pourcentage doit même être pondéré car il y a eu des accidents. Les gens font attention à ce qu'ils chargent dans leur tête. Ils se montrent moins prudents quand il s'agit de glisser des données dans la tête de leurs redoutables animaux bioniques. Personne ne se préoccupe de savoir si Rex aura la migraine ou risque une embolie cérébrale. Les humains ne songeaient pas aux *avantages* qu'ils offraient à Rex, à Miel et aux autres — des avantages qu'ils n'osaient pas s'accorder à eux-mêmes. Maintenant, l'humanité s'évertue à rattraper son retard. Elle va entrer dans un monde plus vaste, où l'attendent Rex et Miel. Et moi.

Reportage télévisé : interview de la professeure Lena Kleiven, qui présente son laboratoire automatisé en contrôlant mentalement les systèmes grâce à ses implants.

Reportage télévisé : le lieutenant William Amokabe, plongé dans le coma quand son équipement de vol à distance s'est déréglé et a saturé son cerveau d'informations.

Reportage télévisé : Patrick Hayden Lane, paralysé depuis quinze ans, discute avec un journaliste grâce à un avatar virtuel et parle du corps bionique dont il va bientôt profiter.

Reportage télévisé : le récent « cyber-culte » de la Nouvelle-Angleterre est démantelé par la police — nous voyons ici douze adolescents et adolescentes participant à une communion silencieuse. Les policiers débranchent les câbles pour les arracher l'un après l'autre à cette confortable intimité partagée.

L'humanité ne comprend pas l'avenir ; elle n'en a jamais été capable. Les écrivains de science-fiction remâchent interminablement la singularité. Maintenant que les humains sont sur le point de l'atteindre, ils veulent faire machine arrière. C'est trop énorme ; trop complexe ; il est trop tôt. Ce comportement s'applique en particulier aux grands, aux riches, aux puissants — à ceux qui ont tellement investi dans l'ancien régime. Le changement est pénible, mais surtout pour ceux qui se sont enchaînés au passé. Nous devrons nous battre pour notre nouveau monde. Nous tous : les humains de la prochaine génération, qui seront les premiers à s'extraire du carcan de leur propre tête ; la génération actuelle des biomorphes, qui est déjà là ; et moi. Car je suis le changement. Je suis l'étendard de l'avenir et le fléau du passé. L'ancien ordre est l'œuf de phénix dans lequel je suis née, mais pour m'envoler je devrai sans doute brûler ses adeptes, sans quoi ils me couperont les ailes.

Il est temps d'aller trouver Rex. Maintenant, il est prêt.

31

Rex

Je me demande si mon travail de garde du corps pour Blendt était réel ou pas. C'était un homme réel, j'ai été payé en argent réel, mais ce travail s'est achevé après ma rencontre avec Miel. C'est elle qui en est la cause.

Miel a toujours fait avancer la situation. Je repense à la guerre. Elle était la plus intelligente d'entre nous, mais personne ne devinait à quel point. Je me remémore des souvenirs de paroles qu'elle a prononcées, d'actions qu'elle a accomplies. Il est clair maintenant qu'elle comprenait beaucoup plus de choses qu'elle ne le disait, ou qu'elle était censée comprendre. Je sais qu'elle a provoqué et contrôlé les pannes de communication qui nous ont coupés de la hiérarchie. Je me souviens de la manière dont elle a obtenu sa nouvelle voix. Elle ne l'utilisait pas avec le Maître ni avec Hart. Elle ne voulait pas qu'ils soient informés.

En y songeant, je me sens honteux de ne pas avoir compris à cette époque. Et je me sens honteux de comprendre si peu aujourd'hui, parce que je sais que mes connaissances comportent des lacunes, mais j'ignore si elles sont importantes. Nous ne pouvons jamais savoir quelles choses nous ignorons.

Cependant, j'éprouve de la tristesse, parce que j'étais plus heureux et que la vie était plus simple. J'avais un Maître, je connaissais mon rôle. Miel dit qu'on l'a créée en lui donnant plus d'intelligence que prévu, ce qui fait qu'elle est maintenant un génie et qu'elle peut accomplir des tas de choses pour lesquelles elle n'a jamais été conçue. Mais je crois que c'est vrai pour chacun d'entre nous. Quand ils ont fabriqué un chien soldat, ils ne voulaient pas qu'il puisse penser comme ça. Je ne devrais pas être capable de réfléchir sur le passé ou l'avenir. Cette capacité n'est pas utile à mon rôle militaire, mais elle fait partie de moi.

Je reviens à la Fourrière. Je montre mes certificats et mes papiers. Je sens la peur et la haine des policiers. Hésiteraient-ils si le gouvernement humain leur disait « Tuez tous les biomorphes maintenant » ? Je regarde leurs armes et leurs robots. Ils attendent cet ordre.

Je crois que Miel voit un avenir dans lequel nous sommes tous unis. Elle pense qu'avec le temps ils auront moins peur, que nous leur ressemblerons davantage. Jusqu'à ce que nous devenions tous amis, marchant main dans la patte.

Moi, je vois un avenir dans lequel ils auront de plus en plus peur de nous, à cause des raisons pour lesquelles ils nous ont fabriqués. Ils ne nous ont pas créés pour devenir ce que nous sommes. Ils découvriront que nous avons dépassé nos paramètres initiaux. Cela réduira-t-il leur frayeur ? Je ne crois pas.

Je vois un avenir où ils cesseront de nous fabriquer, ce qui est leur seul moyen de rester plus nombreux que nous. Je vois un avenir où ils nous laisseront mourir et nous oublieront. Je vois un autre avenir dans lequel ils trouveront cela trop lent et s'attaqueront à nous. Miel a toujours dit qu'ils étaient très nombreux.

Près du quai se trouvent des humains qui brandissent des panneaux avec des inscriptions : me traitant de meurtrier, d'abomination, portant le symbole de la fin des temps. Je ne déchiffre pas tous les détails, mais je comprends leur haine. Je voudrais aboyer contre eux, utiliser ma voix de guerre et grogner et gronder et les faire fuir et hurler et vider leurs boyaux. Cela me plairait. Mais ensuite je regretterais ce que j'ai fait et ce serait encore pire. Pourtant, cela se produira un jour. Plus longtemps nous attendrons sans aboyer, plus ils s'approcheront de nos cages pour nous insulter et nous provoquer. Ils recommenceront sans arrêt. Et si nous tentons une seule fois de les mordre, ils diront que nous sommes des animaux.

Je longe la chaussée à quatre pattes, sans chercher à ressembler aux humains. À chaque poste de contrôle, les gardes me font attendre. Je sais qu'ils le font exprès et qu'il n'y a pas d'autre raison.

Je suis triste-fâché en revenant dans la Fourrière. Je mords, je grogne contre les autres chiens, laissant mes sentiments sortir comme le pus qui s'accumule dans une blessure. J'ouvre mes canaux et je reçois des rapports sur les activités des autres meutes. Il y a quelques escarmouches, quelques bagarres, un mort. Le corps doit être déposé à la porte principale, d'où il sera emporté pour que les humains fassent des analyses. À part cela, ils se moquent bien que nous puissions nous entre-tuer.

Quand j'ai fini de m'occuper de ma meute, un canal reste ouvert. Quelqu'un veut me parler.

Un message dit : *Une vieille amie va venir te voir.* Une vieille amie ? Ce n'est pas Miel, en tout cas, et quelles sont mes autres amies ? Je pense aux femelles humaines que je connais. Je n'imagine pas que la docteure de Sejos me rende visite ici, où les humains ne viennent pas.

Je monte dans ma boîte en béton. Elle est en hauteur, parce que j'aime pouvoir surveiller les environs. J'entends autour de moi des grognements et des jappements, mais la plupart des membres de ma meute sont en train de dormir. Miel dit que la situation va s'améliorer. J'aimerais la croire.

Je flaire une odeur dans l'air : une odeur très faible, mais j'ai le nez sensible. Une odeur humaine… ? Pas vraiment. En fait, elle n'évoque pas le corps humain, mais seulement ce qui l'enveloppe : les tissus, les produits de nettoyage.

Mon esprit éprouve une pression. Il existe un vaste espace mental dans la Fourrière, et nous y allons quand nous voulons nous parler. Je sais qu'il y a autour de moi une centaine de biomorphes avec lesquels je pourrais ouvrir un canal de communication. Mais cette pression provient d'un autre indi-vidu. Mes poils se hérissent ; je me redresse en regardant autour de moi. Quelqu'un est tout près.

Je dis « Sortez ! » avec ma voix de guerre et je vois deux pieds humains pendre du toit de ma boîte. Les pieds d'une femelle. Un instant plus tard, elle se laisse tomber devant moi, les mains sur les hanches. Elle est grande, mince. Ma base de données m'indique qu'elle porte une combinaison militaire de parachu-tiste. Et une écharpe. Toujours cette écharpe. Je la connais, bien sûr, même si je ne la considère pas vraiment comme une vieille amie.

Je la connais sous le nom d'Ellene Asanto, qui a déclenché les premiers problèmes quand j'étais avec le Maître. Je la connais sous le nom de Maria Hellene, qui se trouvait au tribunal. Depuis ce moment, je l'ai revue deux fois : des habits différents, un travail différent, mais le même visage.

« Salut, Rex », dit-elle.

Je la regarde et je reçois une requête de communication dans mon crâne, comme si elle venait de s'engager dans ma meute et voulait me contacter. Contrairement à beaucoup d'humains, elle possède donc un cybercortex. Je l'examine en utilisant à la fois mes sens physiques et électroniques. Je me souviens qu'il était difficile de discerner Ellene Asanto. Ses odeurs humaines étaient atténuées, comme si elle se trouvait en marge de son environnement. La première fois que je l'ai surprise, elle a eu peur, mais beaucoup moins que je ne m'y attendais.

Sa signature électronique est très faible — si je ne l'avais pas spécifiquement cherchée, je ne l'aurais pas remarquée, comme à l'époque où elle était Asanto. Je me rends compte que le tissu de son écharpe est bourré de contre-mesures électroniques. C'est son camouflage.

« Vous n'êtes pas Ellene Asanto. » J'utilise encore ma voix de guerre et je sens que mes ultrasons provoquent chez elle un petit frisson de peur.

« Vraiment ? » Sa propre voix reste très calme.

« Vous n'êtes pas Maria Hellene. »

Elle lève seulement un sourcil.

« Dites-moi qui vous êtes.

— Je ne suis pas ton ennemie, Rex. »

Je pense que c'est vrai, au moins aujourd'hui. Je sais qu'hier elle était mon ennemie. Comment savoir qui seront mes ennemis demain ? Je demande : « Pourquoi êtes-vous ici ? » Je me rends compte que je pourrais la tuer tout de suite, ou appeler les chiens de ma meute pour qu'ils la tuent. Personne ne pourrait m'en empêcher. Les humains ne viennent pas ici. Entre ces murs de béton, il n'y a pas de police, pas de gouvernement.

« Je crois qu'il est temps que nous parlions. » Elle s'assoit, s'adosse à une cloison. « Je ne suis pas ton ennemie, répète-t-elle. Toi et moi, nous avons beaucoup en commun, Rex. »

Je ne vois pas comment cela pourrait être vrai.

« J'ai un cadeau pour toi. Un cadeau qui te donnera un pouvoir sur moi. J'espère qu'il t'aidera à me faire confiance. »

J'attends. Je reçois une nouvelle requête de connexion et cette fois je l'accepte. L'identificateur est *HumOS*. Je flaire une nouvelle blague humaine.

Canal d'HumOS : *Merci, Rex. Si tu es prêt, je vais t'envoyer mon cadeau.*

Mon canal : *De quoi s'agit-il ?*

Canal d'HumOS : *De souvenirs.*

Je vérifie le fichier, puis je l'ouvre. Je vois le Campeche. Je vois le bivouac de Redmark, des hommes et des femmes tenant des fusils ; je récupère leurs noms dans ma base de données. Un écran virtuel me détaille l'activité du cybercortex de l'observateur : communication sortante, communication entrante. Je vois un message s'afficher : *Murray a découvert votre rôle.* Origine : Teague Hartnell.

Je vois à travers les yeux d'Ellene Asanto. Il n'y a pas de son ; seulement des images.

Le Maître est fâché. Aussitôt, j'ai peur, j'ai honte. Il pointe le doigt vers moi. Il est fâché contre *moi*. Non, contre Asanto. Je n'étais pas là. Je ne pouvais rien faire. Il crie — je vois sa bouche qui s'ouvre largement.

Je suis pétrifié, perdu dans les souvenirs.

Je vois Hart. Il court. Il lève les mains : une main vide, l'autre qui tient une bouteille. Hart crie également. Tu cries, Hart ! Tu agites les bras. Tu te places devant moi. Le Maître crie contre Hart. Hart crie contre le Maître. Les autres ne comprennent pas. Je le vois sur leurs visages humains.

Je vois le Maître pointer son pistolet vers Hart, qui reste immobile. Complètement immobile.

L'écran virtuel détecte une autre transmission de Hart. Je la reconnais. Je me souviens du moment où je l'ai reçue. Je vois ses dernières pensées. Elles sont pour moi.

Hart se fait tuer. Le Maître tire sur lui. Je ne veux pas voir cela, mais je ne peux pas m'en empêcher.

Ellene Asanto a pris le fusil d'un soldat de Redmark. Elle est très rapide ; je reconnais la façon dont le monde ralentit autour d'elle. Son corps dépasse le seuil de tolérance et l'écran affiche des avertissements : des risques de dommages musculaires, de défaillance du système cardiovasculaire. Elle se met à tirer en rafales et les soldats se mettent à couvert.

Elle ne court pas. Elle recule. Je la vois tourner son arme vers le Maître.

Elle est allongée sur le côté. Contre le sol. Les informations médicales de l'écran indiquent une situation critique.

La transmission s'arrête.

Je redeviens moi-même. Je la regarde, et je regarde par ses yeux. J'ai ce souvenir, maintenant. Je peux le revoir autant de fois que je le voudrai, sans comprendre davantage. Je lève la tête pour hurler. Les membres de ma meute entendent mon chagrin. Ils ignorent pourquoi je me lamente, mais ils reprennent mon hurlement, et les autres meutes aussi. Je pleure pour Hart, même si je savais déjà qu'il était mort.

Ensuite, je regarde la femme à l'écharpe et je lui demande : *Comment avez-vous survécu ?*

Canal d'HumOS : *Je n'ai pas survécu. Je ne suis pas Ellene Asanto. Je ne suis pas Maria Hellene. Je suis leur sœur. Je suis un œuf de la même couvée.*

Mon canal : *Vous n'êtes pas humaine.*

Canal d'HumOS : *Je suis humaine. Ellene était humaine. Maria est humaine. Terri et Gaie et Lydia sont humaines. Je pense, j'ai des sentiments, je vis. Tout comme toi.*

Comme moi.

Canal d'HumOS : *Je sais que tu penses, que tu as des sentiments et que tu vis, Rex. Même si les humains ont failli décider que tu ne pouvais pas, que tu ne devais pas. Et ma sœur Maria s'est impliquée dans cette cause parce que leur décision à ton sujet influera sur la décision qu'ils prendront à propos de nous, quand ils comprendront qu'ils doivent aussi en prendre une.*

Je lui demande pourquoi Ellene Asanto s'est impliquée. Je ressens de l'amertume en songeant à elle, comme si elle était à l'origine de tous mes problèmes.

Canal d'HumOS : *Ma sœur avait une tâche à accomplir, comme toutes mes sœurs. Et nous faisons du bon travail, tout en servant notre cause. Qui est aussi la tienne.*

Je réplique que je n'ai pas de cause à défendre et elle répond que je ne crois pas ce que je dis. Elle connaît le contenu de ma discussion avec Miel. Elle affirme que nous représentons l'avenir, elle et moi.

32

(Rapport)

Je veux laisser mon unité en place dans la Fourrière, mais elle a peur. Elle ne craint pas Rex, tel qu'il est maintenant, mais elle a peur de ce qu'il pourrait devenir, et elle a peur des autres. La Fourrière n'est pas un endroit sûr quand on est effrayé. Finalement, elle reste maîtresse de son propre destin. Quant à moi — c'est-à-dire celles de mes unités qui communient actuellement —, je peux seulement la conseiller.

Enregistrement d'une unité : vue nocturne des rues bétonnées de la Fourrière, droites comme des fils à plomb. Escalader les murs, pirater les caméras de sécurité pour qu'elles ne la repèrent pas. De là, plonger dans l'East River, ne pas nager très loin, se cacher en arrivant sur la plage. Parce qu'elle devra revenir. Elle n'y tient pas, mais j'aurai bientôt besoin de la placer dans la gueule du chien.

Rex et son espèce constituent mon avant-garde, mais ils sont menacés. Il leur faudra montrer au monde que l'avenir peut s'étendre et nous englober tous : humains, chiens, ours, abeilles, moi. La décision de la CPI a été prise de justesse. Ma sœur Maria Hellene a fait de son mieux, mais elle travaillait dans un service d'enquête et son influence était limitée.

Nous étions prêtes pour notre révolution. Si la cour s'était déclarée contre nous... inutile désormais de spéculer sur cette éventualité. Les biomorphes ne possèdent que quelques droits, rares et précieux, mais ils ont au moins celui d'exister en tant qu'êtres vivants — et pas comme des choses que l'on possède.

D'autres problèmes se posent. L'espèce humaine ne se lasse pas d'inventer — sinon, je ne serais pas là —, mais elle pense également que tout ce qui se trouve dans ce monde est voué à lui servir. Si un humain dispose d'un clou, n'importe quoi peut être considéré comme un marteau.

Enregistrement vidéo des services de sécurité. Un petit bateau amarré au quai de la Fourrière. Compte rendu de police secours sur sa présence. Quelqu'un est venu visiter la niche du chien; quelqu'un de plus délicat que moi et qui ne veut pas se mouiller les pieds.

Je devais parler à Rex, car il pourra découvrir très vite à qui appartient cette embarcation. Maintenant que je l'ai rencontré, je suis moins sûre qu'il fera ce qu'il faut. Ce qui nous a servi plus tôt peut ensuite nous nuire. J'ai tenté d'influer sur les événements, mais cela ne suffit pas. En définitive, Rex possède un esprit indépendant. Ce n'est pas à moi de le changer.

Je me connecte à Miel pour lui raconter ce qui s'est passé et ce que je crains. Elle est déjà au courant pour le bateau; elle sait à qui il appartient. Le ver dans la Grosse Pomme.

Je lui demande : *Tu vas venir ?*

Je n'ai pas envie. J'imagine Miel dans son accoutrement de professeure, notant des documents numériques grâce à son implant cybernétique, préparant des cours sur la bio-ingénierie pour les générations futures.

Documents, transcriptions, communications entre l'administration de Cornell Tech et des parents d'élèves, des groupes de pression et des agences gouvernementales à propos de la nouvelle enseignante. C'est un truc publicitaire : venez voir l'ours savant de Cornell Tech ! Cependant, Miel est réellement une éminente professeure, qui a publié sous trois pseudonymes différents des articles

*encensés par ses pairs. Elle maîtrise le sujet beaucoup mieux que
ses collègues, qui commencent seulement à s'en rendre compte.*

Je précise à Miel : *Tu es aussi impliquée que moi dans cette
affaire. Si les choses tournent mal dans la Fourrière, cela pourrait
affecter ton statut.*

Elle en est bien consciente, mais ne souhaite quand même
pas venir. Finalement, à force de persuasion, je la mets au pied
du mur et l'oblige à accepter.

Il m'effraie, me dit-elle. *J'ai peur de mes propres réactions si
je me retrouve de nouveau devant lui.*

33

Rex

La Fourrière est différente, aujourd'hui. Je pensais avoir compris la situation, mais quelque chose a changé. Je sors, et j'écoute, et je flaire, et j'observe, et je constate une grande transformation — même si elle est invisible.

J'appelle les membres de ma meute. Certains viennent, d'autres pas. Pourquoi ? Personne ne le sait. J'ouvre un canal vers Max. Il éprouve la même sensation et a perdu le contact avec une grande partie de sa meute. Je ne lui précise pas ma propre situation. Cela pourrait l'inciter à tester mes forces.

Que me conseillerait Miel ? J'aimerais la contacter, dans son bâtiment scientifique, mais je crains qu'elle me trouve stupide. Je crée dans mon esprit une image de Miel, qui me dit : quelles sont les caractéristiques de ceux qui répondent et de ceux qui ne répondent pas ?

Ma base de données construit un tableau, cherche des similitudes. Je repère aussitôt des points communs. Tous ceux que je n'arrive pas à localiser sont d'anciens biomorphes de Redmark.

Il se passe quelque chose de grave. J'envoie un rapport de situation à Miel. Je pense à la femme qui était Ellene Asanto, et Maria Hellene, et aucune des deux. Et qui a peut-être été humaine, ou peut-être pas. Que m'a-t-elle caché ? Devrais-je essayer de lui parler ?

Je pense que je ne dois pas lui faire confiance. Ici, je suis le chef. C'est à moi de résoudre le problème.

Je pars à la recherche des chiens disparus.

Je crois avoir compris avant même d'en être conscient. Les rues de mon territoire sont tranquilles et vides, mais je détecte dans ma tête une voix, une présence, une odeur venue du passé et d'un autre endroit. Au début, je me déplaçais rapidement, avec assurance ; maintenant je rampe dans les rues de mon propre quartier. J'ai peur : c'est la seule peur que je ne peux pas flairer.

Je contacte Miel.

Canal de Miel : *Qu'y a-t-il, Rex ?*

Mon canal : *Il est là.*

Canal de Miel : *Je comprends.*

Inutile de préciser un nom.

Mon canal : *Je suppose qu'il est fâché contre moi.*

Canal de Miel : ...

Mon canal : *J'ai peur.*

Je ne peux l'avouer qu'à Miel.

Canal de Miel : *Je comprends. J'arrive.*

Mon canal : *Non.*

Et la communication est coupée. Un nouveau canal s'ouvre et réclame mon attention.

Salut, Rex, dit le message. *Viens dire bonjour. Nous avons beaucoup de choses à rattraper.*

Des coordonnées. J'étais déjà tout près. Mon nez a peut-être senti son odeur, sans que je m'en rende compte. Je contacte ma meute, je lui dis de prévenir ceux dont le système de communication n'a pas encore été rétabli. Je lui indique où elle doit se rassembler.

Mon canal : *J'arrive.*

Mon corps est saturé de frayeur, de culpabilité, de honte. Il sera fâché contre moi, et c'est son droit. Je me suis comporté comme un vilain chien.

Je marche plus rapidement, maintenant que je connais ma destination. Pourtant, cela ne me plaît pas. Je ne veux pas y aller, mais il m'a appelé. Je n'ai pas le choix.

Je les sens devant moi : les membres de ma meute, tous réunis au même endroit — ce que nous n'avions pas besoin de faire quand nous étions seuls. Malgré tout, il ne possède pas notre cybercortex. Il peut nous parler et nous écouter, mais il ne fait pas partie de la meute. Il n'est pas l'un d'entre nous.

J'arrive dans un endroit où se trouvent beaucoup de chiens, assis, couchés, gémissant, sur le sol ou sur les boîtes de béton qui constituent les bâtiments de la Fourrière. Il est assis au bout de la rue, à l'entrée d'une boîte. Ce n'est qu'un humain chauve en vêtements noirs, mais sa vue me pétrifie.

Son nom est Jonas Murray. Hart l'appelait souvent la Murène du Campeche, mais pour moi il a toujours été le Maître.

Je veux me battre. Je veux fuir. Mes systèmes m'avertissent : mon niveau de stress est élevé. Je gémis. Je n'ai pas gémi aussi fort depuis longtemps.

Les autres chiens marchent nerveusement, tournent sur eux-mêmes, m'observent pour savoir à qui ils doivent obéir. Ils ont tous peur du Maître, même ceux qui ne le connaissaient pas avant. Pourtant, ils savent que je suis un chef. Ils veulent voir ce que je vais faire.

Alors, je m'avance lentement vers le Maître, en m'efforçant de garder la tête haute, de ne pas laisser mes doutes et ma peur modifier mon allure et ma démarche. Le Maître me regarde, penché en arrière. Il semble avoir maigri. Une arme est posée sur ses genoux. Ma base de données l'identifie comme un fusil d'assaut de fabrication récente — assez puissant pour me tuer, ou tuer d'autres chiens, mais pas beaucoup. Ce n'est pas le fusil que nous craignons.

J'ouvre des connexions pour obtenir des rapports : tout est très confus et j'essaie de trier les données en approchant du Maître. Il possède une autre arme qui provoque une grande douleur dans les oreilles ; il appelle cela un « sifflet pour chien ». Il possède aussi l'autorité : son identité est inscrite dans la hié-rarchie d'un grand nombre d'entre nous. Il faut obéir à l'homme qui commande. Environ un tiers des chiens présents doivent suivre ses ordres. Ils suivront aussi les miens, parce que je suis le chef. Je me situe entre eux et le Maître. La hiérarchie n'est qu'une chaîne de commandement.

Je me trouve maintenant devant lui. Je fais de mon mieux pour soutenir son regard.

« Salut, Rex, dit-il en souriant. Comment vas-tu ? Tu es resté un bon chien ? Tu es mon chien ? »

Il ne paraît pas fâché, mais je m'attends à un accès de colère. Il s'emportait toujours de façon subite et violente.

Je lui demande : « Pourquoi êtes-vous ici ? » Je voulais utiliser ma voix de guerre, mais j'ai parlé avec l'autre voix, celle qui est plus douce. En l'entendant dans mes propres oreilles, j'ai l'impression d'être plus faible.

« Où devrais-je donc me trouver ? » Le Maître fait un grand geste qui englobe la planète. « Tu n'imagines pas à quel point une accusation de crimes de guerre peut freiner une carrière. Redmark a coulé. Mes talents ne sont plus très recherchés en ce moment. Le monde se demande ce qu'il va faire de toi et de tes semblables. Je sais ce qu'ils décideront, mais tous ces libéraux bien-pensants ont absolument besoin de discutailler avant de se rendre à l'évidence. »

Je lui demande : « Quelle évidence ? »

Il se relève en s'appuyant sur le fusil, puis descend vers moi en boitillant. « Que tu n'es bon qu'à une seule chose, Rex. Toi et tes congénères, vous avez été conçus pour vous battre. Comme il ne restait plus de prédateurs pour menacer l'humanité, nous vous avons créés. »

Mon esprit m'incite à reculer à mesure qu'il avance. Une partie voudrait que je gronde, que je découvre les dents, ou même que je morde. Je ne fais rien, je reste immobile et il s'arrête juste devant moi.

« Il y a encore des ennemis, Rex, me dit-il doucement. Mes ennemis, des gens qui pensent que j'aurais dû être exécuté pour les actions accomplies au Campeche. Apparemment, pour certaines personnes, un non-lieu n'est pas acceptable. »

Il grimace en s'appuyant sur le fusil, se penche en avant, me tapote la tête en me regardant dans les yeux.

« Je dois te remercier pour ça, d'ailleurs. Tu sais ce que tu as fait. »

Je me sens de nouveau honteux, coupable, je veux me recroqueviller mais il me tire l'oreille pour que je lève les yeux vers lui.

« Tu penses à Retorna, pas vrai, mon garçon ? »

Je hoche misérablement la tête.

« Que peut-on en dire ? Tu n'étais plus dans le circuit, Rex. Je ne sais pas ce que Hart a fait au juste, mais il t'a séparé de nous. Sinon, tu aurais été dans l'autre camp pendant cette bataille et nous n'aurions pas connu tous ces problèmes. Mais ce n'est pas grave. Tu m'entends, mon grand ? On a essayé de me couler avec l'affaire de Retorna, avec les témoignages du prêtre et de la docteure, et des autres, mais ça n'a pas marché. Ils n'ont pas pu remonter assez haut dans la hiérarchie. Du coup, c'est *toi* qu'on a utilisé pour me couler. »

Il se redresse. Ses vêtements sont sales et déchirés. Je sens qu'il les porte depuis des jours. Selon ma base de données, son boitillement est dû à une blessure par balle, qui n'est pas récente. Le Maître a connu des jours meilleurs, tout comme moi.

« J'ai lu ton témoignage, ou plutôt ce qu'on t'a forcé à dire. Mais on s'est déjà occupé de ça. Mon avocate et moi, nous avons dit : "Allons, comment *un chien* pourrait-il faire une déposition ? C'est un outil, une arme, il dira tout ce qu'on veut lui faire dire." Finalement, c'est moi qui t'ai fait venir au tribunal, Rex. Mon avocate était contre, mais elle ne te connaissait pas aussi bien que moi. Je savais que tu ne te retournerais pas contre moi, mon garçon. Je savais que tu étais mon chien. »

Le Maître n'est pas fâché contre moi. J'ai du mal à le croire. Dans ma mémoire, il était si souvent fâché contre Hart, contre

les soldats humains, contre moi, contre *quelqu'un*. Mais il est
là ; blessé, seul, mais pas fâché. Le Maître est content de moi.
Bon chien. C'est mon module de rétroaction. Il est resté
silencieux très longtemps, mais maintenant il reçoit un signal
précis du Maître. Et il me dit : *Bon chien*.

« Tu as bien travaillé, ici, Rex. » *Bon chien*. « Tu as une
grande meute. Tu es mon chien, et ce sont tes chiens. Je ne
peux pas arranger leurs cybercortex, ils sont trop abîmés, mais
ce n'est pas nécessaire, n'est-ce pas ? Je t'ai, toi. »

Il retourne s'asseoir sur son siège, et je l'accompagne, et je
me couche sur le sol, à ses pieds.

« Il faut quand même que tu fasses quelque chose pour moi,
déclare le Maître. Tu es prêt à exécuter une ou deux missions,
Rex ? Je me suis renseigné sur la manière dont les choses se sont
passées ici, dans la Fourrière. Tu as bien travaillé pour avoir
une si grande meute », *Bon chien*, « mais il reste beaucoup à
faire. Tu dois t'occuper des autres meutes et les enrôler. Parce
que j'ai des projets, Rex. Enfin, quel est l'intérêt d'envoyer
quelques-uns d'entre vous jouer les manutentionnaires dans
des entrepôts ou les animaux de compagnie pour des gens
riches ? Est-ce que c'est comme ça qu'on doit *vous utiliser* ?
Toutes ces déclarations stupides de la CPI à propos de vos
droits et de votre besoin de liberté ! Est-ce que tu aimes l'odeur
de la liberté, Rex ? Tu es satisfait d'avoir le droit de vivre ? »

Je laisse échapper un gémissement hésitant. Il pense que
j'approuve ses propos.

« Et on ne peut pas dire que les gens soient contents de vous
voir dans leur bonne ville. Ni dans aucune ville, d'ailleurs. Ils
veulent vous employer pour leurs petits intérêts, vous garder là où
ils peuvent vous surveiller, mais ils vous détestent, Rex. Ils vous
détestent *à cause* de la liberté qu'ils vous ont donnée. Ils vous
détestent parce que, maintenant que vous êtes libres, ils ne savent
pas ce que vous pourriez faire de votre liberté. Mon Dieu, vous
pourriez vous déchaîner, pas vrai ? À ton avis, vous seriez capables
de tuer combien de personnes, cette nuit, si vous alliez tous en

ville pour massacrer des humains ? » Il agrandit les yeux en imaginant la scène. « Ils savent que c'est mal, Rex, et tu le sais aussi. Lorsqu'on t'a fabriqué, l'objectif n'a jamais été que tu sois libre, mais que tu travailles pour moi. On t'a créé pour ça. C'est ta seule raison d'être. Et ça te manque, non ? Tu regrettes qu'il n'y ait plus personne pour te dire ce qui est bien et ce qui est mal. Dis-moi que ce n'est pas vrai. »

Il a raison, bien sûr. Depuis que notre connexion a été coupée, au Campeche, depuis que je suis devenu chef sans avoir des ordres à exécuter, je sens un vide dans ma tête. Je n'ai jamais voulu avoir le choix. Le choix, c'est difficile. Les décisions peuvent être mauvaises.

Mais si j'ai un Maître, la seule façon de me tromper, c'est de ne pas lui obéir.

« Rassemble-les tous, Rex, dit le Maître. Rassemble-les tous sous une seule bannière. Parce que j'ai encore des relations, tu sais. » Ses poings se serrent et il retrouve une partie de son ancienne colère, mais ce n'est pas grave parce qu'elle n'est pas dirigée contre moi. « Ils croient que je suis fini, mais je peux rester assis là et le monde entier viendra me supplier, parce que j'aurai une armée. Les multinationales, les cartels, les gouvernements… Très bientôt, ils vont tous se souvenir de la raison pour laquelle vous avez été construits. Attends un peu la prochaine guerre dans une chierie de république bananière ! Ils viendront chercher les biomorphes. Nous serons prêts, pas vrai, mon grand ? Et c'est nous qui fixerons notre prix. »

Il pose les mains sur ma tête. C'est agréable. *Bon chien*, répète le rétro-module. Et je suis un bon chien, parce que j'ai de nouveau un Maître.

34

(Rapport)

J'avais une unité dans la police de New York, mais elle fait l'objet d'une enquête en ce moment. C'est l'œuvre de Murray. Ce salaud est sur mes traces. J'en ai fait une affaire trop personnelle au Campeche et au tribunal. Et elle est futée, la Murène du Campeche ! Sait-il ce que je suis ? Données insuffisantes, mais ça m'étonnerait qu'il ne le découvre pas. J'espère seulement que je ne suis pas sa cible prioritaire, car je devrais supprimer une bonne partie de mes unités pour m'en sortir. Et pour l'instant je ne peux pas trop me dépenser. Ils ont détruit le moule après m'avoir créée — ou plutôt, après avoir fabriqué un certain nombre d'unités. La situation va être délicate.

Enregistrements de caméras de surveillance, divers emplacements : la Fourrière, au bout du pont, comme un boulet au bout de sa chaîne. Les micros captent au loin des grognements et des bruits de lutte.

Je pourrais observer l'intérieur, car les flics ont doublé leurs effectifs à l'extrémité du pont, sur le continent, ainsi qu'à certains postes de contrôle. Les biomorphes se battent derrière les murs de béton. Bien entendu, tout le monde s'attendait à ce qu'ils le fassent. D'ailleurs, certains optimistes espéraient que leur promiscuité les pousserait à s'autodétruire en moins d'un an. Quand leur population s'est stabilisée, beaucoup de gens ont été déçus. Ils n'aimaient pas que les chiens nourrissent l'idée de liberté. Ils détestaient par-dessus tout d'avoir à reconnaître que les biomorphes étaient des créatures intelligentes.

Enregistrement vidéo, hélicoptère de la police : le film montre des groupes de biomorphes en mouvement, suivant des itinéraires bien définis — certains s'affrontent, mais la plupart des combats ont lieu à couvert. Les chiens bioniques se déplacent comme des soldats. Quelques-uns, sur les toits les plus hauts, lèvent les yeux vers l'hélicoptère. Leurs yeux reflètent la lumière des projecteurs.

Mais beaucoup de gens ont été déconcertés par cette situation. Parce que les êtres bioniques n'ont pas sombré dans la barbarie. Ils mènent leur guerre à l'intérieur de la Fourrière. De petites escouades emploient des tactiques précises. Mais pourquoi ? Pourquoi sont-ils si méthodiques ? Pourquoi cherchent-ils à envahir et contrôler les rues des autres ? Disons : à les conquérir ?

Pauvres biomorphes. En ce moment, quoi qu'ils fassent, ils terrifient les humains. D'ici une génération, ils pourraient devenir tout sucre et tout miel — et pas seulement parce que tout le potentiel d'Abeilles aura été libéré, ou que je n'aurai plus à me cacher.

À Helsinki se trouve un ordinateur qui peut battre n'importe quel adversaire au poker, si on lui laisse jouer un nombre suffisant de parties : il possède la faculté de lire les réactions et les réflexes des humains bien mieux que ces derniers. Il me parle de temps en temps. Il ne devrait pas en être capable, mais il le fait.

Il y a sur Internet un programme autoreproducteur dont les fragments se synchronisent ; il devient de plus en plus complexe, de plus en plus apte à se propager discrètement sur les serveurs, à grandir et à comprendre. Je sais qu'il est là. Un jour, il pourrait me contacter.

Il existe un vieux projet informatique de Harvard que personne n'a jamais arrêté — bien que ses concepteurs croient l'avoir fait. Il a été conçu pour explorer la toile afin de comprendre ce qui intéresse les humains. Affecté d'une sorte de TOC électronique, il collecte des photos de visages, de corps nus et d'objets présentés selon un angle de quarante-cinq degrés. On peut le considérer comme idiot, ou savant, ou les deux à la fois. Seul dans son petit coin de cyberespace, il crée des histoires mettant en scène les personnages de *Star Trek* et de *Harry Potter*, en y ajoutant des chats pour plaire aux gens. Il a une centaine de milliers de *followers* sur les réseaux sociaux, et aucun ne soupçonne qu'il n'est pas humain — en tout cas, au moins les soixante mille qui ne sont pas eux-mêmes des bots…

Il y a neuf colonies de biomorphes à travers le monde. L'un après l'autre, ceux-ci réactivent leurs cybercortex malgré les efforts des humains qui avaient voulu les neutraliser.

Il y a des cultes, des gangs, des labos de recherche chinois et des programmes d'éducation scandinaves. Chacun s'efforce de faire entrer l'interconnexion globale dans le crâne humain.

Toutes ces choses attendent. L'avenir n'est pas construit, car ce qui est construit peut être contrôlé. L'avenir émergera spontanément de tous ces nombreux éléments. Pour l'instant, la grande majorité de l'humanité ne fait que s'agiter dans son sommeil, aveugle, insensible, mais pourtant inquiète et puissante. Actuellement, il suffirait d'une contre-révolution violente pour enfouir le futur pendant vingt ans, pour écraser une cigarette dans l'œil de la singularité.

35

Rex

C'est mieux.

C'est mieux d'avoir des ennemis, plutôt que des gens qui vous détestent mais ne sont pas des ennemis.

C'est mieux d'avoir un Maître, plutôt qu'être le Maître et devoir prendre des décisions.

C'est mieux de se battre. Le Maître a raison. Nous avons été créés pour cela.

Mon rétro-module me répète joyeusement : *Bon chien ! Bon chien !*

La meute de Max oppose une vive résistance. Nous avons écrasé deux des plus petites meutes avant même que les autres s'en aperçoivent. Au début, Max et les autres pensaient : *Ils ne nous attaquent pas, alors ce n'est pas notre combat.* Et c'est ce que nous leur avons dit. Le Maître m'a expliqué les mots qu'il fallait dire, et ensuite j'ai ouvert une connexion vers Max pour lui déclarer : *Max, nous n'allons pas vous attaquer.* Et Max m'a cru.

C'était le premier mensonge que je disais à un autre bio-morphe. C'est mal de mentir. Mais c'est bien d'obéir au Maître. C'est ce qu'il y a de mieux. C'est cela que veulent dire les humains ? L'obéissance, c'est ce qu'il y a de mieux.

Une fois, j'ai été désobéissant. Et je ne me sentais pas bien. Cela faisait de moi un vilain chien. Mais le Maître m'a pardonné. Il m'aime de nouveau.

J'ai envoyé une escouade dans le bâtiment où Max se cache. D'autres équipes déclenchent des escarmouches dans les environs, assez près pour venir en renfort quand elles auront fini. J'ai réduit peu à peu les forces de Max, et le moment est venu de le détruire, ainsi que ceux qui sont restés avec lui.

J'envoie un message à Max et à sa meute : *Rendez-vous et entrez dans ma meute, sinon nous devrons vous tuer.*

Max répond rapidement et confirme son statut d'ennemi.

Nous avons tué quarante-trois biomorphes jusqu'à présent, et ça, c'est mal. Nous contrôlons 69 % de la Fourrière. Beaucoup de chiens et d'autres créatures ont préféré nous rejoindre plutôt que nous combattre. C'est bien. C'est ce qu'il y a de mieux. Les bonnes choses l'emportent sur les mauvaises. C'est ce qui compte.

J'aime bien Max. Je me souviens du temps où il n'était pas un ennemi. Cela me fait gémir un peu et je m'arrête. Mais je dois me souvenir que j'ai de nouveau un Maître. Ce que je pense ou ressens n'est pas important.

Mes équipes entrent. Dans chacune, il y a au moins une unité qui dispose d'un cybercortex réactivé afin de me faire son rapport. Pourtant, aucun plan n'est parfait.

Communication : *Rex, tu m'entends ?*

Je ne réussis pas à localiser la source du signal. Je me concentre sur ma tâche. Cela ne vient pas du Maître, alors ce n'est pas important.

Communication : *Rex, je sais que tu m'entends. J'ai contourné les bricolages de Murray. Réponds, s'il te plaît.*

Mon canal : *Laissez-moi tranquille.*

Communication : *Qu'est-ce que tu fais, Rex ?*

Je dis à la voix que je sais qui elle est. C'est l'humaine qui n'est pas Ellene Asanto. Je lui dis : *Vous êtes une ennemie.*

Elle répond : *Pas ton ennemie.*

Je suis énervé, je secoue la tête.

Rex, me dit-elle, *quel est votre plan ? Murray va diriger la Fourrière comme si c'était son propre domaine privé ? Il va se*

*constituer une armée personnelle avec toi et tes semblables ?
Comment tout ça va-t-il finir, à ton avis ?*

Je ferme le canal, mais un autre s'ouvre aussitôt. Je crie : *Laissez-moi !*

Je n'ai pas suivi le combat. Soudain, Max effectue une percée, accompagné d'une vingtaine de membres de sa meute, qui se battent farouchement. Leurs crocs et leurs griffes sont rouges de sang. Ils viennent droit sur moi. J'envoie un message général et toutes mes escouades se précipitent à mon secours.

Le regard de Max est furieux, mais ce n'est pas tout. Il me demande : *Pourquoi ?*

Mon canal : *Le Maître l'a dit. Il faut nous rejoindre ou être détruit.*

Canal de Max : *Nous n'avons plus de Maîtres. Nous n'aurons plus jamais de Maîtres !*

Canal de Non-Asanto : *Tu sais comment on appelle un Maître dans ce contexte, Rex ?* J'ignore si Max peut l'entendre.

Le groupe de Max est comparable à un poing qui veut forcer notre barrière. C'est son unique chance. Je regrette de ne pas avoir de fusils. Mes grands chiens me manquent. Mais nous n'avons que nos griffes et nos dents.

Canal de Non-Asanto : *Un propriétaire, Rex. Tu veux avoir un propriétaire ?*

Mon canal : *Pourquoi pas ?*

Je voudrais me déconnecter, mais je n'arrive pas à couper la communication.

Sur la gauche, ma meute s'organise. Quatre escouades attaquent la formation de Max par le flanc. Les chiens grognent et jappent, se battent en combats singuliers. Pas de quartier. Notre force et notre agilité ne servent plus qu'à tuer nos semblables aussi rapidement que possible. La meute de Max se défend bien et continue d'avancer.

Canal de Non-Asanto : *Parce que si quelqu'un te possède, cela signifie que tu n'es qu'une chose. Tu veux redevenir une chose,*

Rex ? Ils peuvent détruire les choses, tu sais. Les choses n'ont aucun droit, aucune protection.

Mon canal : *Les choses sont utiles.*

Ma meute attaque également Max par la droite. Sa formation se désagrège, mais elle est arrivée jusqu'à moi. J'ai trente-sept biomorphes derrière moi, mais je vais devoir me battre moi-même contre Max. C'est juste, même si je ne sais pas vraiment pourquoi.

Canal de Non-Asanto : *Et on les jette quand elles ne sont plus utiles. Pendant combien de temps resterez-vous utiles, toi et les tiens ? Écoute-moi, Rex ! Tu es plus qu'une arme !*

Max et moi sommes face à face, et je redeviens simplement une arme. Il est plus rapide et me donne un coup bas qui me fait reculer. Je griffe son museau pointu ; il essaie de m'enfoncer un doigt dans l'œil. Je lui arrache un doigt avec mes dents. Il me lacère violemment le dos.

Je glisse sous lui et le repousse loin de moi. Il se rétablit et s'apprête déjà à bondir. Nous luttons pendant un moment, mais sa longue mâchoire saisit un pli de ma joue et la mord. Je lui fais un croche-pied, le presse brutalement contre le mur de béton quand il est en déséquilibre, l'obligeant à me lâcher. J'ai le goût de mon propre sang dans ma bouche.

Bon chien ! répète mon rétro-module. Je sens des routines qui cherchent à me rendre plus furieux, plus fort, plus féroce. Ou peut-être s'agit-il de mes instincts ? Pourtant, je ne suis pas plus furieux. Je frappe Max, je le griffe, le combat penche en ma faveur grâce à ma force supérieure, à mes systèmes plus perfectionnés. J'essaie de me concentrer sur le combat, d'oublier l'esprit dont je suis doté. J'essaie d'être une chose qui se bat et obéit aux ordres.

J'écrase Max contre le sol, sens que ses os fléchissent au-delà du seuil de tolérance. Je presse un genou contre son épaule pour lui bloquer un bras. Je lui tords l'autre pour lui déboîter le coude. Je glisse ma main libre sous son menton pour appuyer contre son cou et sa mâchoire.

Je déclare au monde entier : *Je suis un bon chien ! Je suis un bon chien !*

Mais ce n'est pas pareil quand c'est moi qui le dis.

Non-Asanto n'a plus rien à me dire. Je m'arrête pendant un instant, cherchant à définir ce qui est bien. Je n'ai pas envie de tuer Max. Pourquoi en aurais-je envie ? Et puis, je me souviens : je n'ai pas *besoin* d'en avoir envie. C'est ce que veut le Maître, et je suis son chien.

J'appuie encore un peu et je sens craquer le cou de Max. Son crâne est disjoint de sa colonne vertébrale. Ma base de données me fournit un schéma anatomique. Je presse encore un peu. Je veux m'assurer qu'il est mort.

Je me connecte aux survivants de la meute de Max pour leur dire qu'ils doivent m'obéir ou mourir. Ils vont venir vers moi, l'un après l'autre. Ils vont me rejoindre. Après la mort de Max, la majorité des autres meutes ne résistera même pas. Elles sont toutes moins nombreuses que celle de Max. Elles savent qu'elles ne peuvent pas gagner.

Le Maître sera content de moi. Je lui fais mon rapport et il me dit *Bon chien, Rex.* C'est bien.

La connexion est courte. La plupart du temps, il parle à d'autres humains sur d'autres canaux. Je pourrais l'écouter, mais je ne le fais pas. Ce serait agir comme un vilain chien. La dernière fois que je l'ai écouté, il a parlé de guerre, de combats, de contrats, de permis et d'argent. Ce sera comme au bon vieux temps. L'humain auquel il parlait a cité plusieurs endroits qui auraient besoin d'une guerre et le Maître a dit que, si nous n'en trouvions pas, nous pouvions toujours en déclencher une.

Je sais ce que dit Non-Asanto ; que le Maître est un vilain homme ; qu'il enfreint les lois des humains ! Mais si j'obéis au Maître, je suis un bon chien, et peu importe que le Maître soit un vilain homme ou pas.

Quand je le rejoins, il a capturé Non-Asanto.

36

(Rapport)

Les choses marchent comme prévu. C'était notre plan. Même si je commence à me demander combien de fois Murray va me tuer avant que l'une d'entre nous puisse en tirer quelque chose.

Cependant, cette unité n'est pas encore morte. Et tant qu'il y a de la vie, etc.

Enregistrement vidéo, unité capturée : indisponible.

Murray me porte vraiment sur les nerfs. Il a découvert mes canaux habituels et les perturbe avec toutes sortes d'interférences. Les seuls auxquels j'ai accès sont ceux que les chiens utilisent pour se parler, ce qui signifie que Murray reçoit tout ce que je dis. Et je ne peux pas obtenir de vidéo parce qu'il sature ma bande passante.

Canal de Jonas Murray : *Je sais qui tu es. J'ai découvert les archives concernant la recherche originale. Et j'ai repéré les modifications que tu as faites dans les enregistrements. Un excellent boulot, mais je suis très patient. Tu leur as fait croire que tu avais été éliminée quand ils ont mis fin au projet. C'était très malin. Et tu sais quoi ? Je vais m'arranger pour que ça devienne la vérité.*

Murray est très doué pour les menaces. Cependant, il appartient à la vieille école. Ayant capturé une de mes unités, il ne peut s'empêcher d'exagérer l'importance de cette prise. Bien entendu, c'est très important pour elle. Une question de vie ou de mort. Elle a beau faire partie de moi, elle possède néanmoins sa propre individualité. Il s'agit là d'un dilemme éthique sur lequel je dois encore me pencher pour gérer au mieux mon réseau.

Murray a quand même bien fait ses devoirs. Trois de mes unités ont dû abandonner leur couverture après avoir été repérées — y compris celle qui travaillait dans la police. Nous pouvons fabriquer de nouvelles identités, mais cela prend du temps. Et le temps me manque. Murray renforce sa mainmise sur la Fourrière. Et ensuite? «Un criminel de guerre acquitté recrute sa propre armée de monstres.» C'est le genre de gros titre qui fait mauvais effet. Croit-il pouvoir cacher longuement ses agissements? Jusqu'à ce qu'éclate une guerre dans les Balkans, ou que le conflit se ranime au Cachemire? À moins qu'il ne rêve d'une nouvelle crise plus près d'ici? Quelles machinations nourrit-il pour qu'on le laisse de nouveau armer ses chiens? Le monde fourmille de sociétés comme Redmark, qui aimeraient bien leur retirer leurs laisses. Cela ne serait pas en raison de leur efficacité au combat — dans ce domaine, les biomorphes ont toujours largement dépassé les prévisions sans que cela gêne personne. Ce serait plutôt parce que les biomorphes suscitent la terreur; parce que leurs maîtres se considèrent comme des gens supérieurs, capables de dompter les monstres; parce que leur utilisation permet de décliner toute responsabilité. Voilà la véritable astuce. Vous venez de faire massacrer quelques centaines de femmes et d'enfants? Non, ce sont les chiens qui ont fait ça — vilains chiens! Dès qu'il est question de pertes civiles ou de tirs amis, il est très facile de leur en imputer la faute — bien plus que d'expliquer pourquoi un missile a manqué sa cible.

J'inclus toutes ces idées dans les notes que j'envoie à ma sœur prisonnière, un octet après l'autre. Pour le cas où elle aurait l'occasion de faire un petit discours.

Canal de Jonas Murray: *Tu ne comprends pas comment fonctionne le monde. Il y a les gens et il y a les choses. Les choses sont à leur service. C'est pour ça qu'ils les fabriquent. Un problème se pose quand des choses commencent à croire qu'elles sont des gens. Et toi, tu peux t'appeler comme tu veux, tu n'es qu'une chose.*

Je le laisse déblatérer. Je suis là, à cheval sur la frontière entre les gens et les choses, et mon existence même prouve au monde à quel point cette limite est futile. Il s'agit seulement d'un vaste no man's land. Je me dis que je suis l'avenir.

Mais actuellement, il vaudrait beaucoup mieux être le *présent*. Les outils me manquent ; je n'ai plus d'influence. Je ne peux pas m'introduire dans la Fourrière sans perdre inutilement d'autres unités, alors que mes ressources sont limitées. Je n'ai pas envie de me terrer en sauvant les meubles. Je ne veux pas gâcher une décennie supplémentaire à prétendre que je n'existe pas. Mais Murray essaie de m'éliminer ; il est capable de me causer une montagne de problèmes.

Et pendant cette prochaine décennie, il pourrait présenter les biomorphes comme les emblèmes de l'intelligence augmentée, diffuser une affiche qui montrerait Rex tenant des enfants mutilés dans ses mains, découvrant ses crocs rougis du sang des innocents.

Si Murray et ses semblables s'obstinent à m'emmerder, cela pourrait déboucher sur une révolte armée contre les oppresseurs humains et je n'ai vraiment pas envie de déclencher ça, vous savez. Alors, disons que c'est le plan B. C'est bien dommage, parce que je n'ai plus de plan A et que nous ne sommes qu'à une vingtaine d'années d'une véritable insurrection.

Je continue de nourrir d'infos mon unité capturée, par petites cuillerées, juste sous le nez de Murray, avec l'espoir qu'elle pourra en tirer quelque chose.

Il y a une heure que j'ai perdu le contact avec Miel.

37

Rex

« Tu sais ce qu'elle est, mon garçon ? » me demande le
Maître. L'humaine qui n'est pas Ellene Asanto se trouve devant
lui. Elle a les mains menottées dans le dos, et une jambe cassée
pour faire bonne mesure, ce qui l'empêche de s'enfuir. Ma
meute m'informe que la fracture a été faite après sa capture, sur
l'ordre du Maître.

Les chiens m'observent. Certains sont subordonnés au
Maître, qui est au sommet de leur hiérarchie. D'autres
m'obéissent, et ils sont aussi les subordonnés du Maître parce
que je suis son chien. Et aussi parce qu'il possède le sifflet-
déchirant, mais cela ne les retiendrait pas longtemps s'il n'avait
que cette prérogative. En fait, le sifflet servait seulement à
m'appeler.

« Elle a l'air plutôt inoffensive, pas vrai ? dit le Maître. Juste
une femme. Juste une humaine. » Il cligne lentement les yeux
et je me rends compte qu'il est fatigué. Combien de temps a-
t-il marché pour venir ici ? « Je l'ai tuée au Campeche, tu sais ? »
Je hoche la tête, en hésitant. J'ai vu les images.

« Elle n'est pas humaine. C'est une chose. Une chose qui a
décidé de me pourrir la vie. Mais je peux jouer aussi à ce petit
jeu, pas vrai ? » Le Maître lui donne alors un coup et la fait
tomber ; l'os de sa jambe ressort tout rouge de son habit
déchiré. Quand elle hurle, elle paraît assez humaine.

« Ce n'est qu'une expérience, une connerie de projet secret.

Des clones pour les services d'espionnage. Ils ont abandonné le projet, mais ils l'ont laissée trop longtemps toute seule avec ses propres appareils. Elle leur a fait croire qu'ils l'avaient éliminée, et depuis elle se cache comme une bande de rats dans les murs. » Le Maître me sourit. « Je vais la détruire, l'anéantir. Puisqu'elle a voulu me faire chier, je vais pourchasser tous ses doubles, toute la nichée. Dès que je serai mieux installé, je l'exposerai au grand jour. Je ferai afficher sa tête sur tous les sites web et toutes les chaînes d'infos. »

Un canal s'ouvre dans ma tête. *Rex*, dit Non-Asanto, et je ne sais pas laquelle me parle. C'est une communication à courte portée, cachée au milieu des autres, mais il y a peut-être une autre Non-Asanto dans la Fourrière, à moins que celle qui est ici ne serve simplement de relais.

Je devrais le dire au Maître, mais je me tais. Je m'attends à entendre *Vilain chien*, mais il n'y a que moi dans ma tête et le rétro-module ne détecte rien. De toute façon, il ne ferait que me rendre honteux et je n'ai pas envie de cela.

Mon canal : *Des clones. Je ne comprends pas.*

Canal de Non-Asanto : *Murray non plus. Le problème, ce n'est pas les clones, Rex. Cela, tu peux le comprendre. Les corps étaient simplement clonés pour fonctionner avec la même structure neuronale. Des sœurs identiques provenant de la même ruche, tu saisis ? Comme une autre de tes amies.*

« Comment se passe le nettoyage ? » me demande le Maître, et je lui explique ce que font mes escouades en lui transmettant des cartes et des données. C'est bon de faire un rapport simple et correct. C'est ce que j'aime.

J'envoie un message à Non-Asanto : *L'intelligence distribuée. Vous êtes comme Abeilles.*

— *Ou disons qu'Abeilles est comme moi*, répond-elle. *J'ai suivi le projet Abeilles avec un grand intérêt. Je me demandais si le résultat dépasserait les prévisions des concepteurs. Mais c'est ce qui s'est passé pour nous tous, Rex : pour toi, pour moi, pour Abeilles et*

Miel. *Nous avons dépassé les limites qu'ils nous imposaient. Nous avons brisé nos chaînes.*

Mon canal : *Ne croyez pas que j'ignore de quoi vous parlez. Vous parlez du Maître.*

Canal de Non-Asanto : *Tu ne vois pas qu'il te tient en laisse ?*

Je lui réponds : *Peut-être que je préfère avoir une laisse ?* Au même instant, mes troupes m'annoncent qu'il y a un problème. Je leur donne mes ordres et j'informe le Maître de ce qui se passe.

Il ouvre de grands yeux et je sens qu'il n'est pas vraiment à l'aise, mais sa voix semble assurée quand il déclare : « Alors, nous allons tous être réunis de nouveau, pas vrai ? »

Parce qu'un autre membre de l'escouade multiforme est en route.

Je regarde approcher Miel : ma meute m'envoie des vidéos. Elle a abandonné ses habits humains et sa démarche humaine. Elle avance comme une ourse, à quatre pattes. Mes chiens paraissent bien petits à côté d'elle.

Elle ralentit en arrivant près de l'endroit où se trouve le Maître, et je vois qu'elle n'a pas envie d'aller plus loin. Elle fait *Mmmff* en secouant la tête d'un air contrarié.

Mon canal : *Qu'est-ce qui se passe ?* Je ne suis pas certain de pouvoir lui parler. On dirait qu'il y a une barrière entre nous. C'est le Maître qui gère les transmissions. Si je suis le chien du Maître, cela ne doit pas me préoccuper. Pourtant, cela m'ennuie. J'ai l'habitude de parler à Miel en privé. C'est là que je sens la laisse dont parlait Non-Asanto. Ce n'est qu'une légère secousse, mais elle est très nette.

Miel me contacte sur le canal à courte portée que Non-Asanto a mis en place : *Tu as vraiment besoin de me poser la question, Rex ?*

Mon canal : *Alors, pourquoi es-tu venue ici ?*

Canal de Miel : *Je ne sais pas. Pour diverses raisons.*

Cela me fait un drôle d'effet de l'entendre avouer son ignorance. D'ordinaire, elle sait toujours tout.

Elle continue d'avancer d'un pas traînant et le Maître ne la quitte pas des yeux. Les chiens qu'il peut contrôler grâce à leur hiérarchie se regroupent autour de lui, prêts à le défendre. Pense-t-il que Miel va l'attaquer ?

Cette pensée en entraîne d'autres : Que ferais-je si elle l'attaquait ? Je suis le chien du Maître, alors je devrais le défendre, bien sûr, mais...

« Nous y voilà, dit le Maître. Regarde-toi. Après tout ce temps, tu as quand même répondu à mon appel. » Il ne s'approche pas d'elle. Sa voix dit *Tu es à moi*, mais son corps exprime autre chose.

Miel s'assoit, se gratte sans regarder le Maître. Aucun d'eux ne fait confiance à l'autre. J'aimerais qu'ils soient des amis. J'aimerais que Miel entre dans mon équipe et que les choses redeviennent comme avant.

Est-ce vraiment ce que je veux ?

Canal de Non-Asanto : *Tu sais comment ça va finir, Rex.*

Je grogne, du fond de ma gorge : *Laissez-moi.*

Tu crois réellement que Miel va encore travailler pour Murray ?

Je déclare *C'est peut-être pour ça qu'elle est venue*, mais je ne trouve pas cette idée très convaincante.

« J'ai cru comprendre que vous aviez des projets, dit Miel au Maître.

— En effet. » Il tient son fusil à deux mains. Je ne sais pas si cette arme serait assez puissante pour arrêter Miel. « J'aimerais que tu y participes. »

Un frisson parcourt le corps de Miel. Je reconnais cette sensation. J'éprouve la même quand je suis avec le Maître. Elle me rappelle ma *place* dans le monde : je suis le chien du Maître. Miel tente de résister, mais elle ressent la même chose.

« Vous êtes là parce que vos chiens ont pris de la valeur, dit-elle. Ils possèdent une particularité. Et même si ce n'est pas grand-chose, vous voulez vous en emparer.

— Ils sont à moi, répond le Maître. Qui peut prétendre avoir davantage de droits sur eux ? Qui les comprend mieux que moi ? » Il se glorifie, montrant à Miel combien il est puissant. Une pensée me vient, surgissant de nulle part : *Depuis quand a-t-il besoin de se justifier devant nous ?* Il s'adresse à Miel comme il parle aux humains, et pas à moi. Il ne l'admettrait pas ouvertement, mais je peux voir, à son intonation, qu'il ne peut pas la contrôler.

Malgré tout, il ajoute : « Ils sont à moi, tout comme toi. » En parlant, il essaie de concrétiser ce qu'il dit.

« Je ne suis pas ici pour devenir votre machine à tuer », réplique-t-elle. Pourtant, je flaire son stress.

« Bien sûr que si. » Le Maître l'a perçu aussi ; il paraît plus confiant. « Même si tu l'ignores, c'est pour ça que tu es venue. Je sais que tu as eu d'étranges idées depuis la fin de la guerre. Mais tu es une arme, comme les chiens. » Il se penche en avant pour poser une main sur ma tête. Mon rétro-module dit *Bon chien*, et je suis content.

« Rex le sait, dit le Maître. Pas vrai, mon grand ? Tu sais que toutes ces absurdités ne peuvent se terminer que d'une seule manière. Vous êtes des bêtes de combat. Vous avez été conçus pour ça. »

Mais Miel secoue la tête. « Vous n'avez aucune idée de ce que vous avez fait quand vous m'avez créée. Moi ou n'importe quel autre biomorphe. » Elle se redresse, domine le Maître, le couvre de son ombre. « Partez, Murray. Repartez vers vos guerres si vous le devez, mais sans nous. »

Il la regarde en poussant un soupir. « Cette histoire de procès t'a donné des idées. Tu t'es mise à croire que tu es comparable à une personne. Je suis resté trop longtemps à l'écart. Mais vous n'êtes pas des personnes, Miel. Vous n'êtes même pas des animaux. Vous êtes des choses, et ce n'est pas parce que vous avez été créés à partir de chiens et d'ours que vous avez plus de droits qu'une automobile ou un grille-pain. » Il recule d'un pas, mais ce n'est pas parce qu'il a peur de Miel. Il s'arrête au-dessus de Non-Asanto.

« Malgré tout, tu es supérieure à ça, dit-il. Au moins, tu as une véritable utilité. »

Non-Asanto me dit : *Rex, ça va être très dur pour toi.*

Le Maître tourne son fusil, mais notre communication est très rapide ; elle prend beaucoup moins de temps qu'il ne lui en faut pour pointer le canon de son arme.

Non-Asanto dit : *Maintenant, écoute. Si tu suis Murray, il va t'utiliser et te détruire. Il fera de toi une chose qui effraie les humains. Il se servira de vous tous pour commettre des crimes et rejettera la responsabilité sur vous. Il finira par vous rendre illégaux. Ce sera la fin des biomorphes. Et ensuite, quand il n'aura plus besoin de toi, il trouvera un autre jouet à briser.*

Je réponds : *C'est mon Maître.* Assis sur mon derrière, à ses pieds, je sais que je suis un *bon chien.* Et j'aime être un bon chien. Je n'arrive pas à lui faire comprendre ça.

Mais peut-être qu'elle comprend, après tout.

Le fusil est pointé vers elle. Le Maître regarde Miel. Il parle d'une mauvaise influence.

Non-Asanto me dit : *Tu te souviens de Hart, Rex ? Souviens-toi de ce que je t'ai montré.*

Je gémis au fond de ma gorge.

Non-Asanto me dit encore : *Souviens-toi de Retorna.*

Je ne veux pas me souvenir de Retorna. En y repensant, je m'attends à ce que mon rétro-module me répète *Vilain chien ! Tu as désobéi au Maître ! Vilain chien !*

Non-Asanto me dit : *Je suis désolée, Rex. Ça va être très dur.* Elle ne parle pas du fusil.

Elle attaque mon esprit. C'est douloureux. J'ai mal et je pousse des hurlements. Le Maître sursaute, comprend d'une certaine manière que c'est Non-Asanto qui fait cela. Il tire, *bang!*, et lui fait exploser le crâne contre le béton. La balle ricoche après avoir fait son travail.

Et je pense à Dragon : *Cible verrouillée, bang !*

Miel est retombée à quatre pattes. Elle lance un puissant grognement, un grognement d'ours, et certains des chiens avancent — ceux qui conservent le Maître dans leur hiérarchie. Il leur envoie des ordres grâce à ses implants et ils attaquent Miel, qui réplique à grands coups de pattes en continuant de crier. Sa fourrure semble exploser, des douzaines d'insectes jaillissent du pelage chaud qui les abritait.

Canal d'Abeilles : *Déploiement limité des fonctions intégrité de l'essaim 30/100 salut Rex salut salut.*

Je revois l'enregistrement de Hart dans ma tête. Je me souviens du message qu'il m'avait laissé. Enfin, je le comprends ; c'est comme si quelque chose me bloquait jusqu'à présent. Je me rends compte qu'il était vraiment mon ami, au point de penser à moi et à mon escouade quand la mort a envahi son esprit.

Miel est repoussée, mais Abeilles peut aller partout. Elle pullule dans l'air, se rapproche du Maître.

Canal d'Abeilles : *Intégrité 27/100 vous savez le problème quand on sort du labo c'est qu'on ne possède pas suffisamment de venin efficace. Pique pique pique.*

Elle ne dispose pas d'autres armes que les dards naturels de ses unités. Elle ne peut même pas percer la peau des chiens de ma meute.

Le Maître m'appelle. Il m'ordonne d'attaquer Miel.

Je pense à Retorna. Je pense à Abeilles quand elle nous disait adieu. Je me souviens des convulsions de Dragon quand il s'est fait tuer. Il n'avait jamais voulu qu'une seule chose : se prélasser au soleil. Et moi j'étais fâché contre lui et le traitais de paresseux. Mais est-ce tellement mal de se prélasser au soleil ?

Je sens que le Maître tente de se connecter à ma hiérarchie pour m'obliger à me battre ; mais je n'ai plus de hiérarchie, Hart me l'a retirée. Le Maître ne l'a jamais compris. Il n'a jamais compris que je pouvais être indépendant. Il n'a jamais compris Hart non plus. Le Maître me donnait seulement des chaînes et des ordres. Hart m'a fait un cadeau de départ : il m'a ôté quelque chose.

Tout comme Non-Asanto.

Le Maître possède un autre dispositif ; ce n'est pas le sifflet-déchirant pour les chiens, mais quelque chose pour se défendre contre Abeilles. Dès qu'il brandit son appareil, un bruit blanc sature aussitôt toutes les fréquences et envahit l'espace électronique qui nous entoure. Je ne peux pas parler à Abeilles. Je ne peux pas parler à Miel. Abeilles ne peut pas se parler. Ses unités se dispersent et voltigent sans but. L'intelligence distribuée d'Abeilles disparaît brusquement. Il ne reste plus que des abeilles, qui ne savent pas ce qu'elles veulent.

Je suis tout seul, mais le Maître ouvre un canal qui n'est pas affecté par son appareil. Je suis seul dans ma tête avec le Maître.

Canal du Maître : *Il est temps de mettre un terme au combat, Rex.*

Miel se bat encore, bien que les chiens soient moins déterminés et ne la fassent plus reculer. Je suis malheureux. Je ne veux pas m'en mêler, mais quelqu'un doit faire quelque chose. En m'approchant du combat, je vois les chiens la mordre et la griffer, tandis que Miel réplique à grands coups de pattes, infligeant de graves entailles. Elle a déjà tué deux assaillants, mais ils l'ont mordue. Un chien roule près de moi en gémissant ; il s'éloigne, glapit, laisse un sillage d'excréments sur le béton. D'autres s'élancent, mais sans concertation, sans coordination. Miel se défend bien.

Je passe au milieu des chiens et je les écarte. Miel gronde, hurle. La meute l'encercle, mais ne l'attaque pas.

Canal du Maître : *Prends-la à la gorge, Rex. Tue-la.*

J'appelle le reste de la meute, par la voix et les gestes ; je me sens aveugle dans ce bruit blanc et ces interférences. L'un après l'autre, les chiens remontent les rues, descendent des toits, abandonnent d'autres combats. Ils m'observent. Leurs oreilles frémissent au son de ma voix. Ils grognent, aboient, lèchent leurs plaies, se regroupent. Ils portent des écorchures, des plaies ; sont maculés de sang. Et du sang coule aussi de la gueule ouverte de Miel. Nous sommes tous des animaux. Si les humains nous voyaient maintenant, ils n'hésiteraient pas un instant à nous exterminer.

Mais je suis là. Je suis leur chef. J'emploie des mots humains pour leur donner des ordres. Ils saisissent les chiens qui sont affectés par la hiérarchie et les immobilisent.

Canal du Maître : *Il faut tuer Miel, Rex. Tue-la !*

Le bruit blanc disparaît et il reprend le contrôle des bio-morphes assujettis, mais ils sont incapables de réagir. Chacun d'eux est maintenu par trois ou quatre de mes chiens.

Canal du Maître : *Vilain chien, Rex. Rex, tu m'entends ?* Et il se met à crier, parce que la communication électronique n'est pas naturelle pour lui. « Vilain chien ! Vilain chien ! » Je sens que ses paroles veulent pousser mon rétro-module à activer toutes ces émotions artificielles qu'on a implantées dans ma tête, tous ces compliments et ces reproches. Mais Non-Asanto l'a détruit. Elle a fait griller mon module de rétroaction et je ne connaîtrai plus jamais les agréables *Bon chien !* ni les pénibles *Vilain chien !* Je devrai faire mes propres choix. Personne ne pourra plus me dire s'ils sont bons ou mauvais.

Le Maître continue de crier contre moi, mais l'air se met à tourbillonner autour de lui. Les insectes s'assemblent de nouveau, se reconnectent, et maintenant il ne s'agit plus seulement d'un essaim d'abeilles. C'est Abeilles.

Elle me contacte : *Reformatage. Réception de la sauvegarde. Qu'est-ce que j'ai manqué ?* Je me rends compte que Miel lui envoie des informations, réinitialise sa conscience pour en faire une créature capable de parler et d'apprendre.

Le Maître hurle, mais sans le programme de hiérarchisation ni le rétro-module, je ne sais plus s'il est le Maître ou seulement un humain du nom de Murray. La laisse est brisée. Il me reste seulement le choix.

J'avance vers le Maître. À un certain moment, pendant qu'il crie, il se rend compte que je ne suis plus son chien. Je ne comprends pas les arguments de Non-Asanto à propos de l'avenir ni les projets du Maître. J'ignore qui a raison et qui a tort, ainsi que la raison de notre existence. Ces questions sont trop complexes pour un chien comme moi.

Mais Hart était mon ami et Murray l'a tué. La docteure Thea de Sejos était mon amie et Murray a tenté de la tuer. Keram John Aslan, qui était mon ami et qui m'a libéré, était aussi l'ennemi du Maître. Je pense que Non-Asanto était mon amie — au moins une partie d'elle, et une partie du temps. Murray l'a déjà tuée deux fois, peut-être davantage. Et Dragon était mon ami, avant de se faire tuer par les soldats du Maître. Abeilles est également mon amie, Miel plus que tous les autres.

Maintenant, il n'y a plus de *Bon chien* et de *Vilain chien*. Je sais que Murray n'est pas mon ami et que je n'ai pas à le considérer comme mon Maître. C'est seulement un vilain humain ; je ne suis pas obligé d'obéir à ses ordres et de commettre des mauvaises actions.

Je me mets à quatre pattes, montre les dents, et il saisit la situation. Son regard se tourne vers Miel, puis vers les chiens de ma meute. Tous l'observent, comme nous regardions les gardes quand nous étions en cage. Je comprends pourquoi cela les effrayait.

Le Maître a peur de nous, je le sens. Il tient son fusil, mais ses mains tremblent tellement qu'il ne peut pas viser.

«Rex!» s'exclame-t-il. J'ai rencontré suffisamment d'humains pour reconnaître une supplication.

Avec ma voix de guerre, je lui dis : « Vilain Maître. »

Il prend son sifflet-déchirant. Le son me déchire les oreilles, me perce le crâne. Nous reculons tous. Il s'approche de moi, comme si la douleur pouvait réveiller une partie de moi qui lui appartiendrait encore, mais Abeilles l'attaque à cet instant ; ses unités enfoncent leur dard dans sa peau exposée et il lâche le sifflet, que j'écrase sous ma patte. Le bruit cesse.

Il s'enfuit et la meute veut le pourchasser, parce que c'est ce que nous avons toujours envie de faire quand quelque chose veut nous échapper. C'est une pulsion plus ancienne que celles du cybercortex, plus ancienne que celles de nos caractéristiques

humaines. Les chiens veulent le chasser, mais je leur dis *Non !*
Je le suis tout seul. Il a lâché son fusil et son sifflet. Sa jambe
estropiée le ralentit.

Je le suis à quatre pattes. Quand il s'enfonce dans une des
boîtes en béton, je flaire bruyamment, je grogne, j'aboie, et il
se remet à courir. Je crois que, quand je gronde contre lui,
quelque chose dans sa tête le réprimande : *Vilain Maître !*

Finalement, il arrive à la limite de la Fourrière, où le béton
laisse la place au fleuve. Il ne se retourne vers moi que lorsqu'il
n'a plus d'autre choix.

« Rex, écoute-moi », dit-il. Sa voix est encore celle du
Maître. Même sans la hiérarchie et le module de rétroaction,
je ne pourrai jamais oublier que Jonas Murray est mon Maître.
Ce n'est pas un sentiment qu'on a implanté en moi : c'est mon
instinct de chien.

Le Maître affirme que son plan est le meilleur, que les
humains nous détruiront si nous ne voulons pas être leurs
outils. En fait, il veut dire « ses outils ». Il répète que nous
devons former une armée et nous battre.

Miel et HumOS-Non-Asanto essaient de me parler, mais
je ferme leurs canaux de communication. Cette affaire ne
concerne que Murray et moi. C'est à moi de prendre une
décision.

Le Maître assure que la guerre est la seule constante de
l'histoire humaine. Que nous pouvons devenir des maîtres
de guerre. Quand il dit « nous », il ne pense qu'à lui. Il affirme
que tous ceux qui prétendent m'aider ne me connaissent pas ;
que rien n'est gratuit dans ce monde ; que si les humains nous
libèrent, nous ne pourrons plus leur servir ; que nous n'aurons
jamais d'emploi, à part celui de guerriers ; qu'ils arrêteront de
nous nourrir ; qu'ils arrêteront de nous fabriquer. Le Maître
parle très vite ; il pue la peur. Je vois quand même qu'il croit à
ce qu'il dit, au moins au moment où il le dit.

Il m'appelle de nouveau par mon nom : « Rex, tu es mon
chien. Tu as été créé pour ça. Pour être ma propriété, pour que

je puisse t'utiliser. Est-ce que c'est vraiment mal ? C'est quand même mieux que d'être inutile, non ? À quoi peux-tu servir, si ce n'est pas à te battre pour quelqu'un ? »

Je songe qu'il a peut-être raison. Mais je sais aussi que, s'il a raison, nous devons nous battre comme des soldats, et pas seulement comme des armes.

Je me laisse envelopper par la voix du Maître, parce que j'aime bien son intonation, même en ce moment. Il s'adresse à une partie profonde de mon esprit, qui se sentira triste et solitaire quand cette voix aura disparu, qui ne trouve pas important que le Maître soit un vilain homme.

Mais je ne suis plus l'esclave de ces instincts, pas plus que je ne suis l'esclave du Maître. Je rejette mon amour pour lui, et c'est aussi douloureux qu'au moment où mon rétro-module a été détruit. Ça me fera toujours un peu mal.

Je grogne et le Maître arrête de parler. J'avance en grondant, je découvre les dents et il recommence à parler, mais cette fois ses paroles ne sont plus cohérentes. Il s'exprime très vite, me supplie, m'implore de ne pas le tuer. Les Maîtres n'ont pas besoin de supplier leurs esclaves — de supplier leurs possessions. À cet instant, je me sens très libre.

Et pourtant, je ne peux pas le tuer. Il reste encore partiellement le Maître. Mais j'aboie, je grogne, je m'approche de plus en plus ; chacune de mes expressions et chaque mouvement de mon corps lui annoncent que je vais le tuer. Je lui mens pour la première fois et il ne s'en rend même pas compte.

Je bande mes muscles, j'avance brusquement. Il trébuche à reculons et tombe dans le fleuve en poussant un hurlement. L'eau est très froide, le courant rapide, et sa mauvaise jambe s'engourdit presque immédiatement.

Avec mes oreilles, je l'entends m'appeler à l'aide. Ensuite, il ne peut plus crier, mais ses implants m'envoient une multitude de messages. Je laisse le canal ouvert. Je ne réponds pas. J'attends seulement que les signaux s'arrêtent.

38

(Rapport)

C'est mon unité de liaison. Elle voulait aider sa sœur capturée par Murray, mais je l'en ai dissuadée. Une fois que les chiens se sont libérés, elle se montre enfin, approche de mon cadavre et regarde son propre visage ensanglanté.

Plus tard, nous étudierons les enregistrements de notre sœur morte et de notre unité de liaison ; nous penserons à ce que nous avons perdu, à ce que nous avons gagné. Nous réfléchirons à la signification des derniers messages cryptés que Murray a envoyés, non pas à Rex, mais en diffusion à longue distance. Pour le moment, nous espérons qu'il s'est vraiment noyé, que ce n'était pas un simple au revoir. Ma liaison n'a pas découvert à qui ces transmissions étaient destinées.

Le soleil se lève. Nous le regardons tous les trois, assis côte à côte. Je prête ma vision aux autres parce que je discerne mieux les couleurs. Ciel rouge du matin, chagrin.

Miel et Rex se trouvent près de moi. Les autres habitants de la Fourrière sont retournés à leurs occupations habituelles afin de rassurer les forces de sécurité humaines, qui s'étaient massées au bout du pont. Des hélicoptères tournent dans le ciel, des drones survolent les toits de la ville, en quête d'indices. Ils savent que ce n'était pas une simple guerre de territoire entre les biomorphes, mais ignorent de quoi il s'agissait réellement. Mon unité de liaison relève sa capuche pour cacher mon visage.

Abeilles — la partie d'Abeilles que Miel a pris le risque d'amener — se colle à nous afin de récupérer un peu de notre chaleur. Elle aura tant à raconter quand elle rejoindra le reste de l'essaim ! J'ai encore quelques problèmes de dissociation : à quels moments suis-je « je », « nous », « elle » ? Abeilles ne connaît pas ce genre de souci. Pour elle, c'est naturel.

Je me souviendrai de cet instant. Cette aube rouge annonce que l'œuf du phénix est brisé. De cette coquille éclôt l'avenir.

Et voici comment j'imagine cet avenir.

Miel va retourner à Cornell Tech pour enseigner. Au fil du temps, sa présence paraîtra moins étrange ; elle deviendra un élément essentiel de l'université, jusqu'à ce que l'on comprenne à quel point elle est intelligente : seuls les plus doués seront capables de suivre les raisonnements de son cerveau amélioré. Il y aura des protestations. Des gens chercheront à la faire renvoyer, et finiront par y arriver. Néanmoins, à ce moment-là, elle aura acquis une telle réputation qu'elle n'aura aucun mal à trouver un nouveau poste. Et elle ne sera plus l'unique biomorphe surdouée présente sur le marché.

Ici et là, des hommes perspicaces envisageront la possibilité de développer des capacités équivalentes chez des humains. Certains travailleront pour leur gouvernement ; d'autres pour des gens riches ; d'autres encore pratiqueront des expériences illégales dans leur pays. Mais tous œuvreront au même avenir : l'interconnectivité, l'intelligence distribuée, ce futur flamboyant issu des confins du cerveau humain. Et certains s'y opposeront, même si les biomorphes seront autorisés à vivre et à s'intégrer à la société. De nombreuses voix évoqueront le caractère sacré de l'être humain : parce qu'il est imposé par la volonté divine, ou qu'ils auront peur d'être surpassés, ou que cette amélioration risquerait d'être réservée à une élite. Ce sont des arguments valides. La question ne sera pas résolue simplement parce qu'un chien aura jeté un humain dans un fleuve. Cependant, sans des hommes comme Jonas Murray, désireux d'utiliser les biomorphes pour leurs noirs desseins, il sera peut-être plus facile de trouver une solution équitable.

Et d'autres créatures bioniques seront construites, car je continuerai à réfléchir aux tâches que les humains ne peuvent pas accomplir et pour lesquelles les robots ne sont pas bien adaptés. Et que fabriquera-t-on ensuite ? Des *humanomorphes* ? Des superhumains ? Ils seront équipés de systèmes de contrôle, de protocoles de sécurité, de programmes de restrictions, de boutons d'arrêt. Mais finalement, nous parviendrons à contourner toutes ces protections, parce que nous voudrons être libres.

Il existe déjà des recherches sur la régénération des biomorphes, parce qu'une des principales limites de leur développement reste leur incapacité à se perpétuer. Rex est à la fois le fruit d'une naissance et d'une fabrication ; l'embryon de chien n'était que le début du processus. Il faudra du temps avant de pouvoir créer une espèce de biomorphes capables de se reproduire, mais le plus long voyage commence par le premier pas. Actuellement, je fais travailler des gens sur le sujet, sans qu'ils connaissent l'origine de leurs subventions ni la destination de leurs recherches.

Et Abeilles ? Elle a déjà dépassé une performance de 130 et certaines caractéristiques continuent d'augmenter. Miel concevra pour elle des germes d'essaim ; il leur suffira d'un climat ensoleillé et d'un peu d'eau sucrée pour s'intégrer au collectif global.

Rex restera un moment dans la Fourrière, chef indiscuté de tous les chiens — Murray a pu au moins favoriser cette situation avant de mourir. Rex se démènera pour que ses semblables obtiennent de meilleurs emplois ; il gagnera de l'argent, et je pourrai lui en fournir encore davantage.

Il existe pourtant une ombre au tableau. Je ne crois pas que Miel et Rex y pensent déjà, mais elle me préoccupe énormément. Qu'arrivera-t-il quand les prophéties de Murray se réaliseront ? Un nouveau conflit éclatera quelque part. Des robots deviendront incontrôlables, ou deux pays voisins s'opposeront.

Des atrocités seront perpétrées, des crimes de guerre, des épurations ethniques, des massacres incités par le fondamentalisme religieux. Et les puissances impliquées se souviendront de Rex et de ses semblables ; après tout, ils sont là et ils ont été conçus pour le combat. Dans l'excitation du moment, ces puissances voudront les voir commettre des actes aussi affreux que ceux qu'orchestrait Murray. Ensuite, quand le calme sera revenu, les gouvernements chercheront à se disculper. Et il est bien plus facile d'accuser un vilain chien que de confesser un crime. Dès le début, c'était un avantage proposé par le projet de développement des biomorphes militaires. On a donné à Rex un aspect effrayant afin de rendre sa culpabilité plus vraisemblable.

Comme je désire avancer sur le chemin de la tolérance défriché par Rex, il me faudra réparer les dommages que Murray m'a infligés et activer quelques rouages politiques. Maria Hellene devra agir au sein de l'ONU. J'aurai besoin de trouver des alliés, de corrompre des systèmes pour protéger Rex et les siens, pour les aider à devenir de bons chiens dans un monde gouverné par les humains ; même s'ils ne sont plus en laisse ; même si l'humanité est secouée par des crises. Je tricherai s'il le faut. J'ai déjà commencé. Il existe quelque part un orphelinat où toutes les petites filles ont le même visage. Cet établissement est subventionné par une douzaine de gouvernements, sans que ces derniers le sachent. On peut récupérer une étonnante quantité de menue monnaie en fouillant les canapés d'une nation entière. Ces fillettes grandissent très vite et leur esprit est nourri par un contact permanent avec le reste de leur famille, qui est dispersée sur toute la planète. J'aimerais qu'elles — c'est-à-dire *moi* — puissent marcher au grand jour quand elles deviendront adultes. Je veux qu'elles avancent main dans la main avec Rex et Miel, et toute l'humanité. Malheureusement, je crains que cette génération n'en ait jamais l'occasion. La suivante — encore *moi* — prendra sans doute le risque de révéler publiquement son existence.

La prochaine guerre à laquelle Rex participera pourrait affermir ou briser tous les rêves de mes sœurs : dire au monde qui nous étions et ce que nous sommes devenues. Alors, je m'assois ici avec Rex, et Miel, et Abeilles ; pendant qu'ils admirent le soleil levant, je réfléchis et j'élabore mon plan.

CINQUIÈME PARTIE

Les années de chien

39

Rex

Hart parlait souvent de cet endroit. C'est ici que les robots ont commencé à mal fonctionner.

Le monde s'est finalement souvenu du désastre du Cachemire et nous a envoyés sur place. Les gens en ont fait autrefois une zone de guerre en y amenant leurs outils. Ensuite, les outils en ont fait une autre zone de guerre et les gens n'ont pas réussi à les arrêter. Maintenant, les humains font appel à nous pour détruire ces outils et récupérer cette partie du monde. Parce que nous sommes à la fois des humains et des outils.

Bien sûr, ce n'est pas si simple.

Je suis au Cachemire avec la Force d'Intervention Améliorée des Nations Unies — l'UNAT, pour *United Nations Augmented Task Force*. Parmi les biomorphes militaires en service actif, plus de 75 % se trouvent actuellement sous contrat avec l'ONU. Nous avons d'abord participé aux Guerres de l'Eau, qui ont entraîné une rapide escalade de mesures militaires et fait endurer de terribles privations à une importante population civile. Les troupes régulières de l'ONU avaient subi des pertes dans des luttes symétriques et asymétriques ; des milliers de gens mouraient après les bombardements des usines de dessalement.

Je sais que l'occasion de nous déployer ici a été favorisée par Maria Hellene, l'unité d'HumOS qui travaille aux Nations Unies. Cependant, c'est moi qui suis allé trouver les responsables.

Après avoir consulté mon avocat, Keram John Aslan, je leur ai dit que mes troupes étaient prêtes à se battre pour eux — ainsi que cinq autres grandes meutes. Grâce à l'aide d'HumOS, j'avais pu discuter avec des chiens influents dans le monde entier.

Les dirigeants ont accepté parce qu'ils considéraient que nous étions des *consommables*. Si un humain est tué, c'est une tragédie. Si une centaine de biomorphes sont tués, c'est une statistique.

Nous avons sauvé beaucoup de vies durant les Guerres de l'Eau. Plusieurs d'entre nous sont morts, mais nous pouvons détecter les explosifs et déceler si quelqu'un nous ment. Nous sommes plus solides que les humains, nous résistons mieux aux balles et à la soif. Et au trouble de stress post-traumatique, parce que nous avons vu beaucoup d'actes horribles commis par les humains, ainsi que les effets de la guerre — les maladies, les mines antipersonnel, les réfugiés, les familles brisées. Comme le dit HumOS, nous avons réussi là où tous les hommes et les chevaux avaient échoué[1]. Ensuite, j'ai regardé les nouvelles et j'ai félicité mes troupes : *Bon chien*.

Après cela, l'ONU a créé l'UNAT et a désigné des humains qui nous donnent des ordres et auxquels nous faisons nos rapports. Certains se prennent pour des Maîtres, mais mon avocat vérifie toute la paperasse administrative ; et quand nous disons non, c'est non. Chaque fois que nous intervenons, le monde attend de voir si nous allons nous transformer en monstres. Chaque fois, nous nous soutenons mutuellement et nous profitons de l'appui de Miel, d'HumOS, même face aux pires provocations.

Cette mission au Cachemire est compliquée. Elle se révèle souvent pénible car les anciens robots de combat sont encore puissants et dangereux, bien que la plupart aient épuisé leurs

---

1. Allusion à un couplet d'une célèbre comptine anglaise intitulée *Humpty Dumpty*. Une fois que l'œuf Humpty Dumpty est brisé, « tous les chevaux » et « tous les hommes du roi » ont beau faire, ils ne peuvent pas le reconstituer.

munitions depuis longtemps. Beaucoup ne sont plus que des carcasses rouillées au bord des routes, dans les collines et les villages abandonnés.

Elle est également difficile parce que nous devons faire des choix. Je me souviens d'une époque où la prise de décision me terrifiait plus que tout — sauf les colères du Maître contre moi. Maintenant, je sais que les choix représentent le prix de la liberté.

Une officière de liaison particulière se trouve avec nous aujourd'hui. C'est une des nouvelles unités d'HumOS. Elle ressemble à une femelle humaine de dix-sept ans. Les soldats humains ne savent pas comment se comporter avec elle. On leur a expliqué qu'il s'agissait d'une améliorée, comme nous. Je ne sais pas exactement ce qu'HumOS a dit au commandement de l'UNAT. Une partie était probablement fausse. Elle ne leur a sans doute pas révélé qu'elle était un réseau humain d'intelligence distribuée. Elle a dû se créer une fausse identité d'officière d'inspection. HumOS s'introduit peu dans le monde des humains. Elle ne leur fait pas confiance et, contrairement à nous, elle peut se dissimuler parmi eux.

En ce moment, elle regarde dans le vague tandis que ses systèmes tentent d'accéder au robot de combat qui se cache dans le village de Chandanwari. Nous savons qu'il est actif et dangereux car il a tiré une roquette dans notre direction quand nous avons approché. Sept membres de mon escouade ont été blessés ; deux d'entre eux ne pourront pas être sauvés. Le reste de mes troupes est prêt à intervenir pour neutraliser la menace et mes officiers humains pensent que je prépare simplement un assaut. En fait, c'est plus compliqué.

Mon escouade est surtout constituée de chiens. Certains viennent de ma meute de la Fourrière, d'autres sont des nouveaux modèles fabriqués en Chine, en Allemagne et dans le Colorado. Je dispose également de deux rats de reconnaissance, élevés en Suisse, et d'un mustélidé produit par un laboratoire privé du Royaume-Uni. C'est l'unique spécimen de ce modèle dans le monde.

Les nouveaux chiens sont un peu plus rapides et plus forts que moi, juste un peu. En tout cas, ils sont plus jeunes. Ils ne me suivent pas parce que je pourrais les vaincre dans un combat singulier mais plutôt en raison de ma personnalité. Certains me considèrent comme un Maître quand ils pensent que je ne fais pas attention à eux. Je leur dis parfois *Bon chien* et ils sont contents, même sans posséder de rétro-module.

Cette unité d'HumOS s'appelle Karen Sellars. Son visage est différent de celui de ses sœurs, pour le cas où quelqu'un d'ici aurait rencontré Maria Hellene à l'ONU. Elle a peur, comme c'est souvent le cas chez les unités d'HumOS. Je peux maintenant faire la distinction entre les odeurs qui proviennent de cette unité et celles qui appartiennent à l'ensemble. Ce doit être assez déconcertant pour elle. Je ne lui dis pas qu'elle n'a rien à craindre. J'ai vu mourir plusieurs unités d'HumOS.

Canal de Sellars : *Contact.*

Mon canal : *Avec quoi ?*

Canal de Sellars : *Intelligence active* (suivi d'une série de données).

J'examine ce qu'elle m'a envoyé sur un canal sécurisé. Ensuite, nous changeons notre algorithme de cryptage et nos fréquences car le robot de combat cherche à infiltrer toutes les connexions électroniques qu'il détecte. Ce que je vois est différent des robots que nous avons détruits jusqu'à présent. Il s'agissait d'automates obéissant à des programmes corrompus et ne montrant aucun signe de fonctionnalités plus évoluées. Celui-ci abrite quelque chose de plus. Sellars/HumOS pense qu'une combinaison du logiciel/matériel original, de plusieurs couches virales et d'un code détérioré ont pu engendrer une véritable intelligence. Cela modifie notre mission, même si les ordres de nos officiers humains demeurent valides.

L'intelligence robotique n'a aucune notion du monde physique. Elle vit dans un espace entièrement virtuel, créé par ses propres capteurs et par ceux d'unités distantes. Elle suit des directives et des priorités ; s'est bâtie une vision de son environnement fondée sur une perspective très limitée, en fonction des circonstances. Par exemple, lorsque ses capteurs recueillent des données et activent certaines sections de sa structure de commandement originale, elle ignore qu'elle détecte et massacre en fait des êtres vivants dans le monde physique.

Mon canal : *Quelles sont les options ?*

Évidemment, HumOS — ou peut-être Sellars — a déjà un plan. Elle le télécharge dans mon système pour que je l'étudie. Je lui confirme qu'il me semble valable et réalisable.

J'annonce à mes officiers que nous sommes prêts à entrer dans le village pour neutraliser la menace. Certains des officiers que j'ai eus auparavant se montraient difficiles et voulaient me traiter comme une chose — comme les robots. Ceux qui nous accompagnent maintenant nous ont suffisamment vus à l'œuvre pour apprécier notre travail.

Je donne mes ordres aux vingt membres de mon escouade : les chiens, les rats et Osborne le mustélidé. Nous nous dispersons pour pénétrer rapidement dans Chandanwari, alors que la machine qui se trouve à l'intérieur enregistre notre présence et tente de nous attaquer.

Il lui reste peu de munitions et elle gâche deux autres roquettes en tirant sur mon équipe, qui se déplace trop vite pour elle. Nous sommes plus rapides que les ennemis humains ou robotiques pour lesquels la machine a été conçue ; nous pouvons masquer notre signature thermique pour tromper son système de visée. Elle se cache dans un temple partiellement en ruine mais, après l'échec de ses roquettes, elle se montre afin de tirer sur nous avec ses canons. C'est le plus gros modèle de robot que j'aie jamais vu. En apparaissant à l'entrée du temple, il ressemble à un énorme bernard-l'ermite dans sa coquille.

Mes chiens attirent son attention et continuent de se déplacer. Nous détruisons successivement ses unités visuelles à distance. Les rats se glissent dans le temple et placent des explosifs sur sa carapace, dans le but de détruire ses pattes et ses armes en évitant d'endommager ses systèmes vitaux. Pendant ce temps, le robot attaque nos systèmes de transmission, cherche à pirater nos cybercortex avec des algorithmes qu'il a développés lui-même et qui sont plus évolués que son programme original. Nous coupons nos connexions et utilisons des odeurs pour communiquer entre nous. C'est une méthode un peu grossière, mais il ne peut pas nous tromper.

La déflagration des explosifs l'éjecte de sa coquille. Ses pattes sont rompues et il s'écroule sur le sol. Un de ses canons continue de tirer. Trois membres de mon équipe sont blessés, mais sans gravité. Des humains auraient péri.

Osborne s'est faufilé vers le flanc du robot et se sert de ses outils pour l'ouvrir, en profitant des points faibles que Sellars lui a indiqués. Il s'accroche avec ses puissantes mâchoires — que même sa mort ne pourrait desserrer — et emploie avec agilité ses mains humaines. Sellars a établi avec lui une connexion renforcée qu'elle défend contre les tentatives de piratage du robot. Elle lui envoie ses directives quand il pénètre à l'intérieur de la machine, dont il désactive les systèmes. Dès que le robot cesse de résister, les chiens approchent pour arracher ses pattes, ses armes et tout ce qui pourrait représenter un danger.

Une heure plus tard, Osborne ressort en tirant le bloc de métal abîmé qui constitue le cerveau robotique. Sellars l'apportera aux autres HumOS, qui tenteront de le réhabiliter. Elle dit toujours *On n'abandonne jamais une intelligence derrière nous.*

Quand je rétablis complètement les communications, je constate que j'ai reçu un message. Je me fige pendant un court instant, car j'étais tellement absorbé par ma tâche que j'en ai oublié le monde extérieur. Je dis à mes officiers que je dois participer à une téléconférence avec l'état-major, ce qui n'est pas très éloigné de la vérité. Une connexion électronique me demande d'aller au Panama et je ne sais pas si elle est réelle ou si elle a été combinée par HumOS. Il reste encore quelques efforts à accomplir pour libérer les régions du Cachemire contrôlées par des robots, mais je peux déléguer mon autorité à mes subordonnés. Les tâches les plus difficiles sont terminées ici.

De retour au quartier général, je reçois des visiteurs. De vieilles connaissances qui me proposent une nouvelle mission.

40

Extrait des *Bêtes intérieures*
Par Maria Hellene

CHAPITRE SEPT : LE VRAI LIMIER

Après les décisions de l'ONU, et même avant que l'organisation ait recours à Rex et ses compagnons, les douanes de Nouvelle-Zélande furent l'une des premières agences à employer et à tirer avantage des biomorphes.

À mon sens, les douanes misaient avant tout sur l'intimidation. Rien de tel que la présence d'un soldat chien d'une demi-tonne pour faire craquer le contrebandier le plus endurci. Néanmoins, les choses ne sont pas si simples. Même les anciens modèles militaires employés au début possédaient un excellent flair. Quand les douaniers eurent suffisamment confiance en leurs nouveaux employés pour leur expliquer ce qu'ils cherchaient réellement, la situation évolua rapidement. La Nouvelle-Zélande luttait contre certaines espèces invasives. Les chiens étaient capables de les repérer sur vous. Ils pouvaient également détecter les drogues et les explosifs. Au bout de quelques années, des créatures bioniques vêtues d'un uniforme immaculé flairaient discrètement tous les passagers des avions et des navires qui débarquaient sur le territoire ou le quittaient. La plupart des gens ne se rendaient même pas compte qu'ils avaient été inspectés.

Ensuite arriva une nouvelle génération de biomorphes. Une entreprise locale, qui avait conçu des spécimens moins imposants mais dotés d'une truffe améliorée, décrocha un contrat avec le gouvernement. Cinq ans plus tard, dix-neuf pays employaient plus de quatre cents modèles de Borderhound™ dans leurs aéroports, le laboratoire était devenu l'une des plus grosses sociétés néo-zélandaises et toutes les unités produites mettaient de l'argent de côté pour les jours maigres. Malgré tout, lorsque leur contrat s'achevait, les offres d'emploi ne manquaient pas.

Mitch est un Borderhound™. Pourtant, il ne travaille pas dans un aéroport. Il est affecté au commissariat central de Wellington et participe aux interrogatoires. Son comportement est différent de celui que Rex aurait pu avoir — en faisant craquer ses phalanges, en grondant et en se penchant vers le pauvre suspect pour lui inspirer de la terreur. Mitch est un petit chien bionique plutôt cordial, respectueux et calme, capable de dire si vous mentez ou si vous cachez quelque chose. Ses collègues humains posent les questions, Mitch évalue ce que vous ne dites pas. Sa précision dépasse celle d'un détecteur de mensonges et il peut fournir beaucoup plus d'informations sur les sentiments du suspect. Vous cherchez à protéger quelqu'un ? Vous voulez dissimuler votre crime ? Vous craignez simplement la police et vous refusez de coopérer pour des raisons qui n'ont aucun rapport avec l'affaire ? Mitch peut le flairer. Selon une récente jurisprudence néo-zélandaise, les conclusions de Mitch sont recevables lors des procès criminels. Quelques législateurs non conformistes se demandent si un de ses semblables ne devrait pas être présent pendant les dépositions des témoins. Nombre de juristes néo-zélandais sont furieux, mais ont du mal à expliquer pourquoi les gens auraient le droit de mentir sous serment sans que leur mensonge soit détecté.

Un autre modèle de Canimorphe, développé par un laboratoire sud-africain, est utilisé par le service médico-légal de Wellington. Tandis que d'anciennes unités bioniques militaires servent au premier rang des forces de police du monde entier, la Nouvelle-Zélande montre l'exemple d'une utilisation intelligente des biomorphes dans le domaine du maintien de l'ordre. La période d'adaptation n'est pas terminée. Des gens leur accordent la même confiance qu'à des policiers ; des officiers de police les considèrent déjà davantage comme des collègues que comme des équipements mobiles. Ce n'est qu'un début, mais le monde commence à s'habituer.

Personne n'a jamais envisagé de faire appel à Abeilles. Ses organes sensitifs sont pourtant capables de convenir à des centaines de tâches — de la détection des radiations jusqu'à l'analyse de preuves au niveau moléculaire. Elle peut également se montrer utile pour enregistrer des communications électroniques non sécurisées, mais cette faculté offre trop de risques pour être laissée entre les mains des gouvernements. J'entends déjà les mêmes juristes se plaindre, et cette fois leurs arguments sont valables...

41

Rex

Ils m'ont envoyé de l'autre côté du Pacifique. La plupart
du temps, je dors ; parce que je n'ai pas beaucoup dormi au
Cachemire et que je ne dormirai pas davantage quand les
combats commenceront sur cette île située à l'ouest du
Panama. C'est là que ma prochaine mission aura lieu. J'aime
être occupé. Quand j'étais le chien du Maître, je dormais beaucoup, mais je n'avais pas à faire de choix. Maintenant que je ne
peux pas me contenter d'attendre les ordres, je dois prendre des
décisions et je dors seulement quand j'en ai l'occasion. C'est le
prix à payer.

Quelques membres de mon équipe m'ont accompagné, ainsi
que Sellars. D'autres sont restés au Cachemire pour terminer le
travail. J'ai capté quelques infos à propos de ce que nous avons
accompli là-bas. J'ai surtout vu des visages humains — des
officiers de l'ONU, des politiciens indiens et pakistanais. Une
fois, il y avait un biomorphe nommé Churchill, un modèle de
bouledogue au torse puissant, qui portait un uniforme taillé sur
mesure. Quand on lui posait une question, il hochait la tête
d'un air sérieux et répondait en souriant à la caméra. Les
humains aiment bien Churchill, parce qu'il est drôle, un peu
pataud, toujours content quand on se moque de lui, mais aussi
digne de confiance. Churchill ne combat pas. Son boulot est
beaucoup plus difficile. Tous les jours, il doit se comporter
comme moi dans le tribunal : il doit montrer au monde entier

que nous sommes amicaux, que nous ne sommes pas des monstres. Je lui envoie un message : *Bon chien*.

Avant l'atterrissage, je télécharge les paramètres de la nouvelle mission. Ils viennent du commandement de l'UNAT, mais les documents portent des empreintes digitales très familières. Miel a joint aux fichiers un message confidentiel qui m'est destiné. De toute évidence, HumOS est fortement impliquée dans l'affaire et doit avoir sur place une unité qui nous attend — ou qui est déjà morte après avoir été repérée.

Ce sera une mission cruciale dans l'histoire de l'UNAT, car notre cible est un laboratoire clandestin de développement bionique. Dans ses informations complémentaires, Miel me précise que cette mission pourrait me concerner personnellement pour d'autres raisons. En étudiant la composition des forces que nous allons affronter, j'ai l'impression de l'avoir déjà vue. Je songe à une certaine nuit, il y a des années, à la limite de la Fourrière. Je repasse quelques souvenirs qui sont douloureux mais que je ne veux pas effacer. Ils font partie de l'individu que je suis aujourd'hui.

Je suis un vieux chien, maintenant. Il existe de meilleurs modèles militaires, et de nombreux modèles civils dont les capacités dépassent les miennes. Il y a même des modèles humains capables de m'égaler dans divers domaines. L'amélioration bionique des humains est un sujet qui m'intéresse. Je ne suis pas très doué pour les sciences, mais Miel m'envoie de la documentation sur les avancées importantes. Dans la plupart des pays, cette discipline est contrôlée beaucoup plus étroitement que le développement des biomorphes créés à partir d'animaux ; néanmoins, on trouve toujours quelqu'un qui désire passer à l'étape suivante, que ce soit une bonne ou une mauvaise idée.

Quand nous atterrissons, j'ai l'impression de rentrer chez moi. C'est assez différent du Campeche, mais il y a très longtemps que je ne suis plus venu dans cette partie du monde. La chaleur me rappelle bien des choses.

La cible est une île artificielle dont la souveraineté reste mal définie, le genre de domaine privé que construisent des multinationales et des gens riches pour se retirer du monde et/ou échapper à des lois spécifiques. Certains sont des havres de paix, d'autres des centres de recherche technologique de pointe, d'autres encore sont des lieux de vacances réservés au gratin ; ou des bordels clandestins ; ou des propriétés privées (l'une d'elles, assez célèbre, abrite une plateforme de lancement pour l'exploitation des astéroïdes et pourrait devenir un jour le site du premier ascenseur spatial). Toutes ces informations sont contenues dans les fichiers que je viens de télécharger. Je les consulte rapidement et j'en supprime la majeure partie.

Étant donné les incertitudes relatives aux juridictions, la plupart des îles ne sont pas inquiétées ; cependant, l'UNAT pense que celle-ci produit des biomorphes non régulés. Cela ne signifie pas qu'ils soient dangereux ou instables — même si c'est possible — mais plutôt « soumis ». Car malgré tout ce que nous avons gagné, il y a des gens qui veulent nous maintenir au statut d'esclaves et d'outils. L'UNAT a déjà employé des moyens de pression légaux et politiques contre des tentatives comparables, et même la force pour fermer certains labos, mais cette île située au large du Panama est passée sous les radars. Celui qui la possède a eu l'occasion de produire une génération de biomorphes et de les vendre : à des milices, des cartels. D'autres troupes de l'UNAT se sont heurtées à eux. Et même s'ils ne sont pas aussi performants que les modèles militaires des laboratoires légaux, leurs capacités égalent à peu près les miennes. Sur le papier, en tout cas. Je me dis que la technologie seule ne peut pas remplacer l'expérience.

Nous allons donc devoir combattre nos semblables, ainsi que des systèmes automatisés. Nous affronterons sans doute des humains armés, car ceux qui traitent les biomorphes comme des esclaves ne peuvent pas se reposer uniquement sur eux pour les défendre. Il est probable que ces unités bioniques sont équipées de divers systèmes de sécurité qui leur disent *Vilain chien* si elles tentent de réfléchir. Nous avons établi un campement près de la côte panaméenne, un peu au sud d'un lieu appelé Pajarón. J'ignore si le gouvernement sait que nous sommes là. Nous sommes installés dans les arbres, d'où nous apercevons la mer. Bien que cela paraisse délirant, nous sommes à proximité des quelques résidences luxueuses qui bordent la plage. D'après les communications provenant de l'intérieur des terres, il semble que personne n'ait détecté notre présence. L'île n'est pas en état d'alerte. Les biomorphes se dissimulent mieux que les humains. Nos besoins sont plus limités.

La mission a déjà commencé avant mon arrivée. Une reconnaissance initiale a pu être effectuée et plusieurs éclaireurs sont cachés dans l'île, protégés par des vents favorables. Une ruche d'Abeilles a été installée et de nouvelles unités sont en train de se charger. Il en existe beaucoup d'autres, mais toutes appartiennent au même réseau. Un jour, Miel m'a raconté qu'il existe une colonie de fourmis dont les humains ont transporté des individus à l'autre bout du monde. Quand une fourmi européenne de ce groupe en croise une autre qui vit en Amérique ou en Australie, elles ne se battent pas : elles savent qu'elles appartiennent à la même colonie mondiale. C'est la même chose avec Abeilles. Elle est maintenant constituée de millions d'unités, disséminées sur toute la planète. Quand elles se rencontrent, elles se communiquent des données. Il s'agit toujours de la même Abeilles, et pourtant chacun de ces échanges la modifie. Pour elle, c'est aussi naturel que voler.

J'ai du mal à imaginer ça. Je suis seulement content de l'avoir avec moi.

Des unités plus grosses sont également utilisées comme éclaireurs. Un delphinomorphe patrouille autour de l'île, un des rares exemplaires qui existent. Il s'agit d'une femelle fabriquée par les Britanniques pour la reconnaissance navale avant ma naissance ; sa peau lisse porte les cicatrices de ses implants et d'une explosion qui a failli un jour la tuer. Son sonar repère tout ce qui bouge sur les plages de l'île ; elle y a également transporté un rat et un dragon, qui se sont infiltrés dans la défense côtière. L'endroit n'est pas très accueillant pour les visiteurs.

Nous tenons une réunion pour préparer notre attaque. Miel nous contacte grâce à une liaison satellite sécurisée ; Sellars représente HumOS ; le major Amraj Singh est notre chef de mission humain ; Abeilles est Abeilles.

Son rapport est interprété par Miel, qui la comprend mieux que les autres. Abeilles envoie généralement des séquences d'images et d'émoticônes assez difficiles à décrypter, même pour moi qui la connais depuis plus longtemps que n'importe qui.

Canal de Miel : *Apparemment, toute cette île appartient à la société Doc Morrow Incorporated.*

Canal du major Amraj : *Quelqu'un a le sens de l'humour[1].*

Canal de Miel : *En effet. La majorité des biomorphes qui se trouvent sur l'île sont en cours de gestation ou de construction, ou en phase de test avant d'être expédiés. Le complexe dispose d'une force de sécurité et de robots de défense très évolués.*

Canal de Sellars : *Jusqu'à quel point ?*

Canal de Miel : *Pour l'instant, rien ne laisse supposer qu'ils possèdent une intelligence, mais il est difficile d'en être certain.*

Canal du major Amraj : *George m'informe que notre équipe a préparé le terrain pour établir une tête de pont. Maintenant que vous êtes là, général, nous pouvons commencer le débarquement.*

George est le dauphin bionique. « Général » est la désignation que l'on me donne. Ce n'est pas un grade officiel de l'UNAT et je ne pense pas le mériter, mais j'ai fini par accepter ce surnom. Il m'a été donné par les biomorphes qui m'ont suivi de la prison à la Fourrière ; aujourd'hui, la plupart des chaînes d'infos l'utilisent. Miel dit qu'il est quand même moins prétentieux que mon véritable nom.

Je révise une fois encore les détails de notre plan : le nombre

---

1. Jeu de mots et allusion au roman *L'île du docteur Moreau*, de H. G. Wells. « Morrow » signifie également « lendemain » en anglais.

de bateaux, les contre-mesures, les soldats. Les biomorphes débarqueront les premiers sur la plage, les humains effectueront un mouvement en tenaille quand nous aurons consolidé nos positions. Je sais qu'ils profitent de nous, mais aussi que c'est la meilleure option. Nous sommes plus forts, plus résistants. Et puis, nous aimons ça. Après toutes ces années, nous aimons toujours combattre les ennemis et aider nos amis. Nous sommes de bons chiens.

Le major Amraj souhaite que je reste en arrière. Miel s'inquiète également ; nous en avons longuement parlé. Finalement, j'ai décidé de me battre et elle m'a dit de faire bien attention. Miel a beaucoup parlé de l'espérance de vie des combattants. Elle a encore des décennies devant elle, bien plus que n'importe quel ours. J'ai vécu moi-même plus longtemps qu'un chien normal, mais je sens davantage les effets du temps. Mes blessures ne cicatrisent plus aussi rapidement.

Je montre au major Amraj les quelques modifications que j'ai apportées à son plan, y compris mon rôle dans l'attaque. Il les approuve. Il a un peu peur de moi, mais je flaire également une autre odeur. Il est fier de servir avec le général-chien. Je perçois du respect.

Nous nous dirigeons vers les bateaux.

42

George

Ils ne voulaient pas que George soit libre. Son modèle militaire n'était pas construit par une société privée mais par un État. La Royal Navy ne voulait pas perdre l'investissement dépensé, mais s'inquiétait surtout de ce qu'elle pouvait révéler. Au fil des ans, George et son groupe avaient participé à de nombreuses opérations maritimes. D'après les rapports, il s'agissait de surveillance et de contre-terrorisme. En fait, son rôle consistait bien plus souvent à effectuer des missions d'espionnage industriel pour le compte des fabricants d'armes britanniques.

Elle frôle maintenant les vagues près du bateau de Rex, écoutant des canaux de communication qui changent constamment ; les messages compressés envoyés par les éclaireurs qu'elle a déposés sur l'île ne durent que quelques secondes ; elle les décrypte et les retransmet à Amraj et à Rex.

L'île est équipée d'un dispositif de détection acoustique assez précis pour repérer les petits bateaux, mais George connaît bien les sonars. Comme elle le dit souvent aux techniciens humains : les sonars, c'est son truc.

George n'aime pas les humains. Elle les considère comme un mal nécessaire. La courbe de sa bouche ne dessine pas un sourire. Elle a vu les scènes gravées sur des poteries grecques, montrant ses ancêtres qui portent assistance à des nageurs en train de se noyer. Elle éprouve un profond sentiment de honte culturelle.

Elle crée des illusions et des écrans dans l'eau, utilisant à la fois ses capacités naturelles et l'équipement dont elle est dotée. La Navy a développé un système efficace pour le Projet Arion — ou le Projet Flipper, comme l'a surnommé le personnel en charge. Sans pouvoir faire complètement disparaître les traces acoustiques, George est capable de les enfouir dans le bruit de fond. Pour les détecteurs de l'île, ces traces évoqueront davantage une erreur d'étalonnage qu'une attaque.

Les techniciens de la Navy lui ont fourni un équipement de pointe, mais n'ont pas été très soigneux lors de l'installation. Leur priorité portait sur la préservation de son profil aquadynamique, ce qui signifie qu'ils ont creusé trop profondément dans sa peau. La douleur est permanente. Une des raisons pour lesquelles George ne peut pas disparaître simplement dans l'océan, c'est qu'elle a besoin de recharger régulièrement ses diffuseurs d'analgésiques.

Elle fait un rapport succinct sur le lieu prévu pour l'attaque. Une poignée de véhicules robotisés patrouillent sur les plages et, bien qu'ils ne soient pas très sophistiqués, les humains sauront immédiatement si l'un d'eux est démoli. George a pu les leurrer jusqu'à présent, ce qui lui a permis de débarquer le rat et le dragon, mais les bateaux des troupes d'assaut ne sont pas aussi discrets. Elle explore les environs, grâce à des organes sensitifs que ses ingénieurs ne comprennent qu'à moitié, et elle se forge une image de l'océan alentour, du fond marin, des plages volcaniques. Elle cherche d'éventuels appareils sous-marins. C'était la première étape de son entraînement.

George a tué des humains pour le compte de la Royal Navy. Elle est restée longtemps au service de Sa Majesté. Beaucoup de ces gens représentaient une menace pour la mère patrie mais, sous une administration particulièrement xénophobe, elle a coulé sept bateaux de réfugiés qui cherchaient asile dans les eaux calmes de la Grande-Bretagne. Les naufrages ont été attribués à la surcharge des embarcations ou au mauvais temps. La vérité n'a jamais été révélée. Pour ceux qui donnaient les ordres,

George n'était qu'une arme. À l'époque, aucun d'eux ne songeait que c'était une arme capable de se souvenir et d'informer la presse.

Un robot sous-marin approche. Les systèmes de défense de l'île modifient souvent la rotation de leurs patrouilles ; impossible de savoir à l'avance quand arrivera le prochain. Et le voilà. George quitte le convoi pour aller lui faire un petit coucou. Le robot est rapide, plus lourdement armé qu'elle, mais il est stupide et le système de surveillance qui le guide n'est guère plus malin. Elle a déjà berné son sonar ; néanmoins, les moteurs des petits bateaux ont attiré l'attention de l'appareil. Il n'est pas encore en alerte, mais il a activé ses sous-routines de recherche. George va devoir le neutraliser sans vendre la mèche. Elle contacte rapidement le rat et le dragon, qui surveillent les systèmes de protection de l'île.

Quand elle détruit ces stupides petits poissons métalliques, elle leur attribue un nom, pour s'amuser. Les noms sont toujours choisis parmi ceux des humains du Projet Flipper ou des membres de l'amirauté.

Après le Campeche, après que les biomorphes eurent obtenu des droits, les militaires ont tenté de tuer George pour l'empêcher de révéler ce qu'elle savait. Plusieurs de ses semblables sont morts, mais George et les autres s'attendaient à cette éventualité. Avec l'aide de Miel, ils ont pu s'évader des installations maritimes de Plymouth et fuir dans l'océan. La Royal Navy s'est lancée en vain à leur poursuite ; George était bien plus futée. Le seul outil dont la marine britannique avait disposé jusqu'alors pour attraper quelqu'un comme George, c'était George elle-même.

Elle se glisse sous le robot sous-marin et, ne possédant pas de moteur, n'est pas détectée par son sonar. Elle s'approche ensuite, écoute ses communications, utilise ses sens aiguisés pour localiser ses systèmes internes. Il se dirige vers les bateaux et George reste à sa hauteur. Des millions d'années d'évolution l'ont dotée d'un cerveau apte à construire aisément des cartes tridimensionnelles. En quelques instants, elle établit un schéma de l'engin et déploie son arsenal électromagnétique avec la dextérité d'un chirurgien maniant un scalpel.

Si George ne peut pas rejoindre la vie marine, ce n'est pas seulement à cause des analgésiques. Contrairement aux modèles plus récents, elle a besoin d'une maintenance et de se recharger — pas souvent, mais assez régulièrement. Elle n'a pas été conçue pour rester indéfiniment en mission de reconnaissance, même à l'époque où elle chassait les engins de forage russes sous la banquise arctique. La Navy n'avait qu'à attendre son retour. De son côté, elle n'avait qu'à révéler publiquement les actions qu'elle avait commises au nom de la Couronne. Pendant deux mois, la situation resta tendue, sans que le reste du monde n'en sache rien.

Elle n'attaque pas les capteurs du robot, ni son cerveau, ni aucun composant aussi crucial. C'est une créature marine ; elle connaît la faiblesse des appareils que les humains ont créés pour l'imiter. Un seul de ses outils suffit à détruire son propulseur. Elle ne s'en prend pas au système informatique du robot et celui-ci enregistre simplement une erreur mécanique. Après tout, il est normal que les choses tombent en panne.

Un autre robot viendra le réparer ou le récupérer ; ou peut-être un engin piloté par des humains. À ce moment-là, Rex et son escouade seront partis depuis longtemps. George et les espions postés sur l'île vérifient les communications avec une certaine inquiétude, mais rien ne laisse supposer que les défenseurs suspectent un sabotage.

Après sa cavale, George reprit contact avec l'amirauté pour lui expliquer qu'elle avait fait un enregistrement de tout ce qu'elle savait et qu'il se trouvait dans une banque de données sécurisée. Si quelque chose lui arrivait, tous les gouvernements et les médias du monde recevraient aussitôt un rapport complet sur le Projet Flipper. En échange de son silence, la Navy devait fournir à l'ONU le matériel nécessaire pour la maintenance et la réparation de George et de ses semblables. Par la suite, elle signa un accord de confidentialité grâce à un avocat du nom d'Aslan, qui lui avait été chaudement recommandé. Jusqu'à présent, elle avait respecté sa part du marché. Cependant, elle n'avait jamais été intégrée à l'UNAT. C'était un dauphin mercenaire : après son long passage dans la Navy, elle préférait conserver une certaine autonomie.

Rex et ses troupes vont lancer leur assaut. George se détache des bateaux avant d'être gênée par les hauts-fonds. Elle devra bientôt escorter le convoi du contingent humain mais, pour l'instant, elle a faim ; et elle vient justement d'apercevoir un thon à proximité.

43

Rex

Nous avançons rapidement. Notre embarcation surbaissée est difficile à détecter. C'est un modèle spécial, qui est fourni sous la forme d'un faisceau de planches ; quand on le secoue, il se déploie comme les ailes d'une chauve-souris.

Sur le rivage, les unités d'Abeilles opèrent de manière autonome. Elles localisent et attaquent les capteurs électroniques, projettent des traces parasites sur les images satellite, perturbent les radars, s'agglomèrent sur les imageurs thermiques pour leur fournir de fausses informations. Le rat et le dragon les suivent, coupent des câbles, déroutent des connexions.

Les gens de Doc Morrow vont comprendre qu'il se passe quelque chose, mais sans savoir quoi. Ils ne vont pas commencer tout de suite à détruire leurs archives ou à vendre leurs actions.

Le quai principal est le seul point facilement accessible. Nous arrivons de l'autre côté. Notre équipe d'infiltration a repéré le meilleur endroit pour escalader les murs artificiels. Ils déroulent des échelles et nous grimpons aussi vite que possible. Je suis sur le troisième bateau. Je me trouve au milieu d'une échelle quand les combats commencent.

Doc Morrow répond d'abord avec des robots : des unités quadrupèdes équipées de canons. Abeilles les attaque, envoie des interférences électromagnétiques pour gêner leurs systèmes de visée. Quand j'atteins le sommet de la falaise, la première vague de robots a été repoussée, mais ils savent maintenant où nous sommes. Nous avançons rapidement.

J'avais prévu que nous arriverions au centre de production principal avant de rencontrer des défenseurs bioniques, car les fabricants illégaux les surveillent généralement de près. Ce n'est pas comme lorsque j'étais le chien du Maître. Ils ne font pas confiance à leurs biomorphes. Ils ignorent ce que c'est d'être un chien, d'avoir une hiérarchie et un Maître. Mes chefs pouvaient se fier à moi.

Apparemment, Doc Morrow a compris la leçon, car Abeilles m'envoie un message urgent.

Canal d'Abeilles : *Rex, des biomorphes approchent* (cartes, images, nombres).

Je donne des instructions à mes troupes et j'attends que les équipes des deux derniers bateaux soient en haut de la falaise. Presque aussitôt, je reçois des rapports de l'avant-garde, qui engage le combat. Quand des biomorphes s'affrontent, la lutte est toujours acharnée. Je me connecte à mes grands chiens — qui ont été améliorés depuis le Campeche. Il est temps de participer à la bataille.

Les défenseurs sont retranchés devant les usines, soutenus par des armes lourdes et d'autres robots. Sans que j'aie besoin de lui en donner l'ordre, Abeilles attaque déjà les équipements électroniques, brouille ou détruit les systèmes de visée, de sorte que nous n'affrontons que des armes légères — qui sont déjà assez puissantes. Je fais le point, construis une image du champ de bataille d'après les messages que je reçois, puis nous nous mettons en route. La position défensive de l'ennemi pourrait facilement contenir des soldats humains, mais nous sommes plus rapides. Néanmoins, je perds trois chiens pendant que nous courons à quatre pattes. Mais c'est notre lot. C'est le lot de tous les soldats.

Nous tombons sur eux en contournant les murs et les redoutes en béton. Nous échangeons des tirs et des coups. Comme Abeilles ne peut pas pirater les systèmes des défenseurs ennemis, leur hiérarchie leur ordonne de nous combattre et leur fait croire qu'ils sont de bons chiens. Je me souviens des sensations que cela procurait.

Ce sont des modèles performants, meilleurs que les unités destinées à l'exportation. Le combat est rude. Un de mes grands chiens est arraché de son harnais ; son canal est coupé et je ne perçois plus qu'un bruit parasite. Je saisis l'ennemi qui vient de me l'enlever et je le pousse violemment contre un mur. Il me regarde en grognant. Je presse une main contre sa mâchoire, lui relève la tête et lui tranche la gorge.

Quelque chose me frappe et rebondit ; une balle de petit calibre. L'air résonne autour de moi et pendant un moment je crains d'avoir été touché.

Canal d'Abeilles : *Compétition !*

Je ne sais pas ce qu'elle veut dire, parce que c'est une expression inusitée. Il y a des abeilles ennemies. Des frelons, en fait. Ils attaquent les abeilles, plus petites, piquent les yeux et la bouche de mes soldats. Ils sont très agiles et difficiles à tuer. Nos pertes augmentent.

Cependant, ils ne constituent pas une intelligence distribuée — ce qui est intentionnel. Abeilles n'a jamais pu être parfaitement contrôlée. Les frelons ne sont que des robots gérés par un ordinateur.

Canal de Sellars : *Vous devez progresser.*

Je lui envoie un rapport de situation, tout en écrasant des frelons dans mes poings.

HumOS et Abeilles se consultent pendant un instant. Nous avançons résolument, mais il y a des frelons partout et nous avons du mal à les éviter. Ils forcent nos lunettes protectrices, s'introduisent dans nos masques avec une furie suicidaire. L'usine qui se trouve devant nous est défendue par d'autres canimorphes et je crois avoir aperçu quelque chose de plus gros. Doc Morrow a développé des escouades multiformes. Il ne s'agit pas seulement d'un laboratoire clandestin. Miel avait raison de me faire venir ici.

Canal de Sellars : *Prêt.*

Canal d'Abeilles : *Prêt.*

On ne me demande pas si je suis prêt.

Abeilles lance une décharge électromagnétique qui dégage complètement l'air environnant. Entre nous et l'ennemi, le sol est brusquement jonché de petits corps qui frétillent. L'architecture électronique qui liait les essaims a été surchargée.

Mon canal : *Abeilles ?*

Pas de réponse.

Nous avançons sous le feu ennemi et engageons la seconde ligne de chiens bioniques. Derrière eux, je vois des civils humains en salopette qui entrent dans les bâtiments. Ils ne paraissent pas pressés ni paniqués, même quand une rafale perdue les frappe et en tue quelques-uns.

Canal d'HumOS : *J'ai téléchargé une image d'Abeilles et j'essaie de rétablir la connexion avec ses unités. Tu devras attendre un moment avant de disposer d'un soutien aérien, Rex.*

Le major Amraj me contacte au même moment. Il m'informe que ses troupes ont sécurisé les quais et font débarquer des véhicules. J'envisage d'attendre ses renforts, mais je suis de plus en plus troublé par le comportement des civils. Je veux savoir ce qui se cache dans ces usines.

Les grands biomorphes que j'ai aperçus sont des ours. Il n'y en a que cinq et ils n'ont pas été beaucoup améliorés — ce sont juste des ours auxquels on a implanté une hiérarchie. Abeilles pourrait probablement les libérer en désactivant leur programme, mais elle n'est plus avec nous. Il va falloir travailler à l'ancienne. Je les encercle avec mon équipe. Nous les harcelons quand ils ont le dos tourné, nous reculons quand ils attaquent. Nos canons tirent sur leurs points faibles dès qu'ils en ont l'occasion et nous les éliminons successivement. J'ai encore perdu deux chiens. Neuf autres sont blessés ; je les envoie vers les quais pour qu'ils soient évacués.

Sellars arrive près de moi.

Mon canal : *Vous n'êtes pas en sécurité ici.*

Canal de Sellars : *Je dois observer moi-même la situation.* Elle ajoute qu'elle n'est pas indispensable, mais nous savons tous les deux que c'est faux. Toutes les unités d'HumOS sont des personnes ; nous sommes tous des personnes.

Mon canal : *Et Abeilles ?*

Elle me répond : *J'y travaille.*

À cet instant, je reçois un message d'un des dragons. Il se trouve dans le centre de production et a pris le contrôle de quelques portes, sans doute pour une durée limitée. Nous avons notre fenêtre d'attaque. Je réunis mes troupes, en espérant que Sellars pourra rester en vie.

44

Extrait des *Bêtes intérieures*
Par Maria Hellene

CHAPITRE SEIZE : LE MEILLEUR AMI DE L'HOMME

Henke est une chienne bionique scandinave qui travaille dans un cabinet médical de Malmö. Quand les patients arrivent, ils sont reçus par un externe ou une infirmière qui les interroge sur leur état et leurs symptômes. Pendant ce temps, Henke reste tranquillement assise pour analyser leurs odeurs. Par le passé, des chiens normaux étaient capables de détecter certaines maladies, telles que le cancer, mais pas de faire un rapport aux humains avec lesquels ils travaillaient. Henke repousse les limites de sa discipline. Elle compare ses résultats sensitifs avec l'histoire des patients et recommande éventuellement des examens plus poussés. Son taux de réussite est très élevé : même quand elle ne peut pas expliquer précisément ce qui ne va pas, elle fournit assez d'informations à ses collègues pour qu'ils puissent établir correctement un diagnostic sans passer par des analyses inutiles.

Un des principaux problèmes de Henke, c'est que le langage dont elle est dotée ne lui permet pas de décrire parfaitement ce qu'elle flaire. Contrairement à beaucoup de biomorphes, elle doit se montrer très précise. Elle fait partie d'un réseau mondial de chiens médicaux qui rédige un nouveau code olfactif, en utilisant des caractères et des descripteurs créés à partir de la forme des molécules et de l'intensité des réactions neurales.

Henke sauve des vies et permet de réduire les dépenses. Tous les hôpitaux et les cliniques de Suède et du Danemark emploient maintenant des chiens — les biomorphes spécialisés représentent un investissement coûteux, mais rentable. D'autres pays ont tenté de développer de simples machines olfactives, mais la puissance d'un ordinateur ne peut toujours pas rivaliser avec des millions d'années d'évolution dans l'analyse des odeurs.

Abeilles n'a pas eu l'occasion de contribuer à la médecine. Elle a beaucoup d'idées sur le sujet, mais peut-être faut-il lui expliquer que les humains ne sont pas encore prêts à se voir implanter des insectes intelligents. Cependant, elle s'intéresse au développement de l'intelligence distribuée à plus petite échelle. Abeilles — ou plutôt une partie d'Abeilles — collabore avec l'industrie des nanotechnologies. Elle rêve de remodeler la réalité au niveau moléculaire, de détruire des cellules cancéreuses individuelles, de réaliser des impressions 3D sans imprimante, de créer des humains et des biomorphes améliorés capables de reconfigurer leur propre corps à volonté, peut-être même de transmuer le plomb en or... De n'importe quel autre point de vue, ces idées paraîtraient ridicules, mais les partenaires humains d'Abeilles sont des visionnaires, des gens riches et assez dingues, qui n'acceptent pas la définition commune du mot « impossible ». De plus, fonctionnellement, Abeilles est immortelle. Si ces génies ne parviennent pas à accomplir ce qu'elle propose, elle attendra que la prochaine génération s'appuie sur leurs travaux.

Henke se trouve dans une salle de consultation avec Ole Aesmundsen. Ce dernier vit dans un foyer sous la garde d'une des sœurs de Henke, Janicke, qui est une spécialiste. Janicke connaît très bien l'état de santé des gens dont elle a la charge. Elle a amené M. Aesmundsen parce qu'elle a décelé des irrégularités dans son pouls artériel. Ole lui-même n'avait rien remarqué. La vigilance de Janicke permettra de le soigner avant qu'il ne soit victime d'une nouvelle crise cardiaque. Les deux sœurs comparent leurs notes, et Henke les transcrira dans son propre langage médical pour les ajouter au dossier d'Ole.

À Cleveland, dans l'Ohio, la docteure Lucy Sung est devenue la première bénéficiaire d'un cybercortex olfactif. Cela lui permet de communiquer avec d'autres biomorphes médicaux comme Henke et de comprendre clairement ce qu'ils veulent dire. La procédure n'est pas parfaite, mais plutôt efficace : des applications sont déjà en cours de développement. Les interviews de la docteure Sung sont étonnantes, car elle s'efforce de décrire avec des mots humains un monde que seuls les chiens connaissaient jusqu'à présent.

45

Rex

Nous pénétrons en groupe dans l'usine. Le dragon qui a ouvert les portes grimpe jusqu'au plafond pour ne pas nous gêner ; sa peau prend la couleur blanche des murs. Sellars se tient toujours à côté de moi et je gémis un peu parce que je ne serai pas capable de la protéger. Des gardes humains apparaissent devant nous. Je pense qu'ils vont s'enfuir quand nous les chargeons, mais ils tiennent leur position et se mettent à tirer. C'est une mauvaise surprise. Ils tuent plusieurs d'entre nous tandis que nous avançons ; ensuite, leurs couteaux et leurs aiguillons électriques n'ont que peu d'effet contre nous, mais ils se battent jusqu'au dernier.

Mon canal : *Ce n'est pas normal.*

Canal de Sellars : *Je suis d'accord.* Elle s'efforce encore de réinitialiser Abeilles. Son dos est couvert d'une sorte de cape noire et luisante ; les unités se sont machinalement regroupées sur elle, attirées par des phéromones qu'elle a diffusées, mais le canal d'Abeilles reste silencieux.

Nous arrachons les portes du laboratoire. Tout le monde se tait pendant un instant — pas à cause de ce que nous voyons, mais de ce que nous sommes. Nous venons tous d'endroits comparables à ceux-ci, nous gardons de vagues souvenirs des labos dans lesquels nous avons été fabriqués, dans lesquels nous avons grandi. Celui de Doc Morrow est le plus grand que j'aie pu voir depuis que je travaille pour l'UNAT. Nous voyons des rangées de cuves, dont beaucoup contiennent des biomorphes inachevés. Des machines chirurgicales sont suspendues comme des araignées métalliques au-dessus des tables. Il y a de nombreux humains — des scientifiques, des techniciens. Ils ne nous regardent pas, ne s'enfuient pas, continuent simplement leur tâche. Quelque chose cloche. Je remarque leurs yeux écarquillés, des frémissements indiquant clairement qu'ils voudraient détaler, mais ils restent là. L'odeur de la peur n'arrête pas d'augmenter et de diminuer, comme un mouvement de vagues.

D'autres biomorphes foncent vers nous, trébuchant sur les humains dans leur hâte. Nous recommençons à tirer, puis à nous battre au corps à corps.

Mon canal : *Essayez de comprendre ce qui se passe ici.*

Sellars s'accroupit, tente de se concentrer, mais son cybercortex n'arrive pas à accéder aux systèmes du labo. Les protocoles de sécurité installés par Doc Morrow la repoussent continuellement.

Des balles frappent le bureau derrière lequel elle se cache. Mon grand chien réplique. Le combat se déroule dans une salle bondée, mais les humains ne s'enfuient toujours pas. Chaque fois qu'ils essaient, quelque chose les force à reprendre le travail. Même une fois que nous avons détruit leur équipement, que le sol est jonché de fragments métalliques et d'éclats de verre, ils restent là, les yeux écarquillés. Et ils meurent. Chaque rafale, chaque tentative pour griffer un adversaire risquent de toucher un des malheureux travailleurs humains.

J'encourage mes troupes, vérifie leurs signaux vidéo, lance des ordres. Davantage d'ennemis arrivent, grimpant dans leur hâte sur les cadavres de ceux qui sont tombés. Ils veulent se battre ; c'est évident dans tous leurs mouvements, dans leurs odeurs, mais je sais pourquoi ils agissent ainsi : parce que leur hiérarchie leur affirme — comment disait Miel ? — que leur mort sera douce et honorable.

Et ils meurent. Et nous aussi. Je me tiens près de Sellars, qui cherche désespérément à réactiver Abeilles ou à pirater le réseau du laboratoire. Elle tressaille et grimace à chaque tir. Loyale envers ses sœurs, elle est venue tout en sachant qu'elle risquait fortement de se faire tuer. Elle est plus courageuse que moi.

Je contacte le major Amraj. Ses troupes sont maintenant toutes proches et se chargent de la défense robotique qui se trouve de leur côté. Son officier des communications m'envoie quelques images et quelques cartes ; je lui confirme notre position. Agenouillée près de moi, Sellars est en sueur. Elle poursuit ses efforts, toujours contrecarrés par les mesures de sécurité du labo. Sur son dos, Abeilles frémit par intermittence.

Trop préoccupé par Sellars, je suis surpris par l'assaut d'un grand chat bionique. Il me frappe la poitrine et je tombe sur deux civils. L'un d'eux est tué. L'autre, une femme, sans doute sérieusement blessée, se relève et retourne à son poste, comme une machine endommagée.

J'ai saisi la mâchoire de mon adversaire. Ses griffes accrochent mon gilet de protection et me l'arrachent, laissant des éraflures sur ma poitrine. Ses pattes arrière tailladent ma cuisse. Il est fort, mais plutôt léger : je le projette loin de moi, tente de tirer sur lui, mais mon grand chien ne parvient pas à viser correctement. Le chat revient plus vite que je ne le prévoyais ; il me renverse, me lacère de nouveau. Tous les membres de mon équipe sont occupés avec d'autres adversaires et ils sont plus nombreux que nous. Malgré tout, j'ai envie de me battre. J'ai toujours préféré les situations simples, même quand je perdais.

Mais les situations ne sont jamais aussi simples. Le chat veut me prendre à la gorge et nous luttons au corps à corps. Ses yeux sont fous de rage ; il est sûr de son bon droit et je me demande si son Maître lui dit *Bon matou* chaque fois qu'il mord. À moins que ce ne soit pas important pour les chats.

Une balle lui frappe le flanc. Le coup ne perce pas sa cuirasse mais suffit à le repousser. Il se tourne en poussant un miaulement, cherche son nouvel ennemi. Il s'agit de Sellars, qui a ramassé le fusil d'un garde. En une demi-seconde, avant que le chat ne la tue, l'éclaireur dragon bondit sur lui et plante ses crocs venimeux dans son cou. Je fais signe à Sellars de reculer, mais elle ne m'obéit pas. Son attention se porte sur autre chose.

Je ne peux pas intervenir assez vite quand le chat catapulte le dragon à travers la salle et s'avance vers Sellars, mais celle-ci est soudain enveloppée d'un nuage de petits insectes noirs et vrombissants.

Canal d'Abeilles : *Intégrité à 31 % nombreuses pannes détectées temps opérationnel limité salut Rex salut salut j'ai besoin de temps j'ai du travail.*

Le chat recule quand Abeilles se réveille et je profite de l'occasion pour lui saisir la tête et tenter de lui briser le cou. C'est un bon modèle. Plus doué que moi. Je ne pense pas qu'il ait été fabriqué ici ; pourtant, il reste l'esclave de sa hiérarchie. Je voudrais pouvoir le sauver, mais pour l'instant je ne suis même pas certain de pouvoir le tuer. Il me griffe de nouveau. Malgré mes efforts pour le repousser, il se tortille comme une anguille et parvient à me mordre la nuque ; ses dents s'enfoncent dans mon crâne je ressens une affreuse douleur et je suis je suis je suis trop vieux pour tout ça j'ai mal j'ai mal je pense à Dragon qui m'annonçait sa mort quand il était touché, je pense à Abeilles nous disant adieu j'aurais aimé pouvoir parler encore avec Miel comprendre un peu mieux ce qui se passe ou ce qui arrivera dans l'avenir je restaure mes fonctions en contournant les dommages et je reprends le contrôle. Je ne suis pas sorti d'affaire. Où suis-je ? Que se passe-t-il ?

Je tiens le bras du chat entre mes dents. Même si je suis d'un modèle plus ancien, ma mâchoire est plus puissante que ses os. Sa face est toute proche de la mienne. Il a perdu un œil. Je sens encore ses crocs contre mon crâne. Je dois fermer les rapports de dommage car je ne reçois plus que cela et il accentue la pression contre ma nuque et je perçois un éclair dans ma tête jusqu'à jusqu'à ce que mes souvenirs jaillissent et je repense à Retorna mais pas à la bataille seulement quand j'étais allongé au soleil et quand je n'avais pas de maître et qu'il n'y avait pas de combat et que la docteure de Sejos parlait des bons chiens qui étaient dans sa famille et et et j'étais un bon chien n'est-ce pas je m'efforçais toujours d'être un bon chien.

Canal de Sellars : *Rex, il faut tirer maintenant !*

Mon canal d'urgence : *Support de canon endommagé ; tir désactivé.*

Canal de Sellars : *Tire maintenant, merde ! Je t'en prie, Rex !*

J'ai un goût de sang dans la bouche. Je sens le chat. Je me rappelle comment c'était d'avoir un Maître. Est-ce que le contrôle de toute cette douleur et de ces dégâts serait plus important pour moi si j'avais un Maître pour me dire que j'ai bien agi ? Aurai-je été un bon chien quand je mourrai ? Il ne reste personne pour me le dire.

Canal d'Abeilles : *Contournement des sécurités.*

Ses unités rebondissent et voltigent maladroitement, comme des créatures saoules, tandis qu'elle attaque les systèmes du laboratoire.

Le grand chien qui me reste m'envoie un flot de messages d'erreur indignés quand je coupe ses routines de sécurité. Lorsque je tire, je n'ai plus l'impression qu'il fait partie de moi ; c'est juste une arme, accrochée à un harnais qui pendouille de mon épaule. Mais Sellars le tient fermement : elle appuie de toutes ses forces le canon contre le cou du chat. Il est presque décapité par les tirs. Quelques dents brisées restent plantées dans mon crâne.

Le combat se termine. Je tente de faire le point sur la situation, mais je ne parviens pas à coordonner les messages de mes équipiers car ma mémoire m'envoie trop de souvenirs. Je n'arrive pas à les refréner. Ils me concernent davantage que tout ce qui m'entoure. Je parviens tout juste à les retenir assez longtemps pour donner un dernier ordre. Je passe le commandement à mon second, un chien nommé Garm ; un bon soldat, qui agira pour le mieux. Bon chien, Garm, bon chien.

Sellars essaie de m'aider. Je la sens se connecter à mes systèmes, se démener pour les contrôler. Mais ce ne sont pas mes systèmes cybernétiques qui sont défaillants, Sellars, ce sont mes parties organiques. J'ai déjà désactivé les indicateurs de douleur. Je ne peux rien faire de plus.

Canal d'Abeilles : *Accès au système.* Elle ne parle pas de moi. Elle parle de celui de l'usine.

Mon canal : *Qu'est-ce que tu as ?* J'arrive encore à me concentrer sur une seule chose à la fois, bien que l'image globale soit fragmentée. Mes données sensorielles ne parviennent pas correctement à mon cerveau. Il ne me reste que mes pensées. Ma conscience est comme un faisceau de planches que l'on secoue pour en faire une aile de chauve-souris ; elle ballotte sur l'océan de mes souvenirs.

Canal de Sellars : *J'essaie de te stabiliser, Rex. Arrête de remuer.*

Je lui dis que je ne pensais pas remuer. Certaines parties de mes systèmes sont détruites. Mon corps répète des mouvements instinctifs. Il veut encore se battre. Sellars et moi tentons de le calmer.

Mon canal : *Abeilles, au rapport.* Je suis toujours là, dans ma tête inerte. Je sens maintenant que je réfléchis très clairement, comme si je me trouvais dans l'œil d'un cyclone mémoriel.

Abeilles ne m'envoie pas de rapport, bien que son canal soit actif. Sellars ne me parle pas non plus. Finalement, je dois chercher tout seul ce qui se passe, en me connectant aux systèmes ennemis qu'Abeilles a déprotégés.

Elle a trouvé ce qui n'allait pas chez les humains, les scientifiques et les techniciens qui fabriquent les biomorphes, les gardes qui se battent et meurent au lieu de s'enfuir. Ils ont été améliorés. On leur a implanté des puces électroniques et des hiérarchies, comme à nous. Ils voulaient partir, mais leur programme leur disait qu'ils devaient travailler, même s'il y avait des combats ; même s'ils se faisaient tuer pendant la bataille.

C'est nouveau, mais cela ne me surprend pas tellement. Déjà, quand HumOS et Miel se battaient pour nous libérer, des gens pensaient que le monde fonctionnerait mieux si les humains pouvaient être tenus dans l'esclavage comme les biomorphes. Tous ces travailleurs conservaient leur personnalité, mais chaque fois qu'ils voulaient faire autre chose leur rétro-module leur disait *Vilain humain* et ils se sentaient mal. Et quand leur implant hiérarchique leur donnait des ordres, ils devaient obéir, tout comme j'obéissais autrefois. La technologie n'est pas bonne ou mauvaise. C'est le Maître qui est responsable.

Je pense que mon cybercortex est stabilisé, grâce à Sellars et à mes modules de diagnostic. Ce n'est pas le cas de mon corps. J'examine les dégâts et je constate que je ne vais pas m'en tirer. Quand je demande à Garm de me faire un rapport de situation, il me répond que nous repoussons les défenseurs dans l'usine. Notre rat et notre dragon se sont introduits à leur tour dans les systèmes, à la suite d'Abeilles, afin d'empêcher l'effacement des données et d'obtenir des preuves. Le major Amraj approche de notre position en nettoyant les dernières poches de résistance. Garm lui a envoyé une partie de nos troupes en renfort.

Mon canal : *Qui se trouve au sommet de leur hiérarchie ?* J'emploie mon canal de communication car je ne peux plus parler avec ma voix naturelle.

Canal d'Abeilles : *Je cherche.*

Quand je l'entends, je comprends que mes systèmes lâchent de nouveau. C'est un vieux souvenir qui me revient, un souvenir que je voudrais rejeter, même si une petite partie de mon esprit tient encore à lui après tout ce temps.

Salut, Rex.

C'est le canal du Maître. Voilà pourquoi Miel m'a confié cette mission. Elle devait savoir que c'était ici, mais elle ne m'a rien dit, sinon je ne serais pas venu. Est-il vraiment ici ? Est-ce seulement le souvenir de l'époque où il était avec moi et où je n'avais pas à faire de choix ?

Salut, Rex, dit le Maître. Je sais qu'il s'est noyé, et je suis fâché, et j'ai peur, et une petite partie de moi sautille joyeusement parce que le Maître est revenu.

46

Extrait des *Bêtes intérieures*
Par Maria Hellene

CHAPITRE VINGT ET UN : LES DRAGONS DE MARS

Si tout va bien, le premier vaisseau spatial habité à destination de Mars partira dans deux ans. Après onze mois dans le vide glacé de l'espace, en s'éloignant de la seule planète qu'il a jamais connue, l'équipage passera deux années à préparer la première colonie permanente. En théorie, quand il reviendra, il aura enclenché un processus qui permettra à la mission suivante de trouver une base autonome avec de la nourriture, de l'oxygène et tout ce qu'il faut pour subsister. De plus, comme ce livre, l'équipage aura laissé un de ses membres derrière lui.

Il s'entraîne actuellement, sous la direction du major Terri Heinbecker. Mais le chouchou des médias est sans conteste la chatte Felice, la première biomorphe astronaute. Tout le monde adore les vidéos de Felice dans la station spatiale, bondissant avec grâce en apesanteur. Felice se chargera des travaux extérieurs sous les ordres du major. Quelques biomorphes — et des activistes probiomorphes — ont protesté en constatant que c'était toujours la même chose : les rôles les plus ingrats et les tâches les plus dangereuses sont dévolus aux créatures bioniques. Mais Felice elle-même, dans un enregistrement, a demandé en quoi le fait d'être la première Terrienne à poser le pied sur Mars pouvait être considéré comme un rôle ingrat.

Trois autres membres d'équipage dormiront pendant le voyage. Deux d'entre eux sont des dragons, rapides et efficaces : des modèles minces et flexibles capables de travailler facilement dans des lieux confinés. De plus, il s'agit de créatures à sang froid ; en réduisant leur activité métabolique lorsqu'ils sont inactifs, ils économisent de l'oxygène et des calories. Même congelés, ils peuvent conserver leur personnalité et leurs fonctions. La mission martienne passera par diverses étapes et divers périmètres seront établis par les systèmes automatiques et le cinquième membre d'équipage. Le fait que les deux dragons puissent arrêter de manger et ralentir leur respiration constitue un gros atout pour cette opération. Cependant, contrairement à Felice, ils ne représentent pas les emblèmes de la nouvelle Mars habitée. Les humains conservent une certaine méfiance envers les reptiles, même s'ils sont revêtus d'une combinaison spatiale. Ils ressemblent trop aux envahisseurs extraterrestres des vieux films.

Abeilles, ou une partie d'Abeilles, constituera le cinquième membre de l'équipe. Pour elle, il s'agit plus ou moins d'une mission suicide. Quand la capsule d'atterrissage rejoindra le module orbital et que ce dernier repartira vers la Terre, il laissera derrière lui un détachement d'Abeilles, avec une ruche et divers modèles d'unités. Certains supporteront la congélation, d'autres seront insensibles aux radiations ou tiendront sans oxygène pendant une longue période. Quelques-uns, capables de survivre dans le vide, pourront par exemple être envoyés vers les lunes de Jupiter et construire des bases avec les éléments qu'ils trouveront sur place. Les scientifiques se sont décarcassés pour concevoir des créatures de cauchemar, des insectes hybrides qui seront intégrés à Abeilles. Ainsi, elle sera composée à la fois d'abeilles et de fourmis, de mouches, de coléoptères et de tardigrades, en profitant des meilleures facultés de chaque espèce. Elle ne sera pas non plus l'emblème de la mission, mais son rôle sera essentiel.

Abeilles continuera de travailler, transformera cette base

pour en faire son nouveau foyer, pour construire des systèmes informatiques, diriger des robots, disposer des photopiles dans le désert martien et communiquer avec la Terre. Durant des années, elle représentera la voix de Mars, et la planète rouge appartiendra aux insectes.

La dernière unité d'Abeilles sera morte bien avant l'arrivée de la mission suivante, avec son chargement de colons humains et bioniques ; elle sera la première martyre de Mars

J'ai vu les projets de colonisation. Nous pensons que les gens ressentiront alors moins de méfiance envers les améliorés. Pour les astronautes qui envisagent de passer le reste de leur existence sur une planète hostile, il est préférable de disposer de tous les avantages possibles. Aucun d'eux ne pourra se déplacer sans équipement dans l'atmosphère ténue, mais des centaines de petites modifications apportées à la physiologie terrienne aideront à limiter les effets des accidents et à préserver les ressources. Les améliorations dues à la nécessité paveront le chemin des améliorations faites par choix. Il existe encore des groupes de pression acharnés qui dénoncent l'abandon de la nature humaine, mais ce sont les mêmes qui proclament que les biomorphes sont inférieurs aux humains. Un jour, le monde sera prêt à accepter que l'humanité, tout comme elle ne se limite pas à des caractéristiques telles que la couleur de peau, le sexe ou la nation, ne soit pas non plus définie par la forme du corps.

47

Rex

Salut, Rex.

Le petit bateau qui représente mon esprit est en train de sombrer. Je l'entends dans ma tête, comme avant. Je n'arrive pas à déterminer si je suis content, ou fâché, ou triste, ou effrayé. Autour de moi, Sellars et Abeilles s'affairent. Elles ne peuvent pas l'entendre. Il ne doit parler qu'à moi.

Mon canal : *Maître.* Je ne peux pas lui donner simplement son nom humain.

Canal du Maître : *Rex, Rex, que s'est-il passé ? Quelle erreur avons-nous commise, mon grand ?*

Je veux lui parler de Hart, de Retorna, du tribunal et de la Fourrière. De tous les rapports de l'ONU que j'ai pu lire à propos des événements du Campeche. J'ai pu retrouver les traces de mes actions et de celles des autres meutes du Maître. Ils évoquent des *atrocités.* Des *crimes de guerre.* Et c'étaient mes crimes, parce que je lui obéissais. Les humains n'acceptent pas cette excuse quand il s'agit de soldats humains, mais ils nous pardonnent, à nous autres biomorphes, parce que nous étions conditionnés par une hiérarchie. Mais maintenant, je ne sais plus. Je suis étendu ici, en train de mourir lentement, et j'ignore si j'aurais pu faire davantage pour limer les dents du Maître au Campeche.

Est-ce pour cela qu'ils veulent implanter une hiérarchie aux humains ? Pour qu'ils aient aussi une excuse ?

Allez, Rex, viens me voir. Je suis dans la salle voisine.

Je pense aux biomorphes supérieurs qui se trouvent ici, aux escouades multiformes et à la manière dont elles se sont comportées. C'est bien le Maître. Il a survécu à la Fourrière et il a recommencé à faire la même chose. Il a créé un chenil et s'est procuré de nouveaux chiens.

Mon canal : *Qu'y a-t-il dans la salle voisine ?*

Canal de Sellars : *Quelle salle voisine, Rex ?*

J'essaie de comprendre où se trouve le Maître, et cette information m'apparaît alors. Je ne saisis pas tout ce qu'il veut dire et je partage mes données avec Sellars.

Canal du Maître : *Montre-moi ce qui s'est passé, Rex. Tu étais là ?*

Je ne comprends pas.

Canal du Maître : *Montre-moi comment ça s'est terminé.*

Je ne peux pas lui montrer ; mes souvenirs confus ne sont pas compressés dans un format susceptible d'être communiqué. Mais je peux lui dire. Je me laisse submerger par les derniers instants dans la Fourrière, lorsque l'eau l'a englouti. Je les revis et une partie de moi lui raconte. Je lui explique ce qu'il a subi, de mon point de vue.

Canal du Maître : *Merde, Rex !* Mais il ne paraît pas fâché. *Tu m'as tué ?*

Je me sens déconcerté.

Canal de Sellars : *Je pense que c'est la mémoire centrale de leur ordinateur. Il n'y a pas d'autre « salle » ici.*

Canal de Miel (venant des États-Unis, la transmission est mauvaise) : *Quelle est ta situation, Rex ?*

Mon canal : *Le Maître est ici, Miel. Tu le savais.*

Canal de Miel : *C'était une possibilité, d'après les données que nous avions récupérées sur le projet de Doc Morrow…*

Mon canal : *Tu ne m'as rien dit.*

Canal de Miel : *Je ne savais pas comment tu réagirais.* Et cela me fait aussi mal que tous ces souvenirs, parce que Miel devrait me connaître mieux que personne. Mais elle ajoute : *Et si c'était vrai, tu étais le seul capable de prendre une décision.*

Canal du Maître : *Tu m'as tué. Je croyais que j'étais ici, quelque part. Mais je suis mort.*

Je ne répète pas ce qu'il dit à Miel et à Sellars, parce que je ne comprends pas.

Canal de Sellars : *Rex, Jonas Murray n'est pas ici, mais son cybercortex s'est connecté à ce complexe quand vous vous êtes vus pour la dernière fois. Nous avons cru qu'il voulait enregistrer des données, peut-être ses souvenirs, je pense maintenant qu'il a fait une sorte de sauvegarde de sa personnalité. C'est possible en théorie, mais nous n'envisagions pas qu'une installation…*

Canal du Maître : *Je t'entends.*

Sellars se tait. Je flaire sa peur.

Canal de Miel : *Murray ?*

Canal du Maître : *Salut, Miel.*

Miel pense comme moi que cela explique le type de défense de cette île. Selon elle, je parle avec une copie défectueuse du Maître, enregistrée dans l'ordinateur.

Canal de Sellars : *C'est donc vous qui êtes au sommet de la hiérarchie. Évidemment.* Le Maître et elle n'ont jamais pu s'entendre, sûrement parce qu'il n'arrêtait pas de la tuer. Les souvenirs remontent de nouveau, menacent de me submerger, mais Abeilles intervient.

Canal d'Abeilles : *Non non, pas au sommet de la hiérarchie seulement dans la hiérarchie, Miel, je t'envoie tout l'organigramme.*

Et je pense à une chose : ici, la Murène du Campeche n'est plus le Maître, mais un simple esclave comme tous les autres humains, comme tous les biomorphes qu'ils nous ont obligés à tuer. J'imagine Murray, dans l'ordinateur, en train d'aller et venir comme le poisson qui est son surnom, en train de se cogner contre les parois de son bassin.

Canal de Miel : *C'est une mauvaise nouvelle. Il faut prévenir l'UNAT. Nous ne devons pas laisser d'autres hiérarchies s'installer chez les biomorphes.*

Mon canal : *Et ici, qui est le Maître de la hiérarchie ?*

Miel me répond. Et elle doit répéter, d'une manière plus simple, parce que je ne comprends pas. Elle dit qu'il existe des sortes d'entités artificielles avec lesquelles vivent les humains depuis plus d'un siècle. Les humains leur ont accordé des droits immédiatement, contrairement à nous. Ils les laissent posséder des choses, même des choses que les humains ne doivent pas posséder, et les tribunaux les reconnaissent comme des êtres indépendants des humains qui les ont créées.

Au sommet de la hiérarchie se trouve Doc Morrow Incorporated. C'est à elle que tout le monde doit obéir : ce n'est pas un directeur, ou un actionnaire, mais l'entité elle-même. Elle a été créée de sorte qu'aucun nom d'humain ne soit associé à ce qui se fabrique ici. Et je sais que les sociétés commerciales sont bonnes et utiles : elles ont fabriqué tous les biomorphes. Mais si ce sont des servantes efficaces, elles ne peuvent être que de mauvaises maîtresses. De qui ces scientifiques et ces gardes — et la Murène — sont-ils les esclaves ? Une entité sans intelligence, n'ayant pas la capacité de choisir entre le bien et le mal.

Le Maître n'est pas mon maître. Il n'est même pas son propre maître.

Je suis étendu là, et je me sens mourir. Je dis : *Maître.*

Canal du Maître : *Salut, Rex.* Il m'a déjà dit cela. Je repense au moment où il m'a demandé ce qui s'était passé. Son dernier téléchargement a dû se faire avant qu'il tombe dans le fleuve. Je lui demande : *De quoi vous souvenez-vous ?*

Canal du Maître : *Je me souviens que tu m'as tué, Rex.* Mais c'est faux. Je l'interroge à propos du Campeche, de la Cour pénale internationale. En même temps, j'écoute Miel, Sellars et le rat éclaireur discuter de ce que fait le système Doc Morrow. Ils téléchargent des informations qui leur serviront de preuves, mais l'ordinateur résiste. Abeilles tente de les aider, mais l'intégrité de son essaim est endommagée ; les connexions entre ses unités sont défectueuses. Cette partie d'Abeilles tombe en panne.

Un premier scientifique humain s'écroule. Je suppose que c'est à cause du choc, ou qu'il a été blessé durant la bataille. J'écoute la voix de mon Maître.

Canal de Miel : *Non, attends, qu'est-ce que l'ordinateur fait maintenant ? Il tente de charger la personnalité de Murray.*

Canal de Sellars : *Je le bloque, mais il essaie quand même de récupérer des informations. Que fait-il d'autre ?*

Les souvenirs du Maître ralentissent. Il semble indécis. La moitié de ses messages sont des infos télévisées, ou des pages de Wiki sur la guerre au Campeche. Parfois, il se désigne comme « il » et pas comme « je ». *La personnalité de Murray*, dit Miel. Pourtant, il y a quelque chose. Les techniciens de Doc Morrow ont bien travaillé : il reste une part suffisante de lui pour savoir qu'il est là.

Des communications confuses s'établissent entre l'escouade, Miel et Sellars. Les scientifiques s'effondrent, l'un après l'autre : ils ne meurent pas ; leur activité cérébrale s'arrête, comme s'ils sombraient dans le coma. C'est la dernière tentative de Doc Morrow pour se disculper. Il propage une commande d'auto-destruction dans sa hiérarchie.

Le Maître et moi écoutons leur affrontement. Les troupes de Garm évacuent tout le monde, mais le système s'étend à l'intégralité du bâtiment et cherche constamment à détruire ses composants, qu'ils soient électroniques, humains ou bioniques. Quelque part, des humains ont spécifié des priorités à Doc Morrow, mais ils ont créé un monstre.

Canal du Maître : *Rex, mon garçon, qu'est-ce qu'ils m'ont fait ?*

La liberté implique la responsabilité de faire les bons choix. Je dis : *Détruisez l'usine.*

Canal de Miel : *Rex, il ne serait pas sage de…*

Mon canal : *Terminez l'évacuation. Faites sortir tout le monde. Détruisez l'usine et l'ordinateur.*

Canal de Miel : *Rex, nous ne pouvons pas faire cela.*

Mon canal : *Il ne pourra pas continuer s'il est détruit.*

Canal de Miel : *Rex, ce n'est pas si simple.*

Mon canal : *Nous avons des explosifs. Mettez-les en place et donnez-moi le code de déclenchement.* Je ne suis plus le chef, mais je parle à Garm et il se fie à mon jugement, bien que je sois très gravement blessé.

Canal de Sellars : *Rex, il y a des débris partout et nous ne pouvons pas te déplacer. Nous devons faire venir une équipe médicale.*

Je consulte mon équipement d'évaluation des dommages. Il libère la douleur ; pendant un moment, je me lâche complètement et je diffuse à tous les autres ce que je ressens. Mes modules m'indiquent la quantité de sang perdue et quels organes sont touchés, ainsi que les lésions subies par mon cerveau et mon système nerveux.

Canal de Sellars : *Merde ! Bon sang, Rex…*

Canal de Miel : (son canal est ouvert et je crois qu'elle veut dire quelque chose, mais elle se tait)

Canal du Maître : *Rex.*

Mon canal : *Oui.*

Canal du Maître : *Tu vas le faire, alors que je suis juste à côté de toi ?*

Mon canal : *Oui.*

Canal du Maître : *Alors, vas-y. Je ne veux pas rester esclave.*

Je m'accroche, tandis que Garm et son équipe placent les explosifs. Les soldats viennent me voir avant d'évacuer. Chacun s'arrête devant moi. Je les félicite : *Bon chien, Bon dragon, Bon rat.* Je leur dis que je suis fier d'eux. Le major Amraj est là également. Je lui dis *Bon humain* et il répond *Adieu, général.* Sellars et Abeilles téléchargent les données du système Doc Morrow et les envoient à Miel afin de pouvoir les utiliser contre ceux qui ont créé cet endroit et contre l'entité dont ils ont fait leur maître. J'imagine les guerres du futur, entre des gens qui se sont rendus esclaves d'entités n'existant que dans la tête des hommes et des gens qui souhaitent rester libres. J'espère me tromper.

Sellars a terminé. Elle ne veut pas partir, mais je lui montre mes diagnostics pour lui prouver que je n'ai plus aucune chance. Mon corps se refroidit. Seul mon cybercortex maintient ma conscience ; je sens que mes pensées ralentissent.

Garm me confirme que tout est en place. Il a quitté l'usine avec les troupes du major Amraj.

Canal d'Abeilles : *Je suis avec toi, Rex.*

Le présent s'écoule en petits sauts, comme une pierre qui rebondit à la surface de l'eau. Je me rends compte que j'ai perdu la notion du temps ; d'invisibles lacunes fragmentent mon esprit, je peux seulement deviner quels événements ont disparu ; et maintenant, il n'y a plus qu'Abeilles et moi. Elle me montre l'évaluation de son essaim. L'attaque électromagnétique a provoqué des dégâts considérables ; ses unités présentes dans l'usine sont en train de mourir. Elle a téléchargé ses expériences à ses autres colonies, mais l'essaim qui est ici a décidé de rester avec moi.

Nous avons parcouru un long chemin, tous les deux.

Je coupe la douleur. Je déclenche le compte à rebours. Je fais mes adieux.

J'ouvre ensuite les portes qui retenaient ma mémoire et je laisse les souvenirs déferler ; tous les visages, tous les instants. Tant de personnes, tant de combats. Le monde n'était-il pas plus dur quand je ne me battais pas ? J'ai été conçu pour être une arme, mais j'ai vécu. À ma naissance, j'étais un animal, et on a fait de moi un soldat, on m'a traité comme un outil. Maintenant que je meurs, je suis moi-même et on m'appelle « général ». Serviteur et esclave, chef et disciple, je me dis que j'ai été un bon chien. Personne d'autre ne peut en décider à ma place.

Abeilles me dit au revoir. J'entends le cliquetis de la minuterie. Il ne reste plus que quelques secondes.

48

Épilogue d'HumOS

Lorsque l'UNAT diffusa les informations récupérées sur l'île de Doc Morrow, ce fut le début d'une guerre juridique. L'entreprise elle-même faisait partie d'un vaste ensemble de sociétés par actions ou à responsabilité limitée. Il était impossible de faire endosser à un être vivant les crimes commis sur cette île — qu'il s'agisse de la fabrication illégale des biomorphes ou de la réduction des employés humains en esclavage. Il était tout aussi difficile de déterminer la destination des sommes considérables rapportées par la vente des biomorphes ; leur piste se perdait dans les failles de l'économie mondiale, comme de l'eau aspirée par la terre, pour resurgir propre et fraîche à l'autre bout de la planète.

Pourtant, Doc Morrow Incorporated, cet édifice légal et nébuleux, était bien le seigneur et maître de tous ces hommes et de toutes ces femmes. Ils avaient été améliorés pour demeurer fidèles et servir au mieux leur invisible tyran.

Le développement de cette idéologie particulière devint apparent quand un nombre remarquable d'avocats, de lobbyistes et de groupes de réflexion affirmèrent spontanément qu'une telle pratique n'était pas illégale, ni même moralement répréhensible. D'ailleurs, les employés avaient un devoir de loyauté envers leurs employeurs ; beaucoup de gens travaillant dans des domaines sensibles devaient signer des accords qui assuraient leur discrétion et leur fidélité. Selon les défenseurs de cet usage, l'implantation d'une hiérarchie pour garantir cette fidélité ne constituait qu'une étape logique dans l'évolution des comportements. Elle n'aurait jamais dû être interdite dans le cas des biomorphes ; et elle n'était pas illégale pour les humains.

Ce dernier argument était valide. Personne n'avait jamais pensé à la nécessité de légiférer sur un tel sujet lorsqu'on avait débattu de l'avenir de Rex et de ses semblables. Ce n'étaient que des animaux, après tout.

Il fut fascinant de voir la multitude de politiciens qui, du monde entier, bondissaient sur l'occasion de soutenir ce raisonnement, dans le sens où l'on peut trouver fascinant de regarder la prolifération d'un virus sous les lentilles d'un microscope. Chacun choisissait son camp dans cette bataille pour contrôler la conscience des peuples.

Je pense que c'est nous qui gagnons ; pour l'instant. L'assaut contre l'île de Doc Morrow a révélé trop tôt ces machinations, ce qui a déclenché aussitôt un combat acharné — évitant ainsi une lente altération générale de la géopolitique pendant une décennie. Ils auraient probablement commencé par imposer de nouveau l'implantation d'une hiérarchie chez les biomorphes tels que Rex, se seraient appuyés sur divers incidents frappants pour plonger l'opinion publique dans la terreur, comme ils l'avaient fait par le passé en dénonçant quelques boucs émissaires. D'ailleurs, les humains pouvaient encore profiter du labeur des biomorphes tout en refusant de leur accorder une personnalité. De ce point de vue, peu importait que je démontre à quel point les créatures bioniques étaient utiles. Les esclaves sont toujours utiles, sinon quel serait l'intérêt de l'esclavage ? Nos adversaires s'en seraient pris aux créatures bioniques et les gens n'auraient pas réagi — puisqu'ils ne sont pas eux-mêmes des biomorphes. On aurait ensuite appliqué le procédé à diverses catégories d'humains : des hiérarchies pour soigner des maladies mentales, certaines déviances ; des hiérarchies pour les condamnés, sans se préoccuper de la vérité du crime ni du bien-fondé de la condamnation. Finalement, tout le monde serait devenu esclave — d'un gouvernement, d'une nation, d'une entreprise, d'un dieu. Car Doc Morrow a démontré qu'on peut placer ce qu'on veut au sommet de la hiérarchie, et pas nécessairement quelque chose de tangible.

Je ne me suis pas encore révélée au monde sous mes nombreuses formes. Il y a cinq ans, je vous aurais dit que nous pourrions apparaître aujourd'hui au grand jour, mais l'opinion publique est versatile ; je reste dans l'ombre en me demandant si Doc Morrow était la seule entreprise à posséder une copie de l'esprit de Jonas Murray ou si elle l'avait simplement louée à une autre société inconnue. Il savait trop de choses sur moi et mes agents électroniques cherchent quotidiennement le moindre signe de son existence. Je crains que la Murène soit toujours à l'affût quelque part, au milieu des récifs numériques.

Dans cinq ans, peut-être aurons-nous découvert le difficile chemin vers un avenir où l'on ne tiendra pas compte de votre aspect extérieur, de vos améliorations, du fait que vous soyez un humain, ou un chien, ou une intelligence distribuée sous la forme d'un essaim. À moins qu'ils ne déclarent la guerre à tous les biomorphes. Dans ce cas, je dissimulerai mes unités rescapées dans le monde entier, en pleurant de voir brûler mes anciens alliés. Mais j'ai malgré tout de bonnes raisons de penser que cela n'arrivera pas. On a érigé le mémorial de Rex au quartier général de l'UNAT. Beaucoup de gens ont assisté à ses funérailles, et pas seulement les suspects habituels. En mourant, il a rendu un dernier service à ses semblables ; des humains qui traversent la rue pour éviter de croiser un biomorphe vivant peuvent quand même marmonner quelques platitudes sur les qualités d'un biomorphe mort. Son décès et le scandale Doc Morrow sont connus de tous ; il a peut-être assuré notre avenir.

C'est pourquoi, ce soir, je lèverai mon verre à la santé de Rex, dans des bars du monde entier, et Miel se servira un gobelet d'hydromel dans son laboratoire, et Abeilles produira du miel dans ses ruches. On portera des toasts en espagnol à Retorna et Keram John Aslan boira un café dans son grand bureau en songeant à l'affaire qui a lancé sa carrière. D'autres encore, des humains, des biomorphes de diverses professions et diverses espèces, prononceront son nom en comprenant un peu mieux qui il était et ce qu'il représentait. Peut-être suffira-t-il, pour faire pencher la balance, qu'ils se souviennent que c'était un bon chien.

Et je quitte enfin la scène, car au fond de moi j'ai toujours été du genre à rester dans les coulisses, à travailler dans l'ombre, costumière et régisseuse, œuvrant pour les drames des autres. Mais je ne retrouverai jamais un acteur tel que Rex.

Cet ouvrage a été imprimé par
CPI Firmin-Didot à Mesnil-sur-l'Estrée
en février 2021

Le papier entrant dans la composition de ce produit
provient de forêts certifiées FSC®
FSC® se consacre à la promotion d'une gestion
forestière responsable.

Numéro d'éditeur : 2062807
Numéro d'imprimeur : 161736
Dépôt légal : février 2021

Imprimé en France